d'Délices Italie

ISBN : 2-84308-359-1

Délices d'Italie

EDL

Délices d'Italie

TRÈS FACILE : ★ FACILE : ★★ DIFFICILE: ★★★

Délices d'Italie

TRÈS FACILE : ✯ FACILE : ✯✯ DIFFICILE: ✯✯✯

LES RECETTES

LES RECETTES

Entrées froides
Entrées chaudes

SERGIO PAIS

Antipasti

4 personnes ★ **Préparation : 35 min**

2 courgettes
2 aubergines
2 poivrons rouges
120 g de roquette
2 cuillères à soupe d'huile d'olive
Gros sel

Assaisonnement :
5 cl de vinaigre balsamique
5 cl d'huile d'olive
Sel
Poivre

Marinade :
12 feuilles de menthe
1 pincée d'herbes de Provence
10 cl d'huile d'olive
Poivre gris en grains
Sel

Décoration :
Parmesan en copeaux
Tomates cerise

Dans la gastronomie italienne, les *antipasti* se conjuguent à l'infini. Présentés sur la table pour ouvrir l'appétit, ces mets font office d'entrées assez légères.

L'assortiment de légumes que nous vous proposons est un classique du répertoire. Facile à réaliser, il se savoure aussi à toute occasion.

Véritable jardin potager, la péninsule italienne est une terre idéale pour la culture des aubergines, courgettes, poivrons, tomates... Il faut se rendre sur les marchés pour admirer les étals, soigneusement agencés. Dans ce tourbillon de couleurs et de parfums, des *mamma* exigeantes prennent le temps de faire leur choix...

Légumes d'été par excellence, les aubergines et courgettes participent à l'élaboration de nombreux apprêts méditerranéens. Dans ces *antipasti*, elles sont découpées en fines tranches puis poêlées. Mises à mariner une vingtaine de minutes dans l'huile d'olive, elles sont aromatisées de menthe. Cette plante, riche en calcium, fer et vitamines est réputée pour combattre la fatigue. Il en existe des dizaines de variétés, la plus connue étant la verte. Reconnaissable à ses feuilles allongées et dentelées, elle est disponible toute l'année. Si vous souhaitez la conserver enfermez-la dans un sac plastique et placez-la au réfrigérateur.

Quant aux herbes de Provence, également au rendez-vous dans la marinade, elles regroupent habituellement le laurier, romarin, thym et sarriette. Ce mélange est utilisé notamment pour relever les grillades.

Dans ces *antipasti* aux saveurs du soleil, notre chef a souhaité incorporer de la roquette. Appelée *rucola*, cette plante méditerranéenne possède de longues feuilles. Son goût puissant dévoile une note de noisette. Également très prisée des habitants du Sud de la France, elle se consomme en salade.

Délicieuse, cette entrée froide est idéale à déguster l'été en toute décontraction...

Dans un plat allant au four, disposez les poivrons. Recouvrez-les avec une bonne pincée de gros sel et 1 c. à s. d'huile d'olive. Faites-les griller, environ 45 min. Pelez-les et épépinez-les. Découpez-les en fines lamelles.

Lavez les aubergines et les courgettes. Découpez-les en fines tranches d'égale grosseur.

Huilez avec le restant d'huile d'olive la poêle à grillade. Posez dessus les tranches d'aubergines et courgettes. Faites-les griller.

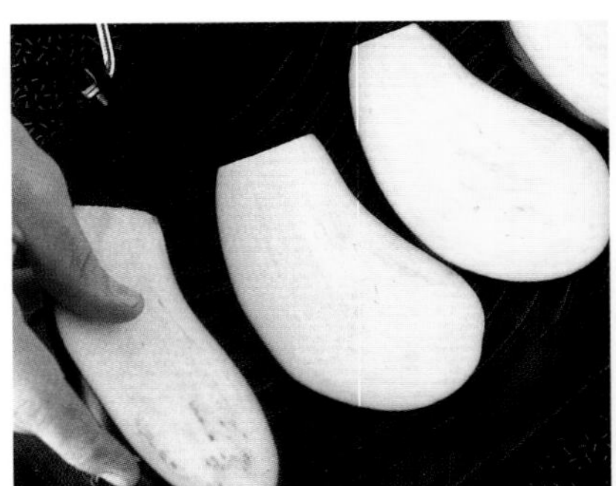

de légumes

SERGIO PAIS

Cuisson : 45 min

Marinade des légumes : 20 min

Disposez les aubergines et les courgettes dans un plat. Salez, poivrez. Recouvrez-les d'huile d'olive, menthe, herbes de Provence. Faites mariner 20 min.

Préparez la vinaigrette en versant dans un bol, le sel, le poivre, le vinaigre balsamique et l'huile d'olive. Délayez à l'aide d'un fouet.

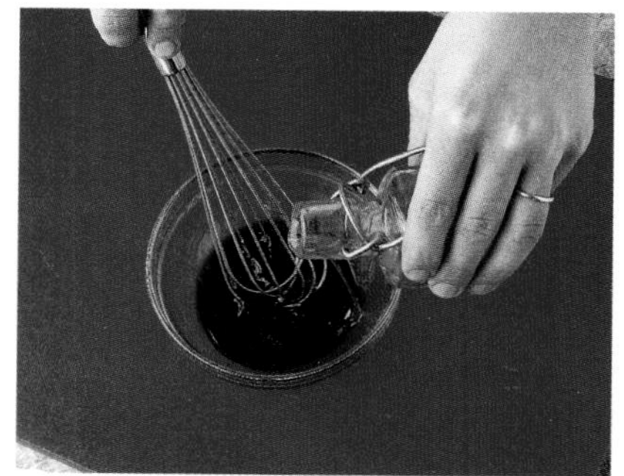

À l'aide d'un économe, faites des copeaux de parmesan. Dressez dans l'assiette, les tranches de courgettes, aubergines et lamelles de poivrons. Posez la roquette. Versez la vinaigrette dessus. Décorez avec les tomates cerise et le parmesan.

MADDALENA
BECCACECI

Antipasto

4 personnes ★ **Préparation : 10 min**

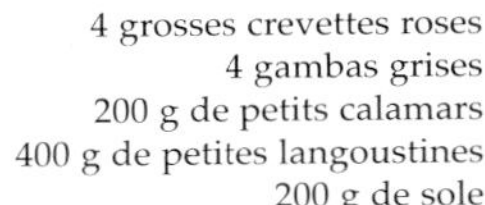
4 grosses crevettes roses
4 gambas grises
200 g de petits calamars
400 g de petites langoustines
200 g de sole

150 g de palourdes
1/2 citron
1/2 bottillon de persil
3 cl d'huile d'olive
Sel

Dans la tradition italienne, les dîners de poissons débutent généralement par une salade de fruits de mer. Cet *antipasto alla giuliese*, est un classique du répertoire culinaire.

À Giulianova, agréable port de pêche, situé sur la côte adriatique, ce mets jouit d'une immense popularité. Dans cette région des Abruzzes, particulièrement poissonneuse, les habitants sont de grands amateurs de produits marins.

Cette entrée, qui peut se savourer froide ou tiède, est extrêmement facile à réaliser. Si dans cette préparation, les fruits de mer sont assaisonnés d'huile d'olive, persil et sel, vous pouvez également les relever d'une mayonnaise.

Très léger, l'*antipasto alla giuliese* est un mets séduisant. Appelées *scampetti piccoli* en dialecte régional, les petites langoustines abondent en Adriatique. Ressemblant à un homard ou une grosse crevette, elles dévoilent une saveur délicate. Excellentes en salade, elles sont parfois pochées ou grillées. Vous pouvez vous les procurer vivantes ou surgelées. Présentes toute l'année sur les étals des poissonniers, elles doivent avoir l'œil et la carapace bien brillants. Leur chair délicieuse nécessite peu de cuisson. Si vous souhaitez offrir aux assiettes une touche de raffinement supplémentaire, disposez une ou deux langoustines avec leur tête.

Composé également de crevettes et gambas, ce plat très estival met aussi à l'honneur les calamars. Cousins de la seiche, par laquelle vous pouvez les remplacer, ils se consomment aussi grillés ou frits. Lorsqu'ils sont petits, leur chair est particulièrement fondante.

Quant à la sole, reine des poissons plats, elle offre sa texture parfaite.

Très harmonieuse, cette entrée aux saveurs du littoral est à déguster sans tarder...

Nettoyez la sole en la vidant et en la pelant. Faites-la cuire 5 min dans de l'eau salée. Nettoyez les calamars en les pelant. Coupez-les en petits dés. Faites-les cuire dans de l'eau bouillante, environ 10 min.

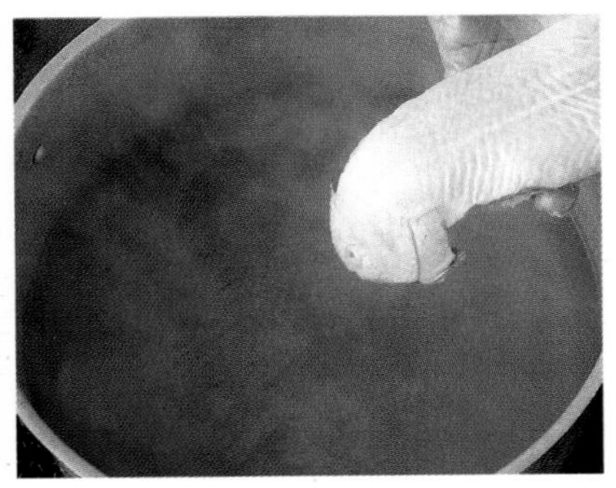

Versez les palourdes dans un poêlon avec un peu d'eau. Faites-les cuire à couvert quelques minutes afin qu'elles s'ouvrent. Débarrassez-les de leur coquille.

Avec les doigts, décortiquez les langoustines, les gambas grises et les crevettes roses. Faites-les cuire séparément dans de l'eau, environ 3 min.

alla giuliese

MADDALENA
BECCACECI

Cuisson : 15 min

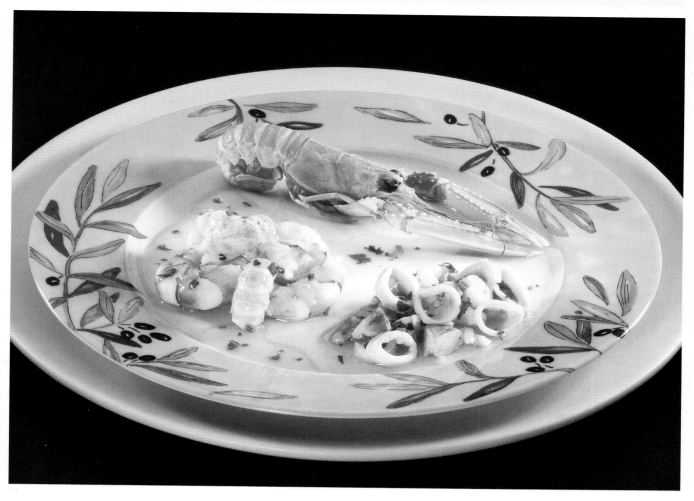

À l'aide d'un couteau et d'une fourchette, levez les filets de sole. Coupez ces derniers en petits morceaux réguliers.

Disposez dans un saladier, les langoustines, gambas, crevettes, dés de calamars, palourdes et morceaux de sole.

Préparez l'assaisonnement en pressant le jus du demi-citron. Versez-le dans un bol. Salez. Ajoutez l'huile d'olive et le persil haché. Mélangez. Dressez dans les assiettes, les fruits de mer avec l'assaisonnement.

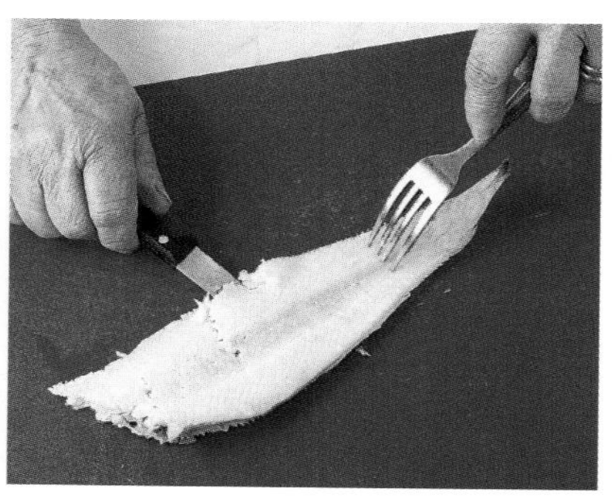

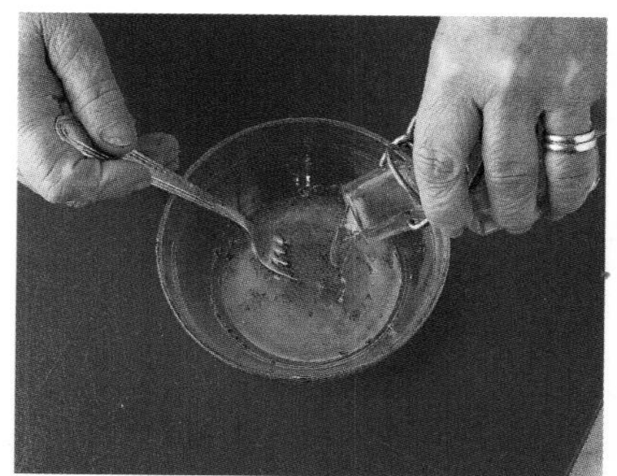

MARCO ET ROSSELLA FOLICALDI

Artichauts violets

4 personnes ★ **Préparation : 20 min**

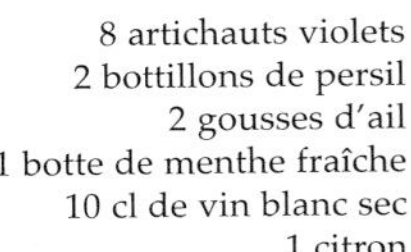

8 artichauts violets
2 bottillons de persil
2 gousses d'ail
1 botte de menthe fraîche
10 cl de vin blanc sec
1 citron

8 cuillères à soupe d'huile d'olive
Sel

Décoration :
Fèves fraîches
Copeaux de pecorino (fromage)

Très recherchés des Italiens, les artichauts violets à la romaine se savourent en entrée chaude ou tiède. Ce mets printanier, traditionnellement associé aux fêtes Pascales, est un classique de la cuisine italienne.

Facile à réaliser, cette spécialité romaine offre aux artichauts la vedette. Dans la cité éternelle, ces légumes, qui abondent sur les étals des marchés, se déclinent à l'infini. À côté des nombreuses variétés locales, on trouve également des espèces cultivées dans les autres régions : le gros *romanesco*, assez arrondi et sans épines, le *catanese*, aux lignes fuselées, le *violetto*, cultivé en Toscane et dans les environs de Palerme, les petits artichauts liguriens...

Selon le marché, optez pour des "poivrades", reconnaissables à leur jolie teinte vert-violacée presque chinée. Très tendres, ils peuvent aussi se consommer crus. Choisissez-les avec des feuilles intactes, sans taches et bien fermées. Afin d'éviter l'oxydation, trempez-les dans de l'eau citronnée, puis égouttez-les.

Dans l'Antiquité, les Romains appréciaient déjà l'artichaut qu'ils appelaient *cyrana*, du nom d'une héroïne populaire. Dans un conte ancien, cette jeune fille se métamorphosait au fil du temps en cette plante originaire de Sicile !

Les Italiens le baptisèrent ensuite *carciofo* de l'arabe *harsufa*. Au cours de la Renaissance, les savants lui attribuèrent des vertus thérapeutiques. Quant au cuisinier du pape Pie V, Bartolomeo Scappi, il recommandait de le farcir d'un mélange de viande de veau maigre, jambon, œuf, épices, ail et herbes aromatiques !

Loin d'écouter ces conseils culinaires, les habitants de Rome ont opté pour une garniture légère. La farce, qui se compose d'ail et de persil très usités dans la gastronomie italienne, dévoile également les saveurs caractéristiques de la menthe. Cette plante aromatique très odorante apporte toute sa fraîcheur. Délicieux, les artichauts à la romaine séduiront les gourmets.

Avec les doigts, enlevez les feuilles extérieures et fibreuses des artichauts. Taillez l'extrémité de la queue en biseau.

Coupez dans le sens de la largeur l'extrémité des feuilles des artichauts. Ouvrez-les. Plongez ces derniers dans un saladier d'eau citronnée.

Lavez la menthe et le persil. Épluchez les gousses d'ail. Hachez-les finement. Farcissez avec ces ingrédients le cœur et les feuilles des artichauts.

à la romaine

MARCO ET
ROSSELLA
FOLICALDI

Cuisson : 20 min

Plongez délicatement la tête des artichauts dans une assiette contenant du sel fin.

Posez délicatement dans une casserole les artichauts en les tenant par la queue. Versez 8 c. à s. d'huile d'olive. Faites cuire, à couvert, environ, 3 min.

Versez le vin blanc. Faites cuire, à couvert et à feu vif. À ébullition, faites cuire, environ 15 min, à feu doux. Dressez les artichauts dans l'assiette. Décorez avec les fèves et les copeaux de pecorino.

PAOLO ZOPPOLATTI

Frico aux pommes de

4 personnes ★ **Préparation : 20 min**

10 asperges vertes
4 pommes de terre
1 oignon
100 g de pancetta roulée et fumée
250 g de fromage montasio de 3-6 mois

1 cuillère à café de moutarde de Dijon
20 cl d'huile d'olive
Sel
Poivre

Dans les Alpes carniques, chaque village conserve jalousement une merveilleuse recette de *frico*. Cette galette aux pommes de terre, cuite à la poêle et bien croustillante, est souvent garnie de fromage *montasio*. Autrefois, les bergers et les bûcherons consommaient ce plat très nourrissant pour reconstituer leurs forces. De plus, les ingrédients principaux étaient économiques et pouvaient se conserver longtemps. Toujours soucieux d'améliorations gastronomiques, Paolo Zoppolatti mêle des asperges vertes à son *frico*. Dans le Frioul, les gourmets se régalent en effet de ces tendres tiges gratinées au fromage. Il ne restait plus qu'à mélanger les deux traditions !

Le *montasio* tire son nom d'une montagne au pied de laquelle il était fabriqué. Ce fromage au lait de vache de couleur jaune-orange pâle, ponctué de minuscules trous fut inventé vers 1200 par des moines bénédictins. Son appellation d'origine contrôlée, obtenue en 1986 limite la production au Frioul, Vénétie Julienne et aux provinces vénitiennes de Belluno, Trévise et Padoue.

Comme le parmesan, il est possible de l'acquérir suivant différents degrés de vieillissement : le *montasio* jeune (deux mois d'affinage) présente une saveur de lait de vache. En version *mezzano* (deux à dix mois), son goût plus prononcé est idéal pour la réalisation du *frico*. Au-delà de dix mois, il est qualifié de *stravecchio*, et acquiert un arôme à la fois épicé et salé. Lorsqu'ils ne trouvent pas de *montasio*, les Italiens le remplacent par un fromage à croûte plus répandu appelé *casciotta*. De la tomme de Savoie convient également.

Ajoutés dans le mélange de légumes, *pancetta* et oignons, les cubes de fromage vont fondre et une partie du gras va ressortir. Éliminez-le en le versant délicatement dans l'évier. De plus en cours de cuisson, n'oubliez pas de secouer régulièrement la poêle pour bien répartir la chaleur. Il ne vous reste plus qu'à déguster bien chaud.

Épluchez puis émincez l'oignon. Hachez la pancetta. Faites rissoler le tout 5 min à la poêle.

Épluchez les pommes de terre et coupez-les en cubes.

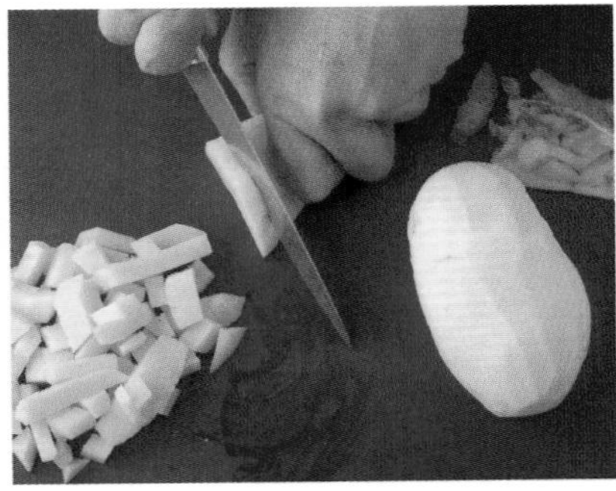

Pelez les asperges en allant du dessous de la pointe jusqu'à la queue. Détaillez 8 tiges en minces rondelles, et les 2 autres en fine julienne (réservez ces dernières).

erre et asperges vertes

PAOLO
ZOPPOLATTI

Cuisson : 30 min

Marinade de la julienne d'asperges : 10 min

Incorporez les rondelles et pointes d'asperges ainsi que les pommes de terre dans la poêlée d'oignon à la pancetta. Salez et poivrez. Ajoutez 2 c. à s. d'eau. Laissez cuire 15 min.

Découpez le fromage en petits cubes. Ajoutez-les aux légumes et continuez la cuisson pendant env. 10 min. Secouez et retournez la préparation, telle une crêpe pour qu'elle dore sur les deux faces.

Dans une terrine, mélangez la julienne d'asperges réservée, la moutarde, l'huile d'olive et du sel. Laissez mariner 10 min. Disposez le frico sur un plat et décorez-le avec la salade d'asperges marinée.

SERGIO
PAIS

Friture de

4 personnes ★ **Préparation : 30 min**

20 crevettes roses
200 g de supions
20 langoustines
250 g de farine
Huile de friture
Sel

Sauce tartare :
6 câpres
5 branches de persil
2 œufs
3 cornichons
1 cuillère à soupe de moutarde
20 cl d'huile de tournesol
Sel, poivre

Décoration :
Feuilles de basilic

Accompagnement :
Citrons

En Campanie, le magnifique golfe de Naples est réputé pour l'excellence de ses produits marins. De tout temps, la Méditerranée, appelée dans l'Antiquité *mare nostrum* a fourni aux habitants du sud de la "Botte" quantités de poissons, coquillages et crustacés.

Extrêmement facile à réaliser, la friture de fruits de mer est un plat idéal à savourer entre amis. Modulable en fonction de l'arrivage, cette entrée peut aussi se composer de rougets, anchois et sardines.

Très abondantes sur les côtes d'Europe Occidentale, les langoustines possèdent une chair succulente. Appelées *scampi* en italien, leur saveur délicate rappelle celle du homard. Excellentes grillées ou légèrement pochées, la plupart des recettes de crustacés leur conviennent. Disponibles toute l'année sur les étals, elles sont présentées entières avec leurs pinces. Quant aux crevettes roses, elles sont recherchées des amateurs pour la finesse exceptionnelle de leur goût.

Dans cette entrée du bord de mer, les supions appelés également calamars ou encornets dévoilent leur texture fondante. On les consomme habituellement grillés, frits, farcis. Cousins de la seiche par laquelle ils peuvent être remplacés, ils mesurent environ cinquante centimètres. Reconnaissables à leur corps fusiforme, recouvert de membranes noirâtres, ils possèdent deux nageoires triangulaires à l'arrière. Leur tête porte dix tentacules, également comestibles dont deux très longs.

Pour agrémenter cette friture, notre chef a tout naturellement pensé à une sauce tartare. Très aromatisée, cette dernière met en valeur le goût spécifique des câpres. Ces boutons floraux du câprier se récoltent au printemps. Conservés dans du vinaigre ou de la saumure, il convient de les rincer à l'eau avant de les consommer. En Italie, les câpres des îles Lipari et Pantelleria, au large de la Sicile, sont particulièrement réputées.

Nettoyez les supions en les pelant sous l'eau. Décollez délicatement la poche et les tentacules. Retirez l'os et l'encre. Découpez-les en rondelles d'égale grosseur.

Avec les doigts, détachez les têtes des langoustines et des crevettes en les faisant légèrement pivoter. Décortiquez-les en enlevant la carapace.

Versez la farine dans un grand plat. Disposez les supions, langoustines et crevettes. Avec les doigts, enroulez-les de farine. Tamisez-les.

ruits de mer

SERGIO PAIS

Cuisson : 15 min

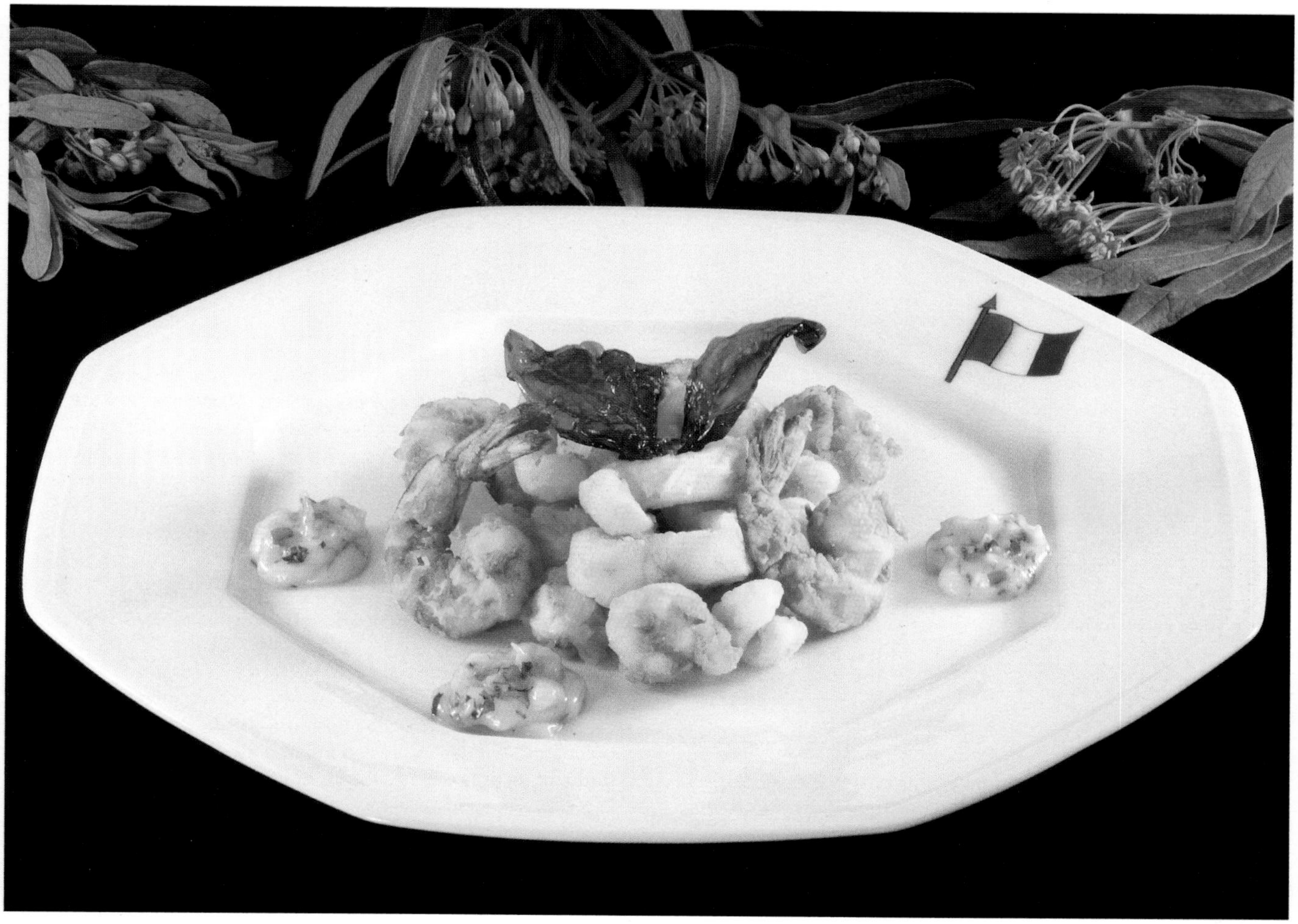

Dans la friteuse, faites chauffer l'huile de friture. Déposez les crevettes, supions et langoustines. Pour la décoration, faites frire les feuilles de basilic.

Retirez les langoustines, supions et crevettes avec une araignée. Déposez-les sur du papier absorbant pour les éponger. Salez généreusement la friture.

Préparez la sauce en montant en mayonnaise les jaunes d'œufs, la moutarde, le sel et le poivre. Versez l'huile lentement. Ajoutez les câpres, le persil haché, les dés de cornichon. Dressez la friture avec la sauce et les citrons. Décorez avec le basilic.

BIANCAROSA ZECCHIN

Guazzetto de foie

4 personnes ★ **Préparation : 15 min**

Guazzetto :
4 foies de poulet
1 oignon
200 g de cèpes secs
1/2 gousse d'ail
15 cl d'huile d'olive vierge extra
1/2 bouquet de persil
Sel
Poivre

Polenta :
150 de farine de maïs jaune précuite
Sel

Décoration :
Persil
Ciboulette (facultatif)

Autrefois, le *guazzetto* était mijoté par des familles modestes, qui valorisaient tout dans le poulet, afin de ne rien gaspiller : les foies servaient à cette préparation, la peau était découpée en lamelles pour obtenir des sortes de *fettucine*...

En saison, le *guazzetto* sera bien meilleur garni de cèpes frais. Dans la région de Padoue, chère à notre chef, les mycologues avertis ont tout loisir d'aller récolter plusieurs variétés de cèpes : elles prennent le nom générique de *funghi porcini*. Hors saison, vous utiliserez des champignons séchés. La veille du repas, pensez à bien les rincer, puis mettez-les à tremper dans une terrine d'eau froide.

Biancarosa Zecchin vous suggère de déposer le mélange de foies, d'oignons et cèpes poêlés sur un lit de *polenta*. Depuis plusieurs siècles, cette bouillie à base de farine de maïs joue un grand rôle dans l'alimentation du nord de l'Italie. Ce sont les marchands vénitiens qui importèrent le maïs d'Amérique au XVIe siècle. Les cuisiniers apprirent trés vite à le valoriser sous forme de bouillie, comme ils le faisaient déjà avec l'orge, le millet, l'épeautre et les pois chiches. Cette "céréale miracle", qui permettait aux paysans de se nourrir à peu de frais, réduisit les périodes de famine. Elle finit par apparaître au petit-déjeuner, au déjeuner, au dîner... entraînant malheureusement des carences et une grave maladie appelée "pellagre".

La farine de maïs classique doit être remuée de 45 minutes à 1 heure sur le feu. Aussi, nous vous conseillons d'employer de la *polenta* précuite, qui vous demandera beaucoup moins d'efforts. Vous la ferez cuire à feu doux jusqu'à obtention d'une jolie purée tendre. Mais vous pouvez aussi la laisser épaissir plus longtemps, puis la verser dans une terrine. Une fois refroidie, démoulez-la et coupez-la en tranches.

Délicieux en guise d'entrée, le *guazzetto* pourra tout aussi bien être servi comme plat principal.

Mettez les cèpes à réhydrater la veille, dans un bol d'eau. Préparez la polenta : portez 1 litre d'eau à ébullition dans une marmite. Ajoutez la farine de maïs et le sel, et remuez sur le feu environ 20 min jusqu'à obtention d'une pâte. Réservez.

Pour réaliser le guazzetto, égouttez les cèpes. Hachez-les au couteau, sur une planche à découper.

Faites revenir les morceaux de cèpes 5 min à la poêle nappée de 5 cl d'huile d'olive, avec de l'ail et du persil hachés, sel et poivre.

et de cèpes

BIANCAROSA
ZECCHIN

Cuisson : 40 min env.

Réhydratation des cèpes : 1 nuit

Sur la planche à découper, détaillez ensuite les foies de poulet en lamelles.

Épluchez puis émincez l'oignon. Faites-le fondre à la poêle dans 10 cl d'huile chaude. Ajoutez les lamelles de foies, salez, poivrez. Remuez 3-4 min à la cuillère jusqu'à ce qu'ils soient rissolés.

Ajoutez les foies rissolés dans les cèpes. Poêlez encore 4-5 min, en mélangeant constamment avec votre cuillère. Disposez un lit de polenta dans vos assiettes, avec les foies aux cèpes au centre. Décorez de persil haché et de ciboulette.

MADDALENA
BECCACECI

Moules gratinées

4 personnes ★ **Préparation : 25 min**

3 kg de moules
150 g de chapelure
4 grosses tomates
1 gousse d'ail
1 bottillon de persil

8 cl d'huile d'olive
Sel

Décoration :
Persil

Il est difficilement imaginable d'envisager aujourd'hui la cuisine italienne sans la présence des précieuses tomates, *pomodori*. Dans cette entrée chaude, où les moules sont farcies puis gratinées en leur compagnie, ces légumes-fruits illuminent de leur couleur éclatante ce mets délicieux. Très facile à réaliser, cette préparation est aussi idéale à savourer entre amis au moment de l'apéritif.

Extrêmement fragiles, les moules doivent être utilisées dans les trois jours qui suivent leur expédition. Redoublez de vigilance lors du triage. Éliminez celles dont les coquilles sont cassées ou entrouvertes. Les moules fraîches sont toujours bien fermées et jamais desséchées. Avant de les employer, ébarbez-les en les débarrassant de tous les filaments. Puis brossez-les sous l'eau courante. Notre chef vous suggère en fonction de l'arrivage de les remplacer par des coquilles Saint-Jacques, réputées pour leur chair délicate.

Parfumée aux accents de la Méditerranée, la farce dévoile le goût caractéristique de l'ail. Cette plante à bulbe, cultivée depuis plus de 5000 ans, est indissociable de la gastronomie du sud de l'Europe.

Marié traditionnellement à l'ail, le persil se trouve toute l'année sur les étals. En Italie, on dit volontiers d'une personne très sollicitée qu'elle est incontournable *"come il prezzemolo"*, c'est-à-dire comme le persil dans la cuisine !

Quant aux tomates, rien ne saurait aujourd'hui les remplacer. Ramenées du Pérou en Europe par les Conquistadores, elles durent attendre le XVIIIe siècle pour être cultivées en Campanie. Surnommées à cette époque, *"pomo d'oro"*, pomme d'or, en raison de leur couleur jaune, elles se consomment de nos jours tout au long de l'année. On compte 5000 variétés dont la célèbre roma, originaire du Sud. Optez pour des tomates fermes, charnues, luisantes et de couleur uniforme.

Regorgeant de convivialité, les moules gratinées *al pomodoro* sont une invitation *al dolce farniente...*

Nettoyez les moules, ébarbez-les avec la pointe d'un couteau. Versez ces dernières dans une casserole contenant de l'eau. Faites-les cuire, entre 3 et 5 min, afin qu'elles s'ouvrent.

Faites refroidir les moules et décortiquez-les avec les doigts. Réservez les coquilles. Mondez les tomates pour les peler. Épépinez-les et coupez-les en très petits dés.

Préparez la farce en épluchant et en hachant la gousse d'ail. Lavez le persil et hachez-le.

al pomodoro

MADDALENA
BECCACECI

Cuisson : 15 min

Disposez dans un saladier les moules cuites, le persil et l'ail hachés. Versez 3 cl d'huile d'olive. Ajoutez la chapelure. Salez. Mélangez délicatement.

Garnissez les coquilles en déposant à l'intérieur une moule enrobée de farce. Écrasez légèrement.

Disposez les coquilles farcies dans un plat allant au four. Posez dessus un dé de tomates. Salez. Versez 5 cl d'huile d'olive et un demi-verre d'eau. Faites cuire, à 180°C, 10 min. Dressez les moules dans l'assiette. Décorez avec le persil.

MARCO ET
ROSSELLA
FOLICALDI

Parmigiana

4 personnes ★ **Préparation : 40 min**

8 aubergines
1 cœur de céleri
2 oignons
3 carottes
800 g de tomates
2 mozzarella de bufflonne
1 bouquet de basilic
5 cl de vin blanc

1 gousse d'ail
50 g de parmesan râpé
4 cuillères à soupe d'huile d'olive
Huile d'olive de friture
Sel

Décoration :
Feuilles de basilic

Estimé à travers toute la péninsule, ce gratin d'aubergines au parmesan est un classique du répertoire italien. Facile à réaliser, il connaît cependant en fonction des régions des variations. En Sicile, on a coutume de l'accompagner de copeaux de chocolat. Les Napolitains, quant à eux, y ajoutent des abats de viande.

Succulent, ce mets végétarien, où les aubergines sont coupées en tranches, puis généreusement recouvertes de parmesan avant d'être gratinées, est originaire de Calabre. Appelée en italien, *parmigiana di melanzane*, cette spécialité doit son nom au célèbre fromage, produit dans le Nord du pays. Dévoilant des saveurs typiquement méditerranéennes, il s'apprécie à toute occasion.

Légumes d'été par excellence, les aubergines auraient été introduites dans le Sud du pays par les Arabes qui la nommaient *badigian*. Leur culture nécessite un climat sec, un sol riche en silicium et des températures élevées.

Ces trois facteurs empêchent les substances amères de se déposer dans la chair et favorisent la concentration de l'arôme. Leur couleur et forme sont différentes selon la variété.

Sur les marchés italiens, on trouve en abondance, d'octobre à juin, la *violetta di Firenze*, la *belleza nera* et la *nubia*. Ces aubergines sont appréciées pour leur chair délicate. Choisissez-les sans taches, la peau lisse, intacte, ferme et non fripée avec le pédoncule si possible bien frais. Elles se conservent très bien au réfrigérateur.

Dans cette préparation, le parmesan joue un rôle essentiel. Produit exclusivement dans les provinces de Parme, Reggio-Émilia, Modène, Mantoue et Bologne, ce fromage est encore fabriqué artisanalement. Reconnaissable à sa saveur lactique boucanée, fruitée, salée et parfois piquante, il bénéficie d'une appellation d'origine.

Épluchez les carottes, les oignons et la gousse d'ail. Coupez le céleri et les carottes en bâtonnets et les oignons en grosses lamelles. Écrasez la gousse d'ail.

Faites chauffer 4 c. à s. d'huile d'olive. Disposez les carottes, oignons, céleri et ail. Faites cuire, environ 15 min, à feu doux. Versez le vin blanc. Faites cuire jusqu'à évaporation.

Mondez les tomates pour les peler. Ajoutez ces dernières dans la préparation des légumes. Faites cuire, à couvert, environ 1 h. Salez.

d'aubergines

MARCO ET
ROSSELLA
FOLICALDI

Cuisson : 2 h 20

Lavez les aubergines. Coupez ces dernières en grosses tranches d'égale grosseur. Coupez les mozzarella en tranches.

Faites chauffer l'huile d'olive de friture. Plongez les tranches d'aubergines. Faites-les dorer. Épongez-les dans du papier absorbant.

Dans un plat, versez la préparation des tomates. Disposez une tranche d'aubergine. Saupoudrez de parmesan. Couvrez de mozzarella et de basilic. Renouveler l'opération. Faites cuire, au four, à 180°C, 1 h. Dressez la parmigiana d'aubergines, décorée de basilic.

ALBERTO
MELAGRANA

Passatini aux morilles

4 personnes ★★ **Préparation : 50 min**

200 g de morilles
100 g de courgettes
100 g de carottes
1 gousse d'ail
1,5 cuillère à soupe d'huile d'olive
Sel
Poivre

Pâte des passatini :
300 g de farine
300 g de chapelure
600 g de parmesan râpé
8 œufs
1 citron

Crème de potiron :
400 g de potiron
2 échalotes
1 pincée de cerfeuil
1,5 cuillère à soupe d'huile d'olive
Sel
Poivre

Décoration :
Cerfeuil

Intransigeants sur la qualité des pâtes, les Italiens sont les maîtres incontestés dans l'art de les cuisiner. Confectionnées encore à la maison par les *mamma*, elles peuvent être présentées en entrée chaude ou en plat de résistance.

Très prisées dans les villes de Pesaro et d'Urbino, les *passatini*, également connues sous le nom de *passatelli*, sont de longues pâtes, typiques de la région des Marches. Autrefois, elles étaient fabriquées à l'aide d'un *bigolaro*. Cet ustensile était fixé sur un trépied large d'un mètre. Il comportait un tube d'un diamètre de dix centimètres environ, sur lequel s'emboîtaient différentes pièces de rechange en laiton qui donnaient la forme désirée. La pâte était pressée vers le bas avec une manivelle.

Dans les villages, une seule famille possédait le *bigolaro* qu'elle prêtait aux voisins. L'heureuse détentrice se voyait offrir en guise de remerciement des pâtes fraîches. Aujourd'hui, cet instrument traditionnel a été remplacé par un "presse-purée".

Pour réussir cette recette, il est impératif de façonner les pâtes au-dessus de la marmite d'eau bouillante. Dès qu'elles remontent à la surface, retirez-les immédiatement et transvasez-les dans la préparation des légumes.

Dévoilant des saveurs champêtres, cette entrée végétarienne accorde aux morilles la vedette. Le chapeau spongieux de ces champignons de printemps est particulièrement recherché des amateurs. Séché, son goût gagne en puissance. Selon notre chef, il est tout naturellement irremplaçable.

Quant à la crème de potiron, elle apporte une touche de raffinement supplémentaire. Très voluptueuse, cette dernière dévoile aux papilles la saveur légèrement anisée du cerfeuil. Cette plante, originaire de Russie méridionale, est reconnaissable à ses petites feuilles dentelées. Utilisée comme condiment, elle rehausse admirablement potages, sauces et omelettes.

Très coloré, ce mets raffiné et délicat est à l'image de la gastronomie italienne.

Préparez la pâte en disposant dans un récipient, la farine, la chapelure, le parmesan, l'écorce du citron et les œufs. Pétrissez avec les doigts jusqu'à l'obtention d'une pâte homogène. Faites réfrigérer 20 min. Réhydratez les morilles dans de l'eau pendant 1 h.

Épluchez le potiron et coupez-le en dés. Faites-le cuire, 10 min dans de l'eau. Faites chauffer 1,5 c. à s. d'huile d'olive. Ajoutez les échalotes coupées en petits dés. Déposez le potiron. Faites rissoler. Salez, poivrez. Incorporez le cerfeuil. Moulinez.

Égouttez les morilles et coupez-les. Dans la poêle, faites chauffer 1,5 c. à s. d'huile d'olive avec la gousse d'ail en chemise. Déposez les champignons. Faites-les sauter. Salez, poivrez.

t crème de potiron

ALBERTO
MELAGRANA

Cuisson : 20 min | **Réfrigération de la pâte : 20 min** | **Réhydratation des morilles : 1 h**

Épluchez les carottes et coupez-les en très petits dés ainsi que les courgettes lavées. Disposez les légumes dans la préparation des morilles. Faites cuire, environ 10 min.

Faites chauffer une marmite remplie d'eau. Déposez la pâte dans le presse-purée, appuyez au-dessus de la marmite et laissez tomber les passatini. Faites-les cuire jusqu'à ce qu'ils remontent à la surface.

Transvasez les passatini égouttés dans la poêle. Faites-les revenir en vannant. Dressez dans l'assiette la crème de potiron, posez dessus les passatini. Décorez de cerfeuil.

MARCO ET
ROSSELLA
FOLICALDI

Poivrons farci

4 personnes ★ **Préparation : 35 min**

4 poivrons rouge, vert, jaune et orange
200 g de lentilles vertes
600 g de pommes de terre
50 cl de lait
2 bottillons de persil
6 gousses d'ail
5 feuilles de laurier

1 noix de muscade
2 citrons
800 g de tomates
250 g de parmesan râpé
2 cuillères à soupe d'huile d'olive
Sel

Décoration :
Persil

Extrêmement colorés, les poivrons farcis à la crème de lentilles s'apprécient à toute occasion. Très nourrissant, ce mets, originaire de Calabre, est parfois préparé lors des pique-niques. Les Italiens aiment le savourer aussi bien chaud que froid.

Jouant un rôle majeur dans la cuisine du Sud, les lentilles ainsi apprêtées avait l'avantage autrefois de remplacer généreusement la viande. Ces légumineuses, originaires d'Orient, sont cultivées depuis des millénaires en Méditerranée. Déjà dans l'Antiquité, Rome en importait d'Égypte par bateaux entiers !

En Italie, les hauts plateaux de Castelluccio, situés à 1400 mètres d'altitude, fournissent aux gourmets les meilleures lentilles du pays. Petites et vertes, elles bénéficient d'une appellation d'origine, et ont la réputation d'être excellente pour la santé en raison de leur teneur en protéines et sel minéraux. Très tendres, elles nécessitent un temps court de cuisson.

Cette crème, qui se compose également de pommes de terre, ail, persil et zestes de citron, dévoile la saveur chaude et douce de la noix de muscade. Cette épice se marie idéalement aux produits laitiers. Elle se conserve toujours dans un flacon hermétique.

Ce plat végétarien est un pur régal. Les poivrons ainsi farcis contribuent à ensoleiller magnifiquement les papilles. Cultivés essentiellement dans Les Pouilles, ces fruits du piment doux peuvent être rouges, jaunes, verts, voire violets.

Les rouges, particulièrement doux, sont appréciés pour leur chair moelleuse. Les verts, qui se conservent le mieux, ont un goût assez fort et âcre. Les jaunes et oranges à la peau épaisse se révèlent sucrés. Choisissez-les bien durs, lisses, le pédoncule assez vert et rigide, sans taches.

À l'occasion, vous pouvez utiliser la crème de lentilles pour farcir des *cannelloni,* chers aux papilles des Italiens !

Versez les lentilles dans une casserole remplie d'eau. Ajoutez les feuilles de laurier. Faites cuire, environ 40 min. Mixez les lentilles.

Épluchez les pommes de terre. Coupez ces dernières en dés. Faites-les cuire, environ 30 min, dans de l'eau salée. Égouttez. Réduisez-les en purée en versant le lait chaud et en les écrasant avec un fouet. Salez.

Transvasez les lentilles mixées dans la purée de pommes de terre. Mélangez. Mondez les tomates pour les peler. Concassez-les afin de les réduire en coulis. Salez.

la crème de lentilles

MARCO ET
ROSSELLA
FOLICALDI

Cuisson : 1 h 30

Dans un bol, posez le persil haché, les gousses d'ail écrasées, la noix de muscade râpée et les zestes de citron. Salez. Mélangez. Transvasez cette préparation dans la crème de lentilles.

Coupez les poivrons dans le sens de la largeur. Épépinez-les. Ôtez la membrane blanche. Huilez le plat avec 1 c. à s. d'huile d'olive. Posez les poivrons. Faites cuire, à 180°C, pendant 20 min. Piquez-les avec la pointe d'un couteau. Salez.

Garnissez les poivrons avec la farce de lentilles. Saupoudrez de parmesan. Disposez-les dans un plat avec le coulis de tomates. Versez un filet d'huile d'olive. Faites cuire 30 min, à 180°C. Dressez-les en les décorant de persil.

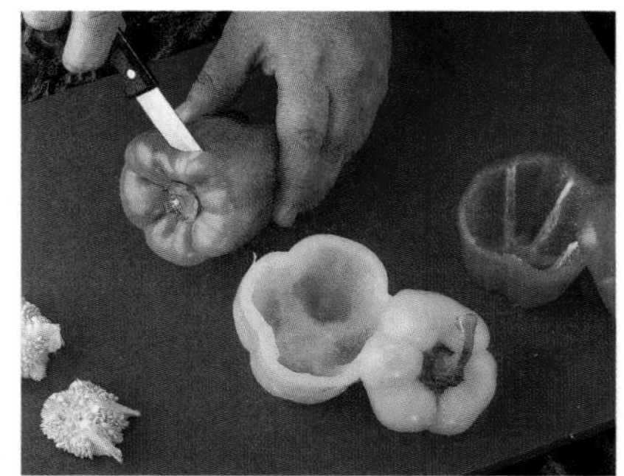

MICHELINA
FISCHETTI

Riscoperta de pair

4 personnes ★ **Préparation : 15 min**

500 g de brocolis
200 g de pain rassis
2 gousses d'ail
1 piment rouge séché piquant
1 piment rouge séché doux

50 g de pecorino (fromage)
Gros sel (facultatif)
4 cuillères à soupe d'huile d'olive
Sel
Poivre

La *riscoperta* de pain cuit aux brocolis est une préparation typique de l'arrière-pays napolitain. Ce plat, aux racines paysannes, peut se déguster en soupe ou en entrée chaude. Dans certaines familles, on l'agrémente de pommes de terre, œuf et scarole.

Autrefois, ce mets rustique offrait l'avantage de se sustenter avec peu d'ingrédients. On utilisait alors du pain rassis de deux ou trois jours que l'on accompagnait de légumes du jardin.

Essentiellement cultivés dans le Sud de l'Italie, les brocolis appartiennent à la famille du chou. Très riches en vitamine C et minéraux, ils apportent aussi aux plats leur touche de couleur. Très proche cousin du chou-fleur par lequel ils peuvent être remplacés, ils abondent sur les marchés d'octobre à avril. N'oubliez pas de conserver l'eau de cuisson pour humidifier le pain.

Très ensoleillée, la cuisine campanienne ne peut se passer d'huile d'olive. Cette dernière est plus ou moins fruitée, équilibrée ou aromatisée. Dans le Sud de la péninsule, les Pouilles fournissent une oléagineuse au goût puissant et corsé.

Le ramassage des fruits a lieu entre début novembre et mi-décembre. Aujourd'hui encore la récolte s'effectue manuellement. Les saisonniers cueillent à l'aide d'un peigne les olives qui tombent sur des bâches en nylon, étendues aux pieds des arbres. Apportées au moulin, ces dernières sont ensuite effeuillées, équeutées, lavées et malaxées. La pâte est brassée délicatement, puis étalée en couches de deux centimètres d'épaisseur sur les disques d'une presse hydraulique. Le jus récupéré est passé dans une centrifugeuse qui sépare l'huile de l'eau.

Stockée dans des jarres en terre cuite, à l'abri de la lumière et des changements de température, l'huile d'olive subit trente à quarante jours de clarification où elle est à nouveau filtrée. Comme notre chef, optez pour de *l'olio d'oliva extra vergine*, de première pression, à la qualité irréprochable.

Détachez les têtes des brocolis. Faites bouillir une casserole d'eau avec du gros sel. Plongez les brocolis. Faites cuire 10 min. Égouttez. Réservez l'eau de cuisson.

Posez dans un saladier une dizaine de glaçons. Recouvrez d'eau froide et rafraîchissez les brocolis quelques minutes. Égouttez ces derniers.

Dans un poêlon, faites chauffer, 4 c. à s. d'huile d'olive. Faites revenir les gousses d'ail hachées et les piments rouges coupés. Ajoutez les brocolis. Faites cuire, environ 5 min. Salez, poivrez.

:uit aux brocolis

MICHELINA FISCHETTI

Cuisson : 20 min

À l'aide d'un couteau, coupez le pain rassis :n gros cubes d'égale grosseur.

Plongez les cubes de pain dans l'eau de cuisson réservée. Laissez-les s'imbiber quelques minutes.

Transvasez les cubes de pain dans le poêlon des brocolis. Arrosez avec un peu d'eau de cuisson. Écrasez le pain à l'aide d'une spatule en bois. Faites revenir quelques minutes. Dressez et saupoudrez de pecorino râpé.

PAOLO ZOPPOLATTI

Salad

4 personnes ★ **Préparation : 20 min**

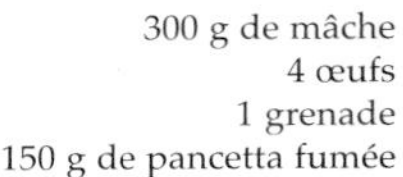

300 g de mâche
4 œufs
1 grenade
150 g de pancetta fumée

3 cuillères à soupe d'huile d'olive vierge extra
2 cuillères à soupe de vinaigre balsamique
Sel

Dans son restaurant installé à Cormons, ville du Frioul située entre Gorizia et Udine, Paolo Zoppolatti propose à ses convives une salade bien fraîche à base de mâche, d'œufs et de *pancetta*. Inspiré par une recette traditionnelle, il lui apporte cependant une présentation plus actuelle : séparés, les blancs des œufs sont découpés en lamelles, et les jaunes écrasés en mimosa. Il décore le tout de graines de grenade.

Vous choisirez pour cette recette de la mâche aux feuilles vert vif bien brillantes, gage de leur fraîcheur. Composée de petites rosettes de feuilles en forme de cuillère, cette salade est également appelée "doucette", "rampon" ou "valérianelle potagère". Les Italiens la connaissent sous les noms de *valeriana* ou *gallinella comune*.

La mâche voit le jour en automne et hiver, dans les terrains sablonneux. Très fragile, elle ne se conserve pas plus de 3 à 4 jours au réfrigérateur, dans son emballage d'origine. Pour la préparer, un rapide passage sous le robinet puis un égouttage délicat suffisent (il ne faut surtout pas la laisser tremper). Cette recette familiale sera également délicieuse si vous employez de la chicorée ou des "dents-de-lion".

Cette salade offre un jeu de contrastes entre la saveur salée-fumée de la *pancetta*, et l'acidité du vinaigre balsamique et de la grenade. Dans le Frioul, la poitrine de porc destinée à préparer la *pancetta* est salée, poivrée puis fumée durant 12 heures, ou bien séchée une dizaine de jours en cave. On peut la remplacer par des lardons ou du jambon de campagne.

Le vinaigre balsamique pour sa part provient de Modène, en Émilie-Romagne. À base de moût de raisins blancs, il mûrit plusieurs années dans des tonneaux de taille de plus en plus réduite et de bois différent. Les spécialistes estiment qu'il lui faut douze ans pour atteindre au sublime nectar ! Sa touche sucrée-acide relèvera à merveille votre salade à la *friulana*.

Faites bouillir les œufs durant 10 min jusqu'à ce qu'ils soient durs. Rincez la mâche, égouttez-la puis enlevez les minuscules racines situées à la base des bouquets.

Rafraîchissez puis écalez les œufs. Prélevez les jaunes à la petite cuillère, puis écrasez-les dans une petite passoire pour obtenir un "mimosa". Découpez les blancs en lamelles.

Avec votre couteau-chef, détaillez la pancetta en petits dés.

la friulana

PAOLO
ZOPPOLATTI

Cuisson : 18 min

Dans une poêle huilée, faites dorer les cubes de pancetta pendant 5 min, en remuant à la spatule.

Lorsqu'ils sont à point, déglacez les cubes de pancetta avec le vinaigre balsamique. Salez. Réchauffez 2-3 min à feu vif, en secouant la poêle.

Coupez la grenade en quartiers et prélevez soigneusement les pépins. Dans votre plat de service, disposez les bouquets de mâche au centre et les lamelles de blancs d'œufs autour. Décorez de jaunes mimosa, pancetta et graines de grenade. Nappez de sauce au vinaigre.

MARCO ET
ROSSELLA
FOLICALDI

Salade de fenoui

4 personnes ★ **Préparation : 15 min**

2 cœurs de fenouil
4 oranges
12 olives violettes
6 cuillères à soupe d'huile d'olive
Sel
Poivre en grains

Décoration :
Graines de fenouil
Pluches de fenouil

Extrêmement rafraîchissante, la salade de fenouil à la saveur d'orange est un fabuleux concentré de vitamines. Cette entrée, prisée de Rome à Palerme, ensoleille merveilleusement les papilles.

Très facile à réaliser, ce mets peut se savourer à toute occasion. Poussant à l'état sauvage dans le Sud de l'Italie, le fenouil est aujourd'hui cultivé dans la région des Pouilles et exporté à travers le monde. Cette plante aromatique affectionne particulièrement les terrains sableux du littoral méditerranéen. Pouvant atteindre deux mètres, elle possède des feuilles filiformes très découpées, d'un vert bleuté. Diffusant un agréable parfum anisé, elle est utilisée depuis la nuit des temps comme légume, aromate et pour ses propriétés médicinales.

Cru et émincé, le fenouil offre sa texture croquante caractéristique. Excellente source de potassium, il s'apprête en salade et *antipasto*. Abondant en hiver sur les marchés, choisissez-le de petite taille ; il sera alors tendre, blanc et dur. Pour la marinade, n'oubliez pas de conserver les petites pousses duveteuses et anisées du bout des tiges.

Quant aux oranges, elles rappellent les paysages du Sud de l'Italie et en particulier ceux de Sicile. Déjà au Moyen Âge, cette magnifique île fournissait des agrumes de qualité. Le poète arabe Ibn Zaffir chantait la beauté des orangers et citronniers des jardins de Palerme, " En Sicile, les arbres ont la tête dans le feu et les pieds dans l'eau ". On pense que les premiers orangers furent introduits entre le XIe et le XIIe siècle. Des moines plantèrent ensuite des variétés sucrées dans la plaine des environs de Palerme qui fut désormais appelée " la Conca d'oro ". Aujourd'hui, la Sicile fournit 70 % des oranges italiennes.

Nous vous suggérons de réaliser cette salade avec la prestigieuse variété " navel " ou encore avec des sanguines, très juteuses et colorées.

Nettoyez les cœurs de fenouil en ôtant avec les doigts la première épaisseur et enlevant le fond. Rincez-les sous l'eau.

Coupez à l'aide d'un couteau les cœurs de fenouil en petits dés d'égale grosseur. Ciselez les pluches.

Préparez la marinade en versant dans u saladier l'huile d'olive. Salez, poivrez Disposez les dés de fenouil et les pluche ciselées. Faites mariner 20 min. Mélange délicatement.

à la saveur d'orange

MARCO ET
ROSSELLA
FOLICALDI

★

Marinade du fenouil : 20 min

4 Épluchez les oranges. À l'aide d'un couteau, pelez ces dernières à vif.

Coupez les oranges dans le sens de la largeur en tranches épaisses et d'égale grosseur. Conservez le jus.

Dénoyautez les olives violettes. Dressez dans l'assiette, la salade de fenouil. Posez dessus des tranches d'oranges et les olives. Versez le jus. Décorez avec les graines de fenouil et des pluches.

ALBERTO MELAGRANA

Salade de homar

4 personnes ★ **Préparation : 40 min**

2 homards de 550 g pièce
50 g de céleri
1 oignon
1/2 citron
50 g de poivrons rouges
50 g de poivrons jaunes
6 gousses d'ail
200 g de tomates rouges
20 g de basilic frais
20 g de persil
10 g d'origan séché
10 g de marjolaine séchée
1 feuille de laurier
3 cuillères à soupe d'huile d'olive
Sel
Poivre

Décoration :
Ciboulette

Exquise, la salade de homard *adriatico* est un mets aux saveurs typiquement italiennes. Conçue par notre chef, cette entrée froide, facile à réaliser, se déguste principalement lors des grandes occasions.

Les habitants du littoral adriatique affectionnent particulièrement le homard. Très recherché pour sa chair ferme, maigre et savoureuse, il fait le bonheur des gourmets. Cuit généralement à la vapeur, ou ébouillanté, il change de couleur passant du noir bleuté au rouge vif. Chez le poissonnier, il est toujours présenté vivant. Sa carapace doit être intacte et son odeur agréable. Le mâle se reconnaît à la largeur du corps, la femelle étant plus trapue.

Ce crustacé possède des pinces puissantes, très charnues, qui constituent des armes redoutables. Son abdomen comprend sept anneaux remplis de chair blanche et se termine par une nageoire caudale en éventail. Au moment de le découper, pensez à retirer la poche à gravier située à la naissance de la tête. Notre chef l'utilise ensuite pour agrémenter la sauce. Selon vos préférences, vous pouvez opter aussi pour de la langouste.

Merveilleusement aromatisée, cette salade est un bel hommage aux plantes des régions méditerranéennes. En Italie, l'origan ou marjolaine sauvage se caractérise par un goût nuancé et doux. Indispensable de la gastronomie des pays du soleil, cet aromate aux feuilles persistantes parfument généreusement les mets à base de tomate.

Quant au basilic, il apporte sa saveur prononcée de citron et jasmin. Originaire de l'Inde, son nom dérive du grec ancien *basilikos*, qui signifie "royal" ! Ses feuilles se conservent très bien dans de l'huile d'olive.

Légumes d'été par excellence, les tomates mariées aux poivrons rouges et jaunes illuminent avec *maestria* cette salade de homard. Extrêmement rafraîchissant et coloré, ce mets estival est une pure réussite.

Ficelez chaque homard autour d'une spatule en bois. Disposez-les dans une marmite d'eau bouillante avec l'oignon, céleri, laurier, persil, un zeste de citron. Faites cuire, 6 min, à couvert. Hors du feu, laissez-les 2 min dans la marmite. Laissez refroidir 1 h.

Pelez les gousses d'ail et ôtez le germe. Faites-les blanchir dans de l'eau bouillante. Hachez-les avec l'origan, le basilic, la marjolaine.

Mondez les tomates pour les peler. Découpez les poivrons rouges et jaunes en quartier. Épépinez-les et pelez-les avec un économe. Coupez-les en très petits dés ainsi que les tomates.

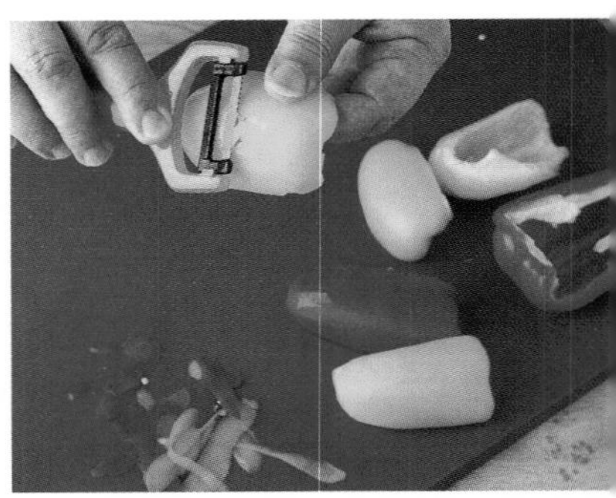

driatico

ALBERTO MELAGRANA

Cuisson : 15 min

Refroidissement des homards : 1 h

Retirez la ficelle des homards. Enlevez les pattes. Fendez le crustacé en 2 avec un couteau en commençant par la tête. Cassez les pinces. Videz-les. Enlevez la chair de la carapace. Réservez la poche à gravier de la tête, le corail verdâtre et la chair des pinces.

Disposez dans un récipient les dés de tomates et de poivrons. Ajoutez la préparation d'ail aux herbes. Mélangez. Incorporez la chair des homards. Mélangez. Garnissez les carapaces avec de la farce.

Préparez l'assaisonnement en disposant dans le robot 2 glaçons, le jus du demi-citron, les parties réservées des homards, 3 c. à s. d'huile d'olive, le sel, le poivre. Mixez. Dressez le homard avec un cordon de sauce. Décorez avec la ciboulette.

FRANCESCA
DE GIOVANNINI

Salade de poul

4 personnes ★ **Préparation : 40 min**

1/2 poule
3 feuilles de sauge
1 branche de romarin
3 cl de vin blanc
20 g de raisins secs
20 g de pignons de pin
20 g de pistaches
1/2 grenade
2 cuillères à soupe d'huile végétale
Sel
Poivre

Assaisonnement :
1 orange
1 citron
20 g de gingembre frais
1 cuillère à soupe de sucre semoule
2 cuillères à soupe de vinaigre blanc
4 cuillères à soupe d'huile d'olive
Sel
Poivre

Décoration :
Zestes d'orange et de citron

Extrêmement colorée, la salade de poule à l'aigre-doux est une entrée froide idéale à savourer l'hiver. En Vénétie, ce mets traditionnel jouit d'une grande popularité. Délicate, cette préparation est un merveilleux concentré de vitamines grâce à la présence notamment des agrumes, fruits secs et graines de grenade.

Très facile à réaliser, cette salade illustre parfaitement le raffinement de la gastronomie de cette région du nord de l'Italie. Estimée des amateurs pour sa chair ferme, la poule nécessite un temps prolongé de cuisson. Notre chef vous suggère à l'occasion de la remplacer par de la pintade ou de la dinde.

Dans ce plat chatoyant, chaque ingrédient offre sa texture particulière. Très estimée des enfants, la grenade est un fruit originaire d'Asie, dont les graines, entourées d'une pulpe rouge sucrée et juteuse, sont séparées par des cloisons blanches. Déjà dans l'Antiquité, les Égyptiens la faisaient fermenter et en tiraient un vin capiteux. En Italie, elle fut utilisée jusqu'à la Renaissance comme médicament !

Quant aux pistaches, elles sont connues en Méditerranée depuis plus de deux mille ans. De saveur délicate, elles participent activement à l'élaboration de nombreux apprêts orientaux. Elles entrent dans la composition des farces, sauces et hachis. Originaires de Syrie, les pistachiers abondent surtout dans le Sud de la péninsule et en Sicile.

Grands amateurs de saveurs aigres-douces, les habitants de Vénétie ont bénéficié au cours de l'histoire du rayonnement commercial de Venise pour enrichir leur gastronomie. À l'époque de la *Serenissima*, les épices, qui arrivaient d'Orient, étaient diffusées dans les provinces alentours.

À Vicente, dont est originaire notre chef, ces denrées précieuses ont su trouver leur place dans nombre de préparations. Ainsi, dans cette salade, le gingembre, originaire des Indes, apporte sa chaleur et son goût légèrement piquant.

Dans un plat allant au four, versez l'huile végétale. Disposez la poule. Salez, poivrez. Ajoutez les feuilles de sauge et la branche de romarin. Faites cuire, environ 20 min, à 180°C.

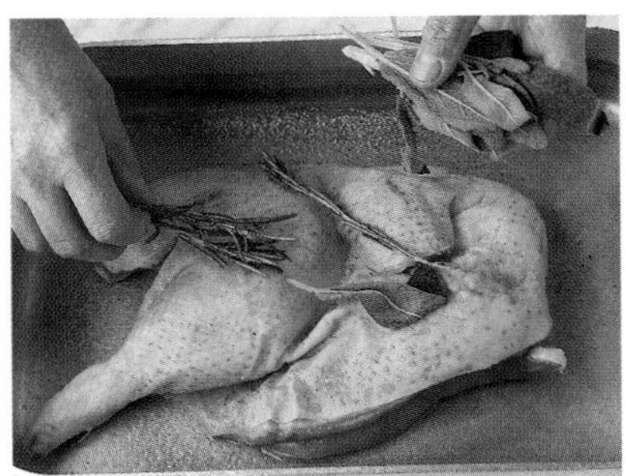

Sortez le plat du four et arrosez la poule de vin blanc. Faites cuire, environ 30 min, à 180°C.

Pour la décoration, lavez délicatement à l'eau tiède l'orange et le citron. À l'aide d'une râpe, grattez l'écorce des agrumes. Pour l'assaisonnement, pressez le jus des fruits et réservez.

l'aigre-doux

FRANCESCA
DE GIOVANNINI

Cuisson : 50 min

Marinade de la poule : 2 h

Préparez l'assaisonnement de la salade en disposant dans un saladier le jus des agrumes, le gingembre coupé en petits dés, le sucre. Versez l'huile d'olive, le vinaigre. Salez, poivrez. Mélangez avec un fouet.

À l'aide d'un couteau, désossez la poule refroidie. Émincez la chair en fines lamelles. Égrainez la grenade.

Disposez les lamelles de poule dans un plat avec les pistaches, pignons, raisins, grains de grenade. Versez dessus l'assaisonnement. Faites mariner 2 h. Dressez la salade dans les assiettes. Décorez avec des zestes d'orange et citron.

BIANCAROSA
ZECCHIN

Salade de poul

4 personnes ★ **Préparation : 25 min**

1 poule
2 oignons
1 carotte
2 tiges de céleri
3 cuillères à soupe d'huile d'olive vierge extra
1 citron

200 g de petite salade verte
50 g de pignons de pin
50 g de raisins secs
4 feuilles de laurier
Sel

Sur la table de Biancarosa, de tendres morceaux de poule sont mijotés dans un bouillon aromatique. Ils s'allient à des feuilles de salade verte craquantes, des raisins et des pignons, le tout nappé d'une sauce au citron. La salade de *gallina padovana* figure parmi les plats les plus caractéristiques de la cuisine de Padoue. Au XVIIe siècle, les nobles qui s'en régalaient la parsemaient abondamment de raisins et de pignons de pin, pour se distinguer des gens modestes qui ne pouvaient s'offrir un tel "luxe".

De très ancienne souche, la *gallina padovana* (littéralement "poule de Padoue") fut importée de Pologne vers l'an 1300. D'assez petite taille, elle porte sur la tête une huppe de plumes caractéristique, qui ressemble à un "chapeau". Son plumage peut être de couleur blanche, noire ou mélangée.

Les éleveurs de la région de Padoue ont récemment relancé l'élevage de cette volaille originale. Notre chef est fière de la remettre en valeur sur la carte de son restaurant : très différente des produits industriels, sa chair savoureuse et bien ferme ne se détache pas tout de suite des os lorsqu'on la met en cuisson. Elle apporte ainsi une belle présentation à la salade.

Si vous choisissez un volatile entier, vous pouvez récupérer le foie et l'ajouter dans le liquide de pochage. N'hésitez pas à prolonger la cuisson jusqu'à 2 heures lorsque la poule semble âgée et plutôt coriace.

Vous associerez à la volaille une salade verte de votre choix. Autrefois, les gourmets mêlaient ses feuilles à la viande pour ses effets curatifs. De la mâche convient également pour cette délicieuse entrée.

Pour parfaire la préparation, notre chef ajoute de savoureux raisins secs et des pignons de pin. Ces petites graines tombées des cônes de pins parasols sont récoltées dans la région de Ligurie, non loin de Gênes. Avec ce duo de fruits secs, vous apporterez une touche croquante et légèrement sucrée-salée.

Épluchez les oignons, la carotte et effilez les tiges de céleri. Remplissez une grande marmite d'eau et portez à ébullition. Dès qu'elle bout, plongez la poule dedans.

Ajoutez dans la marmite les oignons, la carotte et le céleri. Portez de nouveau à ébullition. Couvrez. Laissez cuire pendant 1 h 30.

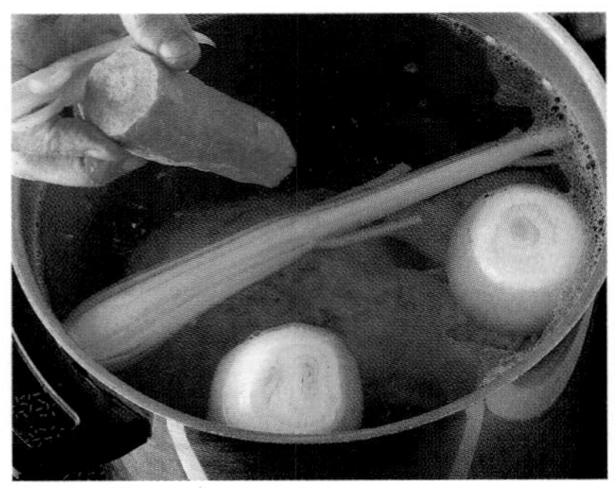

Lorsque la poule est cuite, sortez-la du bouillon et laissez-la tiédir. Détaillez-la en gros morceaux et prélevez la chair.

padovana

BIANCAROSA
ZECCHIN

Cuisson : 1 h 35 env.

Éliminez la peau et tous les petits os restants. Effilochez enfin la viande de poule.

Dans un bol, disposez le sel, l'huile d'olive et le jus du citron pressé (réservez l'écorce pour la décoration). Fouettez à la fourchette jusqu'à obtention d'une sauce.

Rincez et essorez la salade verte. Coupez la base et détaillez les feuilles. Dans un cercle large, disposez-les sur les assiettes avec les morceaux de poule. Décorez de pignons, raisins, écorce de citron et feuille de laurier. Nappez de sauce.

SAURO
BRUNICARDI

Salade de poule

4 personnes ★ **Préparation : 20 min**

200 g de blancs de poulet
4 têtes de cèpes séchés
20 g de pignons de pin
1 branche de céleri
1 carotte

1/2 oignon
2 cuillères à café de vinaigre balsamique
30 cl d'huile d'olive vierge extra
Sel
Poivre

Décoration :
Basilic (facultative)

Situés à une trentaine de kilomètres de Lucques, ville d'origine de notre chef, les monts de Garfagnana sont chers au cœur des gastronomes Toscans : ils s'y régalent en effet des meilleurs cèpes, des plus délicieuses châtaignes, de fromage *pecorino* et de plats à l'épeautre. De juin à juillet, et surtout de la fin de l'été aux derniers beaux jours d'automne, de nombreux cueilleurs investissent les bois à la recherche de leur champignon favori, le cèpe ou *fungo porcino* : l'espèce la plus prisée demeure le *boletus edulis* ou "cèpe de Bordeaux". Ils les préparent peu après sous forme de salades, grillés, en fricassées, en omelettes, en soupes et confectionnent une délicieuse sauce pour les pâtes.

Les cèpes frais étant difficiles à trouver en dehors de la saison de cueillette, il est toujours possible de les utiliser séchés. Prenez la précaution de les rincer sous l'eau courante avant utilisation. Ils doivent ensuite être réhydratés pour agrémenter le plat.

Une salade toscane, aussi simple soit-elle ne saurait se passer d'une huile d'olive de qualité, qui en relèvera toutes les saveurs. Sauro Brunicardi privilégie l'huile d'olive vierge extra fabriquée à Lucques. Elle est d'une couleur verte très vive, légèrement brouillée car le produit n'est pas filtré. Très légers en bouche et d'une grande fraîcheur, son arôme et son odeur rappellent la pomme Granny Smith. Dans notre salade, elle s'allie à merveille à la douceur du vinaigre balsamique de Modène.

Les pignons de pin apportent à la salade leur croquant et leur parfum légèrement résineux. Le pin parasol, dont ils constituent les graines appartient au paysage familier de la Toscane. Vérifiez toujours leur fraîcheur avant de les utiliser : riches en matières grasses, ils rancissent en effet très vite. Vous les ferez griller puis les parsèmerez sur la salade, que vous décorerez de basilic.

Faites tremper les cèpes séchés à l'eau tiède pour les réhydrater, puis rincez-les. Épluchez et émincez l'oignon. Grattez la carotte et coupez-la en rondelles. Puis effeuillez le céleri et coupez la tige en lamelles.

Portez une casserole remplie d'eau à ébullition. Versez les légumes dans l'eau bouillante et laissez cuire une dizaine de minutes.

Au bout de ce temps, plongez les blancs de poulet au milieu des légumes. Laissez cuire encore 15 min à gros bouillons.

ux cèpes et pignons

SAURO
BRUNICARDI

Cuisson : 30 min

Réhydratation des cèpes : 1 h

Faites également bouillir les cèpes 3 min à l'eau salée additionnée avec 2 gouttes de vinaigre balsamique.

Égouttez les blancs de poulet puis émincez-les, ainsi que les têtes de cèpes.

Faites dorer les pignons dans une poêle chauffée à sec. Dans vos assiettes de service, alternez lamelles de poulet et de cèpes. Nappez d'huile d'olive et de gouttes de vinaigre balsamique. Salez, poivrez et décorez de pignons et basilic.

SAURO BRUNICARDI

Sformatino en sauc

4 personnes ★★ Préparation : 1 h

Sformatino :
300 g de haricots blancs secs
1 branche de céleri
1 carotte
1 petit oignon
1 branchette de romarin frais
130 g de beurre
100 g de farine
25 cl de lait
25 cl de crème fraîche liquide
50 g de parmesan
3 œufs
5 cl d'huile d'olive vierge extra
Sel

Sauce aux calamars :
100 g de petits calamars
1 gousse d'ail
1 pincée de persil plat
1 petit morceau de piment
2 cuillères à soupe de vin blanc
100 g de beurre
100 g de farine
50 cl de fumet de poissons
5 cl d'huile d'olive vierge extra
Sel

Les cuisiniers toscans de la région côtière ont l'habitude de préparer de délicieuses salades de haricots aux calamars. Sauro Brunicardi s'est inspiré de ce mariage original en associant des calamars en sauce à un petit gâteau de haricots.

Les *sformatino* proposés par notre chef sont de petits flans composés de légumes et d'une béchamel aux œufs. Ils faisaient déjà les délices des banquets baroques du XVIIe siècle, et devinrent au XIXe siècle un plat familial courant : ils étaient alors agrémentés au choix, d'épinards, pommes de terre, artichauts, fenouil, courgettes, chou-fleur... Nous les avons faire cuire dans des ramequins individuels au four, mais il est aussi possible d'utiliser le bain-marie. La préparation peut également être versée dans des moules à savarin. Dans l'assiette de service, la sauce est alors disposée au centre de la couronne de *sformatino.*

Blancs, petits et secs, les haricots cannellini forment la base des *sformatino.* Si les Italiens ont su transformer ce légume en d'innombrables recettes, les Toscans sont passés maîtres dans l'art d'accommoder les cannellini et les borlotti, au point que leurs compatriotes les ont sympathiquement surnommés "mangiafagioli" : "les mangeurs de haricots" ! Lorsque vos cannellini seront bouillis, leur écorce fine restera ferme tandis que l'intérieur sera bien cuit. Réduits en purée, la présence de l'écorce se fera oublier lors de la dégustation.

Une sauce blanche aux calamars vient délicieusement napper les *sformatino.* Les Italiens consomment généralement plusieurs sortes de petits mollusques céphalopodes : *seppie* (seiches), *calamari* (calamars), *polipetti* et *moscardini* (petits poulpes). Les très jeunes calamars que nous avons choisis, à la chair tendre et délicate seront fort appréciés dans la sauce. À leur place, elle s'accommodera aussi de gambas ou de poisson.

Sformatino : faites tremper les haricots pendant une nuit. Puis faites-les cuire 1 h à l'eau bouillante salée. Dans un sautoir, versez 5 cl d'huile d'olive, céleri, carotte et oignon coupé en brunoise, romarin et haricots égouttés. Cuisez le tout une dizaine de minutes, puis mixez.

Avec 100 g de beurre, la farine et le lait, préparez une béchamel assez épaisse. Versez la purée de haricots aux légumes dans une casserole, puis incorporez la béchamel en mélangeant bien sur le feu.

Hors du feu, ajoutez dans la préparation la crème fraîche, le parmesan râpé et les œufs. Mélangez bien. Versez la préparation dans des petits ramequins beurrés. Faites cuire 30 min au four à 180°C.

le calamars

SAURO
BRUNICARDI

Cuisson des sformatino : 1 h 50 **Cuisson de la sauce : 20 min** **Réhydratation des haricots : 1 nuit**

Sauce : videz, rincez et émincez les calamars. Ciselez l'ail, le persil et le morceau de piment, et faites-les rissoler 3-4 min dans l'huile. Ajoutez les calamars, le vin blanc et laissez évaporer 5 min à feu vif.

Dans une autre casserole, mélangez sur le feu beurre fondu et farine pour obtenir un roux. Délayez avec le fumet de poissons, salez et tournez jusqu'à obtention d'une sauce blanche épaisse.

Incorporez la sauce blanche dans les calamars rissolés. Démoulez les sformatino au centre de vos assiettes de service. Nappez de sauce aux calamars et servez bien chaud.

MARCO ET ROSSELLA FOLICALDI

Suppl

4 personnes ★ **Préparation : 45 min**

300 g de riz arborio
600 g de tomates
2 mozzarella de vache
1 gousse d'ail
150 g de parmesan râpé
2 œufs
1/2 noix de muscade
300 g de chapelure
4 cuillères à soupe de farine
5 cl de vin blanc

1 carotte
1 oignon
1 branche de céleri
25 g de cèpes séchés
1 noix de beurre
Huile d'olive de friture
2 cuillères à soupe d'huile d'olive
Sel

Décoration (facultative) :
Feuilles de mâche

Si les Romains sont fiers de posséder un répertoire culinaire riche en saveurs, ils apprécient également de se restaurer dans les *trattorie*. Certains apprêts de cette cuisine populaire, qui se dégustaient autrefois rapidement dans la rue, sont aujourd'hui reconnus dans toute la péninsule.

Typiques de ces établissements, les *suppli al telefono* sont de délicieuses "croquettes" à base de riz, mozzarella et parmesan. Très prisée des enfants, cette spécialité doit son nom aux fils formés par les fromages une fois fondus et qui faisaient penser, avant le développement des portables, à ceux d'un téléphone !

Habituellement, dans les familles romaines, ce mets, symbole de convivialité, se savoure entre amis. Généralement, tous les adultes participent à la friture des "croquettes". Une première personne en réalise une dizaine, puis confie à une autre le soin de continuer. Les *suppli al telefono* doivent impérativement être chauds. Nous vous conseillons vivement d'opter lors de cette opération pour une huile d'olive extra vierge.

En fonction des régions, la farce connaît des variantes. Dans le Nord du pays, on enrichit le riz de safran et l'on ajoute parfois des petits pois. Dans le Latium, on y intègre du foie de poulet. Nos chefs ont souhaité apporter leur touche personnelle et vous suggèrent d'incorporer des cèpes.

Vedette incontestable de cette recette, la mozzarella, également connue sous le nom de *pasta filata*, est appréciée pour sa saveur douce et légèrement acidulée. Fabriquée dans la région de Rome et en Campanie, elle se présente généralement sous forme de boules. Elle se conserve quelques jours dans le petit-lait et dans un endroit frais.

Quant au parmesan, il est considéré comme le roi des fromages italiens et bénéficie d'une appellation d'origine.

Très sympathiques, les *suppli al telefono* sont à découvrir sans tarder...

Faites revenir dans le beurre et l'huile d'olive, les dés de carotte, céleri, oignon et l'ail écrasé. Faites cuire environ 15 min et versez le vin blanc. Réhydratez les cèpes dans de l'eau tiède pendant 15 min. Rincez-les. Écrasez-les.

Lorsque le vin blanc est évaporé, versez les tomates mondées et les cèpes. Salez. Faites cuire, environ 40 min, en ajoutant si nécessaire un peu d'eau.

Faites cuire le riz dans de l'eau salée, environ 8 min. Égouttez-le et transvasez-le dans un récipient. Versez dessus la préparation des légumes. Mélangez.

l telefono

MARCO ET
ROSSELLA
FOLICALDI

Cuisson : 1 h 10

Réhydratation des cèpes : 15 min

Saupoudrez de muscade râpée et de parme-san. Ajoutez les œufs. Mélangez bien.

Coupez les mozzarella en petits cubes. Mettez un peu de chapelure dans la main et confectionnez des boulettes avec la farce. Disposez au centre un dés de mozzarella. Refermez. Façonnez des dômes.

Enroulez les dômes dans la farine puis la chapelure. Faites-les dorer dans l'huile de friture bien chaude. Épongez. Dressez les suppli al telefono dans l'assiette en posant au centre des feuilles de mâche.

ALFONSO
CAPUTO

Terrine de thon rouge

4 personnes ★★ **Préparation : 40 min**

Terrine de thon :
800 g de thon rouge
10 cl d'huile d'olive vierge extra
2 citrons pour le service (facultatif)
Sel
Poivre

Scapece de légumes :
2 aubergines
400 g de potiron
2 courgettes
1 gousse d'ail
4 ou 5 branches de menthe fraîche
1 bouquet de persil plat
10 cl d'huile d'olive vierge extra
3 cl de vinaigre blanc

Le poisson macéré dans un assortiment de légumes a régalé des générations d'Italiens. Mais actuellement, ils préfèrent le consommer "au naturel". Alfonso Caputo a donc mis au point une terrine très simple mais fort goûteuse, à base de lamelles de thon salées, poivrées et nappées d'huile d'olive, puis cuites dans un moule. Il la sert en médaillons, qu'il entoure d'aubergines, potiron et courgettes grillés et marinés.

Au départ, notre chef a cherché à élaborer une terrine de foies de poissons, puis a expérimenté la même recette avec des filets de poissons blancs. Il a finalement obtenu un résultat délectable en employant du thon rouge. Cependant, bonite, maquereau, espadon... à la chair un peu grasse conviendront également. En effet, la préparation ne comporte pas d'autre gélatine que celle issue de leur chair : les morceaux doivent donc être gras pour bien s'agglomérer entre eux.

Dans cette recette, seule la découpe du thon cru est assez délicate : détaillez des petites lamelles bien droites, de même dimension et de même épaisseur, en suivant le fil de la chair. Ainsi, la terrine cuira uniformément, sa texture sera homogène et vous n'aurez pas de mauvaises surprises en la tranchant. La cuisson doit s'effectuer à four doux, le moule étant disposé dans un plat rempli d'eau chaude.

Lorsque vous la détaillerez, la texture de la terrine vous rappellera des tranches de foie gras. Alfonso Caputo n'hésite d'ailleurs pas à baptiser sa succulente préparation : "foie gras napolitain".

Les habitants de Naples, et plus généralement du sud de l'Italie sont également fiers de leur *scapece*, sorte d'escabèche à la mode italienne. Autrefois, cette sauce aux légumes acidifiée au vinaigre permettait de conserver aisément le poisson, bien avant l'invention du réfrigérateur. Dans l'Antiquité, les Romains de Pompéï utilisaient déjà ce genre de préparations. Elle formera un délectable écrin pour les lamelles de thon.

Avec un couteau-chef, raclez très finement le bloc de thon rouge pour éliminer la peau.

Détaillez ensuite la chair en fines lamelles, en tranchant du haut vers le bas. Garnissez une terrine avec du film alimentaire.

Au fond de la terrine, disposez des lamelles de thon salées et poivrées, sur plusieurs couches. Arrosez avec un filet d'huile d'olive. Refermez le plastique. Posez la terrine dans un bain-marie et faites cuire 15 min au four. Puis laissez refroidir.

capece de légumes

ALFONSO
CAPUTO

Cuisson : 30 min | **Refroidissement de la terrine : 2 h** | **Marinade des légumes : 1 h**

réparez les légumes : pelez les aubergines ar bandes alternées. Émincez-les ainsi que es courgettes. Épluchez et émincez le potion. Faites chauffer une poêle à sec, puis ersez-y les légumes et faites-les griller une uinzaine de minutes.

Préparez la sauce : ciselez la menthe et le persil. Dans un bol, mélangez-les avec l'huile, le vinaigre et l'ail haché.

Disposez les légumes grillés dans un plat, nappez de sauce et laissez mariner 1 h. Démoulez le thon, coupez-le en tranches. Disposez-les dans les assiettes de service et entourez de légumes en scapece.

Soupes

PAOLO
ZOPPOLATTI

Brodo bruciato

4 personnes ★ **Préparation : 20 min**

Bouillon brûlé (brodo bruciato) :
30 g de beurre
100 g de farine
50 cl de lait
Sel
Poivre

Beignets de sauge :
12 feuilles de sauge
50 g de farine
1 œuf
30 g de beurre
1 cuillère à soupe de grappa
1 cuillère à café de levure chimique
1 citron
10 g de sucre en poudre
Sel
Huile d'olive pour friture

Jadis durant l'hiver, les Frioulans appréciaient de se réchauffer en absorbant un *brodo bruciato* ou "bouillon brûlé". Il tire son nom du mélange de beurre et de farine qui est tourné sur le feu jusqu'à obtention d'une couleur noisette, avant d'être additionné de lait et d'eau. Pour agrémenter cette soupe traditionnelle, Paolo Zoppolatti lui adjoint d'étonnants beignets à la sauge. La saveur fumée du potage se marie en effet parfaitement à la fraîcheur de la sauge.

Simple et rapide à réaliser, ce bouillon à base d'ingrédients peu coûteux était autrefois qualifié de "plat de pauvre". S'il a quelque peu attaché au fond de la casserole en cuisant, vous pouvez limiter le "goût de brûlé" en y faisant infuser une écorce de citron. D'autres formules proposent également de remplacer le lait par du consommé de légumes.

Les petits beignets à la sauge réalisés par notre chef figurent parmi les délices italiens appelés *frittelle*. Sur les buffets de cérémonie, on propose couramment, pour ouvrir l'appétit, fleurs de courgettes et feuilles de sauge enduites de pâte et frites. Longues, ovales et veloutées, ces dernières révèlent un goût camphré, légèrement amer. Vous pourrez les enrober une par une ou sous forme de petits bouquets.

La pâte pourra être additionnée d'un peu de lait ou d'eau froide, qui donnera des beignets bien croquants. Riche en arômes et légèrement sucrée, elle se parfume à la *grappa*, eau-de-vie de marc élaborée au nord de l'Italie. Lorsque les raisins ont été pressés pour obtenir le vin, les "résidus" sont chauffés puis passés à l'alambic. La liqueur transparente qui en résulte est appréciée dans le pays depuis le XVe siècle au moins.

Après avoir joliment installé quelques beignets de sauge au centre de votre soupe, n'hésitez pas à la décorer de poivre concassé et d'un filet d'huile d'olive, qui apporteront au bouillon tout leur arôme.

Préparez d'abord le bouillon brûlé : mettez le beurre à fondre dans une casserole. Ajoutez la farine, et mélangez 10 min sur le feu jusqu'à obtention d'une pâte de couleur noisette.

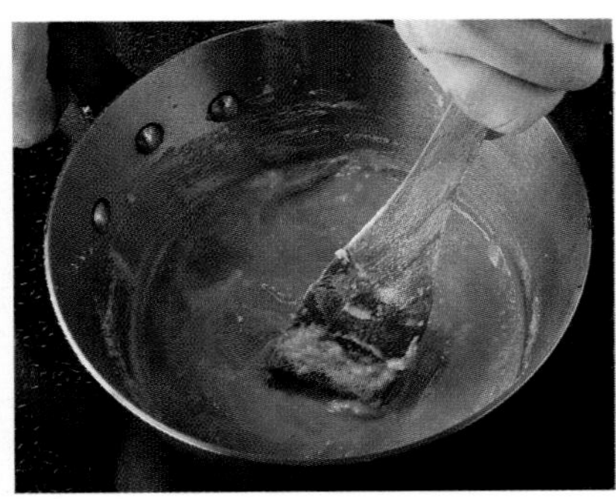

Délayez la préparation avec 50 cl d'eau et 50 cl de lait. Laissez cuire pendant 15 min, en remuant constamment. Salez et poivrez. Puis réservez au chaud.

Préparez l'appareil à beignets : dans une terrine, mélangez 1 jaune d'œuf, grappa, farine, levure, écorce de citron râpée, beurre fondu et sucre, jusqu'à obtention d'une pâte jaune pâle homogène.

et ses beignets de sauge

PAOLO
ZOPPOLATTI

Cuisson : 25 min env.

Montez en neige 1 blanc d'œuf légèrement salé. Puis incorporez-le délicatement dans la pâte à beignets.

Plongez les feuilles de sauge une à une dans la pâte à beignets, de façon à bien les enrober.

Faites chauffer une poêle remplie d'huile. Lorsqu'elle est brûlante, plongez-y les beignets de sauge et laissez-les frire. Versez le bouillon dans une soupière. Déposez quelques beignets de sauge. Décorez de filets d'huile d'olive et de poivre concassé.

SAURO
BRUNICARDI

Gran farro

4 personnes ★★ **Préparation : 30 min**

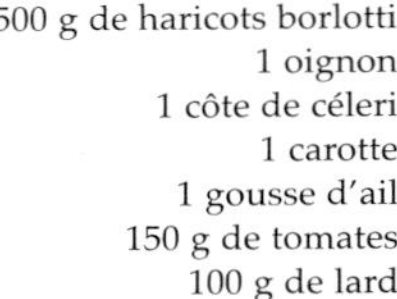

500 g de haricots borlotti
1 oignon
1 côte de céleri
1 carotte
1 gousse d'ail
150 g de tomates
100 g de lard

4 feuilles de sauge
10 feuilles de marjolaine
1 branchette de romarin
150 g d'épeautre
2 cuillères à soupe d'huile d'olive vierge extra
Sel
Poivre

Décoration :
Marjolaine
Romarin
Poivre moulu

Recette plus que centenaire, le *gran farro* figure parmi les soupes toscanes les plus typiques. Sauro Brunicardi est très fier de vous présenter l'une de ses spécialités, déjà signalée dans les archives anciennes de la ville de Lucques.

Céréale rustique ancêtre du froment, l'épeautre ou *farro* en italien, composait le menu quotidien des Étrusques, puis des Romains les plus pauvres. Dans le plat appelé *puls latina,* elle était mélangée à d'autres céréales et légumineuses, que l'on cuisait à l'eau. Mais au cours des siècles, sa culture a été supplantée par le blé, plus facile à transformer : en effet après le battage, ses graines brunes et dures, qui ressemblent à l'orge, doivent encore être passées dans un moulin pour les éplucher et éliminer les petits barbillons.

En Toscane, seuls les paysans des monts de Garfagnana ont continué à cultiver l'épeautre. Actuellement, cette céréale capable de pousser en terrains pauvres sans pesticides ni traitements chimiques, redevient très à la mode chez les amateurs de nourriture biologique : ils la transforment volontiers en soupes, pains, gâteaux, salades... Autrefois cantonnée à quelques terroirs, elle est maintenant commercialisée dans toute l'Italie.

La soupe proposée par notre chef mêle à l'épeautre une savoureuse purée de haricots aux légumes. Vous emploierez ici des borlotti, petits haricots secs de couleur beige-rosé, striés de marbrures rouges. Les Italiens, qui apprécient leurs qualités les classent dans la famille des haricots rouges ; vous constaterez d'ailleurs que leur jus de cuisson deviendra rougeâtre. En filtrant celui-ci, appuyez avec le dos de la louche au fond de la passoire pour extraire le maximum de substances.

Dans le sautoir, notre chef a choisi de faire revenir les légumes directement avec la sauge, le romarin et la marjolaine. Mais vous pouvez cependant laisser rissoler les légumes, puis ajouter les herbes au dernier moment.

Mettez les haricots à tremper la veille. Égouttez-les et versez-les dans une casserole remplie d'eau froide salée. Portez à ébullition. Laissez cuire pendant au moins 1 heure.

Avec une écumoire, prélevez les haricots dans le jus de cuisson et écrasez-les en purée dans un moulin à légumes. D'autre part, homogénéisez le jus de cuisson à l'aide d'un mixeur plongeant, puis filtrez-le. Réservez le tout.

Préparez les légumes : épluchez et émincez l'oignon. Effilez et tronçonnez la tige de céleri. Pelez l'ail. Découpez le lard en cubes. Grattez et coupez la carotte en rondelles. Mondez et hachez les tomates.

ucchese

SAURO BRUNICARDI

Cuisson : 2 h 10

Réhydratation des haricots : 1 nuit

Dans un sautoir nappé d'huile, versez carotte, ail, céleri, oignon, tomates, lardons, romarin, sauge et marjolaine. Faites cuire 20 min, puis écrasez le tout dans un moulin à légumes.

Dans une casserole, mélangez la purée de haricots avec un peu de jus de cuisson filtré. À la louche, incorporez la purée de légumes. Salez et poivrez. Portez à ébullition.

Dans la préparation bouillante, ajoutez l'épeautre simplement rincée. Faites cuire 35-40 min à feu doux. Versez en soupière et décorez de marjolaine, romarin et poivre moulu. Terminez par un filet d'huile d'olive.

BIANCAROSA ZECCHIN

Minestra

4 personnes ★ **Préparation : 20 min**

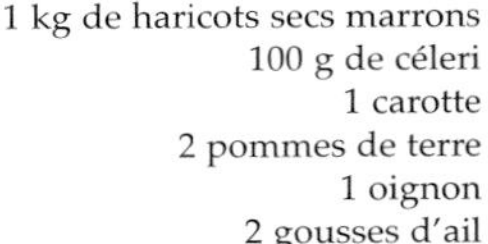

1 kg de haricots secs marrons
100 g de céleri
1 carotte
2 pommes de terre
1 oignon
2 gousses d'ail

1 tomate mûre
12 cl d'huile d'olive vierge extra
1 branchette de romarin frais
120 g de pappardelle fraîches
Parmesan
Sel
Poivre

Les gourmets de la Vénétie savent depuis longtemps associer avec délices les haricots et les pâtes. Biancarosa Zecchin, qui officie à Arquà Petrarca non loin de Padoue, vous propose une soupe mêlant haricots secs, légumes aromatiques, pommes de terre et *pappardelle* fraîches. Composée d'ingrédients économiques, cette *minestra di fagioli* figure parmi les plats de base de la cuisine populaire vénitienne.

Les haricots ou *fagioli* cultivés en Vénétie sont assez réputés. De nombreuses variétés sont récoltées dans la montagne proche de Venise, dans une zone comprise entre Lamon, Feltre et Belluno. Autrefois qualifiés "d'aliment du pauvre", ils font maintenant la fierté des restaurateurs les plus prestigieux. Les haricots de couleur marron que nous avons choisis sont très courants en Italie. Laissez-les tremper une nuit pour les réhydrater, puis égouttez-les avant utilisation.

Bien que secs, ces légumes ne se conservent pas plus d'un an : lorsque vous ouvrez la boîte, ils ne doivent pas dégager une odeur de moisi ou être ponctués de trous (ils sont alors parasités par des charançons). Dans ce cas, éliminez-les et procurez-vous des haricots plus récents.

Selon les goûts, la *minestra di fagioli* sera enrichie de riz, de petits *macaroni*, ou de pâtes fraîches de type *fettucine* ou *pappardelle* : pour confectionner ces dernières, mélangez, pour quatre personnes, deux œufs, quatre verres de farine et du sel. Pétrissez, étalez finement la pâte, enroulez-la sur elle-même puis découpez-la en tranches larges : dépliez-les pour obtenir des lanières, qui cuiront directement dans la soupe.

Pour la touche gourmande, n'oubliez pas de proposer un excellent parmesan râpé : localement appelé *parmigiano reggiano*, ce fromage au lait de vache cuit est fabriqué en Émilie-Romagne. Toujours très apprécié, ce produit typiquement italien faisait déjà le bonheur des amateurs de fromage au Moyen Âge.

Mettez les haricots à tremper la veille. Rincez, effeuillez et effilez les tiges de céleri. Pelez l'oignon, l'ail, la carotte et les pommes de terre. Rincez-les, séchez-les puis émincez-les grossièrement.

Faites revenir l'ail rapidement dans une marmite nappée avec 10 cl d'huile d'olive, puis ajoutez céleri, oignon, pommes de terre et carotte. Laissez fondre 15 min sur le feu.

Ajoutez de l'eau à hauteur, puis la tomate coupée en quartiers, du sel, du poivre et les haricots réhydratés. Portez à ébullition ; Couvrez. Faites cuire pendant 1 h 30.

li fagioli

BIANCAROSA ZECCHIN

Cuisson : 1 h 55

Réhydratation des haricots : 1 nuit

Disposez votre moulin à légumes au-dessus d'une casserole. Versez dedans les légumes prélevés dans le bouillon, et moulinez. Dans la casserole, délayez la purée obtenue avec du bouillon. Portez à ébullition.

Dans une poêle, faites chauffer 2 c. à s. d'huile d'olive avec le romarin frais haché. Ajoutez cette préparation dans la soupe, sur le feu et laissez bouillonner.

Ajoutez enfin les pappardelle. Terminez la cuisson durant 3-4 min, en mélangeant régulièrement. Servez bien chaud, saupoudré ou accompagné de parmesan râpé.

MADDALENA
BECCACECI

Minestr[a]

4 personnes ★ **Préparation : 20 min**

200 g de linguine (pâtes)
700 g de petites langoustines
300 g de petits calamars
400 g de palourdes
1 gousse d'ail

3 tomates
5 cl d'huile d'olive
Sel

Décoration :
Persil

La *minestra* du pêcheur est une soupe idéale à savourer l'hiver. Assez consistante, elle offre un merveilleux condensé de saveurs méditerranéennes.

Facile à réaliser, ce mets traditionnel du littoral adriatique séduira les amateurs de coquillages et crustacés. Dans la gastronomie italienne, les palourdes participent à de nombreuses spécialités dont les *spaghetti à la vongole*. Recherchées pour leur chair délicatement parfumée, elles se consomment également nature, arrosées d'un jus de citron. Connues aussi sous le nom de clovisse, elles sont reconnaissables à leur coquille mince, bombée au centre de couleur jaune à gris foncé.

Quant aux langoustines, elles sont recherchées des gourmets pour leur saveur délicate qui rappelle celle du homard. Riche en calcium, phosphore et fer, leur chair s'apprête de multiples façons. Pour réussir cette préparation, sachez que ces crustacés nécessitent peu de cuisson.

Pour parfaire ce tour d'horizon marin, notre chef utilise également de petits calamars, particulièrement fondants. Les parties comestibles sont les tentacules et la poche qui forment le corps. Au moment de les nettoyer, n'oubliez pas de retirer l'encre. Selon l'arrivage, vous pouvez les remplacer par de la seiche.

Participant à l'entière réussite de cette recette, le fumet de poissons sert à la cuisson des *linguine*. Ces longues pâtes, qui ressemblent à des *spaghetti* très fins, sont très souvent utilisées dans les soupes. Si vous souhaitez obtenir un goût plus corsé, notre chef vous conseille d'ajouter une tête de saint-pierre lors de la confection du "bouillon".

L'absence de poivre ou d'épices dans cette soupe permet à chaque produit d'exhaler ses saveurs uniques. Ainsi, l'ail s'exprime et parfume admirablement l'huile d'olive, si chère aux papilles des Italiens.

Avec les doigts, séparez la tête du corps des langoustines. Décortiquez-les et réservez les têtes pour le fumet. Nettoyez les calamars en les pelant et en ôtant l'os. Rincez-les. Découpez-les en petits morceaux.

Préparez le fumet en faisant chauffer 2 l d'eau dans une casserole. Ajoutez les têtes de langoustines. Faites cuire, à couvert, environ 30 min.

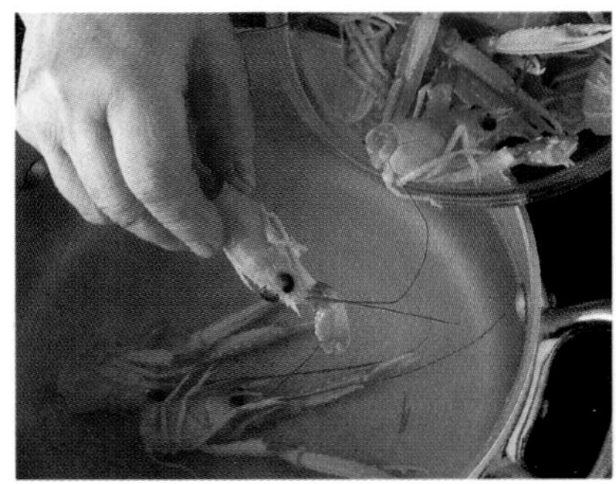

Dans un poêlon, disposez les palourdes et versez un peu d'eau. Faites-les cuire quelques minutes afin de les ouvrir. Débarrassez-les de leur coquille. Mondez les tomates, pelez-les et coupez-les en petits dés.

u pêcheur

MADDALENA
BECCACECI

Cuisson : 40 min

'aites revenir dans l'huile d'olive la gous-e d'ail entière. Retirez cette dernière.)isposez les langoustines. Faites-les reve-ir, environ 2 min. Ajoutez les morceaux de alamars, les palourdes et les dés de omates. Salez. Faites cuire entre 5 et 0 min.

Filtrez le fumet de poissons. Faites-le bouillir. Salez. Cassez les linguine au-dessus de la marmite et déposez-les. Faites cuire les pâtes environ 8 min.

Versez la préparation des fruits de mer dans les linguine. Faites cuire 1 min. Dressez la minestra du pêcheur. Saupoudrez de persil haché.

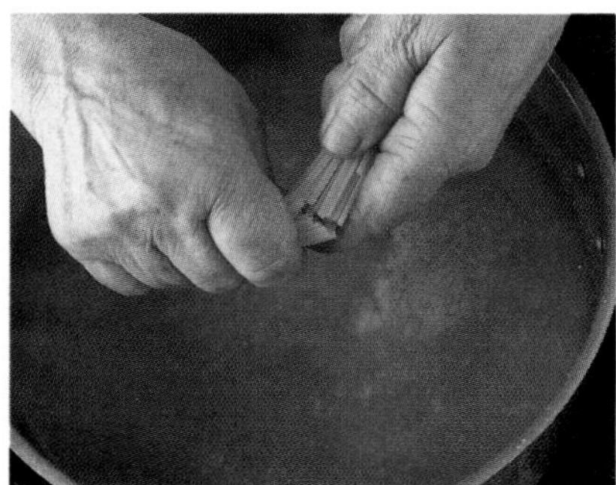

MARCO ET
ROSSELLA
FOLICALDI

Minestr

4 personnes ★ **Préparation : 35 min**

1,5 kg de petites courgettes
1 oignon
80 g de beurre
3 œufs
Parmesan
1/2 bottillon de persil
2 gousses d'ail
1/2 pain de campagne

2 cuillères à soupe d'huile d'olive
Sel
Poivre

Décoration :
Feuilles de menthe
4 œufs (facultatif)

Symbole de printemps, la *minestra primavera* est une soupe traditionnelle paysanne. Très populaire dans la région de Rome, elle est aussi fortement appréciée en Campanie et Calabre.

Facile à réaliser, ce mets se savoure chaud ou froid sur des tranches de pain. Indissociables de la cuisine italienne, les courgettes s'apprêtent de multiples façons. Mijotées, grillées, farinées et frites, farcies ou en salade, elles se retrouvent dans cette préparation en soupe. Ces légumes, qui poussent en abondance dans le Sud de la péninsule, sont riches en eau et peu énergétiques. Préférez-les de petite taille, à la chair particulièrement tendre. Elle doivent être très dures y compris aux extrémités et de couleur uniforme foncée ou claire.

Si elles peuvent se consommer avec ou sans leur peau, il est important cependant de gratter cette dernière. Selon la saison ou le marché, vous pouvez les remplacer par des navets ou de la citrouille.

Complète, cette *minestra*, dans laquelle se retrouvent aussi les œufs, fromage, beurre et pain, dévoile le parfum spécifique du persil. Dans la gastronomie italienne, cette plante aromatique agrémente bon nombre de plats. Disponible toute l'année sur les étals, il doit être bien vert, frais, les feuilles et les tiges rigides.

Quant à l'ail, il se trouve aussi à toutes saisons. Celui du printemps est plus doux et s'épluche facilement. Cultivée depuis plus de 5000 ans, cette plante à bulbe de la famille des labiacées a la réputation d'être excellente pour la santé notamment pour la circulation du sang. Optez pour des gousses dures et pleines.

Afin d'enrichir cette soupe, on utilise habituellement dans le Sud de l'Italie du *pecorino*, fromage de brebis, séché à l'air libre. Dans cette préparation, ce dernier a été remplacé par le très célèbre parmesan.

Lavez les courgettes. À l'aide d'un couteau, coupez ces dernières en petits dés réguliers.

Épluchez l'oignon et coupez-le grossièrement. Faites-le revenir dans l'huile d'olive et le beurre. Ajoutez les dés de courgettes. Faites cuire entre 10 et 20 min, à couvert, en ajoutant si nécessaire de l'eau. Salez, poivrez.

Découpez 4 tranches de pain de campagne. Faites-les griller. Frottez ces dernières ave[c] les gousses d'ail. Réservez.

rimavera

MARCO ET
ROSSELLA
FOLICALDI

Cuisson : 25 min

)ans un bol, cassez 3 œufs. Saupoudrez de ersil haché. Salez, poivrez. Battez le mélan- e en omelette.

Versez dans la préparation des courgettes, les œufs battus. Mélangez à l'aide d'une spatule en bois.

Rapez le parmesan au-dessus de la soupe. Poivrez. Mélangez. Dressez la minestra dans les assiettes avec le pain. Cassez un jaune d'œuf. Décorez avec la menthe.

SERGIO
PAIS

Minestron

4 personnes ★ **Préparation : 30 min**

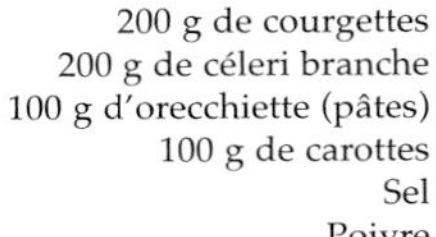

200 g de courgettes
200 g de céleri branche
100 g d'orecchiette (pâtes)
100 g de carottes
Sel
Poivre

Bouillon :
200 g de gite de bœuf
200 g de macreuse de bœuf
1 os à moelle
150 g de carottes
150 g d'oignons
150 g de céleri branche
1 pincée de thym
2 feuilles de laurier
2 gousses d'ail

Décoration :
1 filet d'huile d'olive
Tranches de pain grillées

Dans la gastronomie italienne, le *minestrone* de légumes désigne une soupe généralement enrichie de pâtes ou de riz. Selon les régions, ce mets végétarien connaît des variantes. En Toscane, les haricots blancs, courgettes, oignons, poireaux, tomates, carottes, chou noir s'avèrent indispensables. À Gènes, on préfère utiliser du potiron, fèves, haricots rouges, céleri et tomates.

Facile à préparer, cette soupe peut se savourer à toute occasion. Riche en vitamines, elle doit sa consistance à la présence des *orecchiette*. Ces pâtes, en forme de petites oreilles, sont particulièrement appréciées dans le Sud de la péninsule. Dans la ville de Bari, où elles furent inventées, elles sont aussi connues sous le nom *paciocche*.

Pour corser le goût de cette préparation, notre chef confectionne au préalable un bouillon. Composé de gite et macreuse de bœuf, os à moelle, carottes, céleri, oignon et bouquet garni, il est utilisé pour la cuisson des légumes.

Très recherchées dans la cuisine méditerranéenne, les courgettes abondent sur les marchés en été. Cultivées essentiellement dans le Sud de l'Italie, elles se récoltent quatre à six jours après leur floraison. Originaires d'Amérique centrale, elles furent considérées au départ par les Européens comme des plantes décoratives. Aujourd'hui, ces légumes riches en eau et peu énergétiques s'apprêtent de multiples façons. Préférez-les de petite taille et de couleur uniforme. N'oubliez pas avant de les couper en petits dés de gratter la peau.

Quant au céleri, il parfume délicatement le *minestrone* et lui apporte sa saveur fraîche et sa texture croquante. La région de Trevi est réputée depuis le XVIIe siècle pour la culture de cette plante potagère !

Chaleureuse, cette soupe aux accents italiens séduira vos convives.

Pour le bouillon, faites chauffer dans une marmite, 2 litres d'eau. Déposez le gite, la macreuse et l'os à moelle. Faites cuire entre 2 h 30 et 3 h en écumant de temps en temps.

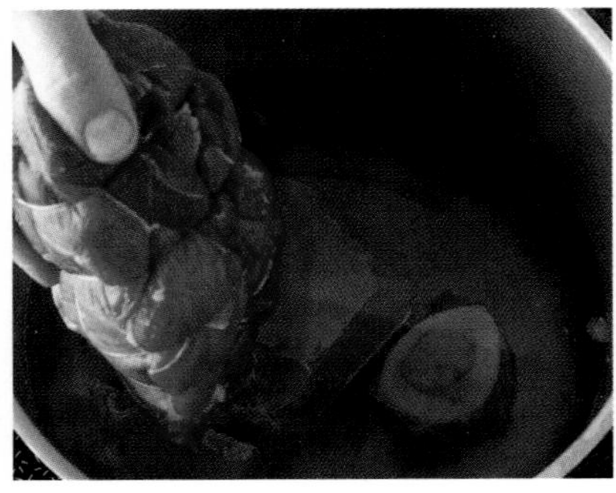

Au 3/4 de la cuisson, ajoutez les carottes, céleri, oignon, thym, laurier et gousses d'ail.

Lavez les courgettes et le céleri. Coupez-le en très petits dés ainsi que les carottes.

le légumes

SERGIO
PAIS

Cuisson : 3 h 25

Filtrez le bouillon en retirant les morceaux de viande, l'os à moelle et les légumes. Transvasez-le dans une autre marmite.

Déposez les dés de légumes dans le bouillon filtré. Faites cuire, environ 25 min.

Au 3/4 de la cuisson des légumes, ajoutez les orechiette. Salez, poivrez. Dressez le minestrone dans les assiettes. Décorez d'un filet d'huile d'olive et de tranches de pain grillées.

MARCO ET
ROSSELLA
FOLICALDI

Pâtes et pois chiche

4 personnes ★ **Préparation : 35 min**

500 g de pâtes diverses (macaroni, spaghetti...)
300 g de pois chiches
200 g de fromage pecorino
2 gousses d'ail
1 bouquet de romarin

3 piments rouges séchés
10 cl de vin blanc
4 cuillères à soupe d'huile d'olive
Gros sel
Poivre

À Rome, siège de la Chrétienté, le vendredi n'est pas un jour comme les autres. Selon les préceptes de l'Église catholique, les croyants se voient interdire la consommation de viande et ont obligation de "faire maigre". Aussi dès le jeudi soir, les épiceries romaines sont en pleine effervescence. Les commerçants mettent à tremper la morue et les pois chiches, ingrédients très prisés en cette fin de semaine.

Grands amateurs de pâtes, les habitants de la capitale italienne profitent de cette journée particulière pour les associer aux légumineuses. Cette "soupe" très consistante se réalise aisément.

Originaires d'Asie occidentale, les pois chiches auraient été diffusés tout autour de la Méditerranée par les Phéniciens. Nécessitant un climat sec et chaud, ils sont essentiellement cultivés dans le Sud de l'Italie, même si on les apprécie en Lombardie, Ligurie et Piémont. Issues d'une plante annuelle herbacée haute de vingt centimètres à un mètre, les gousses contiennent une à quatre graines. Ces dernières de couleur crème possèdent un délicieux goût de noisette.

Très parfumés, ces légumes secs ont l'avantage de conserver leur forme à la cuisson. Riches en cuivre, magnésium, calcium et vitamine B, ils sont particulièrement savoureux. N'oubliez pas avant de les utiliser de les tremper vingt-quatre heures dans un récipient rempli d'eau.

Dans cette préparation typiquement romaine, il est recommandé d'incorporer plusieurs sortes de pâtes : *macaroni, spaghetti, penne, orecchiette,* en forme de petites oreilles... Selon Marco Folicaldi, la réussite de cette "soupe" passe par les consistances des différentes variétés.

Indissociable de la cuisine italienne, la *pasta* est dans ce pays plus qu'une institution. Habituellement confectionnée à la maison et apprêtée à toutes les sauces, elle fait la fierté des habitants !

La veille, faites tremper les pois chiches dans un récipient rempli d'eau.

Dans une casserole d'eau, disposez les pois chiches trempés avec 2 branches de romarin, 1 gousse d'ail. Versez 1 c. à s. d'huile d'olive. Salez. Faites cuire, environ 3 h. Réservez l'eau de cuisson.

Versez la moitié des pois chiches dans le moulin à légumes. Tournez afin de les réduire en purée. Réservez l'autre moitié des pois chiches entiers.

lla romana

MARCO ET
ROSSELLA
FOLICALDI

Cuisson : 3 h 20

Trempage des pois chiches : 24 h

aites revenir, 3 min, dans 3 c. à s. d'huile l'olive, le restant de romarin effeuillé, la gousse d'ail haché et les piments coupés. Ajoutez la purée de pois chiches.

Versez le vin blanc. Faites cuire jusqu'à évaporation. Transvasez la préparation de purée de pois chiches dans le bouillon réservé ainsi que les pois chiches entiers. Faites-le chauffer.

Versez les pâtes. Faites cuire, environ 7 min. Dressez-les dans une assiette. Saupoudrez de pecorino et poivrez.

MICHELINA FISCHETTI

Soupe de haricot

4 personnes ★ **Préparation : 10 min**

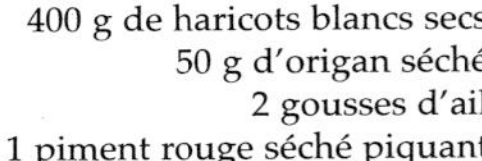

400 g de haricots blancs secs
50 g d'origan séché
2 gousses d'ail
1 piment rouge séché piquant

Gros sel
5 cuillères à soupe d'huile d'olive
Sel
Poivre

Autrefois, les paysans du Sud de l'Italie confectionnaient une soupe de haricots qu'ils parfumaient d'origan, *arraganati*. Au fil du temps, cette spécialité a dépassé les frontières régionales et connaît aujourd'hui, selon les provinces, des variantes. Très consistant, ce classique du répertoire italien s'enrichit parfois de lardons.

Ramenés du Nouveau Monde au XVIe siècle, les haricots secs sont des légumineuses, en forme de rognon. Il en existe de nombreuses variétés dont le très célèbre *canellino*, blanc et fin, que vous devez utiliser. Cultivé à l'origine en Toscane, il est aujourd'hui présent dans tout le pays.

Très nourrissants et riches en vitamines, les *canellini* se trouvent à profusion sur les marchés et participent à l'élaboration de nombreuses recettes. Notre chef vous suggère à l'occasion de les remplacer par les *borlotti*, une variété très réputée. Ces haricots, assez gros et tachetés de rouge, sont recherchés pour leur saveur prononcée.

Judicieusement parfumée, cette soupe traditionnelle de la province d'Avellino, située dans l'arrière-pays campanien, accorde une place de choix à l'origan. Cette variété sauvage de la marjolaine pousse spontanément dans cette magnifique région. Les petites feuilles de cette plante résistante s'utilisent fraîches ou séchées et sont souvent au rendez-vous de la cuisine méditerranéenne.

Quant au piment, il offre à ce mets son tempérament latin. Dans le Sud de l'Italie, ce fruit à la saveur piquante relève bon nombre d'apprêts. Appelé génériquement *peperoncino*, il étincelle de mille feux sur les étals des marchés. Rouge vif, petit ou grand, ramassé ou allongé, il se décline à l'infini. En Basilicate, les habitants cultivent une variété particulièrement puissante. Surnommés *diavolicci*, petits diables, ces piments au nom évocateur, enflamment les papilles des amateurs ! Selon vos goûts, n'hésitez pas à en moduler le dosage.

Succulente, la soupe de haricots *arraganati* est idéale à savourer l'hiver.

Disposez dans un saladier 400 g de haricots blancs secs. Recouvrez d'eau. Faites tremper 12 h.

Égouttez les haricots. Versez ces derniers dans une casserole remplie d'eau. Ajoutez une pincée de gros sel. Faites-les cuire environ 1 h.

Épluchez les 2 gousses d'ail. Hachez-le ainsi que le piment rouge piquant.

arraganati

MICHELINA
FISCHETTI

Cuisson : 1 h 10

Trempage des haricots : 12 h

Salez et poivrez légèrement la préparation des haricots. Saupoudrez-la d'origan séché.

Ajoutez les gousses d'ail hachées et le piment. Faites cuire environ 5 min.

Versez l'équivalent de 5 c. à s. d'huile d'olive. Mélangez. Dressez la soupe de haricots arraganati.

FRANCESCA
DE GIOVANNINI

Soupe d'org

4 personnes ★ **Préparation : 50 min**

300 g d'orge perlé
1 courgette
1 carotte
1 radicchio de Trévise (chicorée rouge)
1 poireau
2 feuilles de laurier
1 litre de lait
60 g de beurre
2 tranches de speck (poitrine fumée ou épaule)
3 cuillères à soupe d'huile végétale
50 cl d'huile végétale de friture
Sel
Poivre

Croquettes :
300 g de cantal doux râpé
2 œufs
50 g de parmesan râpé
20 g de farine
100 g de chapelure

Décoration :
Persil

Depuis près d'un millénaire, le haut plateau d'Asiago, situé dans le Haut Adige, est réputé pour sa production de lait. Selon notre chef, une peuplade du nom de Cimbri qui habitait déjà ces pâturages, se nourrissait à l'époque d'orge et de laitage.

Passionnée d'histoire régionale, Francesca De Giovaninni vous propose de découvrir une soupe très ancienne qui remonte à la période où cette terre s'appelait Cimbra ! Au fil du temps, ce mets s'est enrichi de légumes de saison. Notre chef a souhaité l'agrémenter de croquettes de fromage et de tranches de *speck*, poitrine de lard fumé, spécialités typiques de son terroir.

Cultivé essentiellement en Italie dans les régions du Haut Adige et du Frioul, l'orge est une céréale extrêmement résistante. Ses grains allongés et pointus sont mondés puis réduits à l'état de petites perles rondes par un passage entre deux meules. En cuisine, l'orge perlé est utilisé pour la confection des potages et se marie très bien à la queue de bœuf. Vous pouvez éventuellement le remplacer par de l'épeautre.

Cette soupe paysanne accorde aussi une place de choix aux légumes. Très estimée des Italiens, la *radicchio* de Trévise, chicorée rouge, bénéficie dans cette province d'une grande renommée. Chaque année, les amateurs se réunissent en son honneur. Consommée crue, cuite, grillée ou farcie, elle est recherchée pour sa texture croquante. Reconnaissable à ses feuilles pourpres et à ses nervures blanches marquées, elle abonde sur les marchés dès le mois de décembre.

Quant à la courgette, elle a su trouver sa place dans la cuisine méditerranéenne. Cultivée dans le Sud de la péninsule, elle se révèle riche en eau. Choisissez-la petite, de couleur uniforme. Avant de l'utiliser, grattez soigneusement la peau.

Très nourrissante, la soupe d'orge à la Cimbra est idéale à savourer l'hiver.

Lavez la courgette, épluchez la carotte, nettoyez le poireau et la chicorée rouge. À l'aide d'un couteau, coupez en très petits dés les légumes.

Dans une marmite, versez 2 c. à s. d'huile végétale et 50 g de beurre. Faites chauffer et ajoutez les dés de légumes, les feuilles de laurier. Salez, poivrez. Faites revenir environ 3 min. Versez l'orge. Remuez.

Versez dans la marmite, le lait. Remuez. Faite cuire, à feu moyen, entre 40 et 50 min.

à la Cimbra

FRANCESCA
DE GIOVANNINI

Cuisson : 55 min

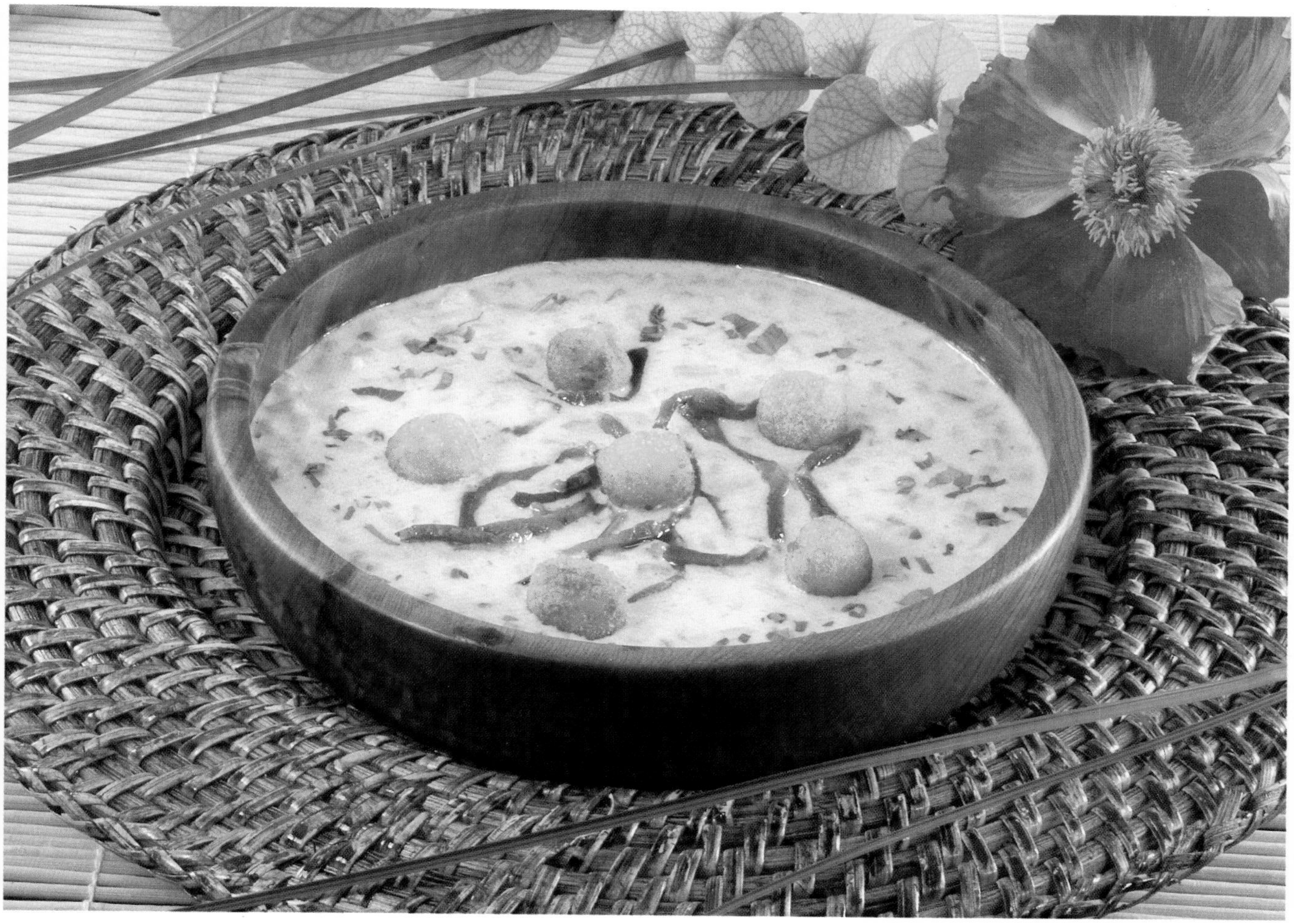

Pour les croquettes, disposez dans un saladier, le cantal, le parmesan, la farine et 1 œuf entier. Mélangez avec les doigts jusqu'à l'obtention d'une pâte. Cassez l'œuf restant dans un bol et battez-le.

Façonnez des boudins de pâte. Découpez-les en gros dés. Roulez-les entre les paumes des mains et donnez-leur la forme d'une boulette. Enroulez ces dernières dans l'œuf battu et la chapelure. Faites-les frire dans l'huile de friture.

Dans une poêle, faites revenir 1 c. à s. d'huile végétale et le beurre restant. Faites frire le speck. Dressez la soupe dans les assiettes avec les croquettes et le speck. Saupoudrez de persil haché.

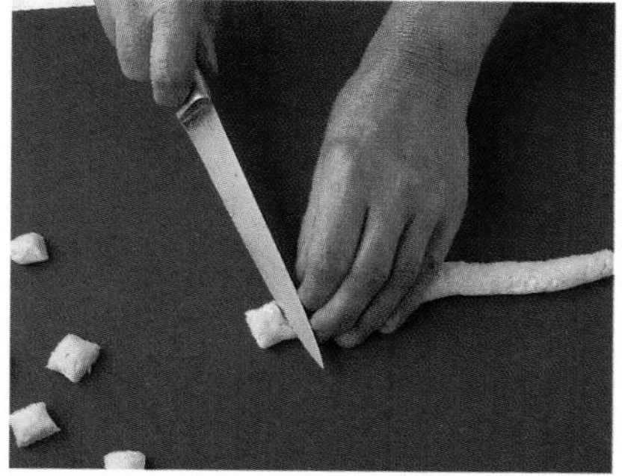

MARCO ET
ROSSELLA
FOLICALDI

Spezzatino de citrouille

4 personnes ★★ **Préparation : 45 min**

1 citrouille de 1,5 kg
6 oignons
5 pommes de terre de taille moyenne
3 gousses d'ail
1 branche de romarin
5 feuilles de sauge
1 piment rouge séché
4 cuillères à soupe d'huile d'olive
5 cl de vin rouge
3 boîtes de 400 g de tomates concassées
2 cuillères à soupe de farine
Sel
Poivre

Polentina :
250 g de semoule de blé dur
1/2 noix de muscade
1 cuillère à café de sel

Accompagnement :
5 cuillères à soupe de pecorino râpé (fromage)

Décoration :
Feuilles de sauge
Branche de romarin

Le *spezzatino* de citrouille et sa *polentina* est une préparation végétarienne très originale. Ce "ragoût" de légumes est typique du sud de l'Italie où les habitants usaient autrefois de subterfuge pour oublier l'absence de viande au quotidien et baptisaient, non sans humour, les noms de certains plats. Ainsi trouve-ton dans le répertoire culinaire de cette région, des recettes aux titres évocateurs comme "les petits pigeons échappés du Paradis" ou encore "la soupe d'anchois restés dans la mer" ! Le *spezzatino*, qui peut se traduire par "viande coupée en morceaux", s'inscrit dans cette lignée.

Facile à réaliser, ce mets, dans lequel les légumes sont mis en lumière, se révèle très consistant. Marco et Rossella Folicaldi ont laissé parler leur imagination et vous suggère de présenter directement la citrouille garnie sur la table. Affichant une véritable passion pour cette variété de la famille des cucurbitacées, ils ont tout naturellement appelé leur restaurant, situé à Nice, "la zucca magica".

Ramenée du Nouveau Monde par les Espagnols, la citrouille, fut rapidement désigné en Italie sous le nom de *zucca*. Ce mot désignait à l'origine dans le langage populaire, un simple d'esprit !

Réchauffant de sa couleur jaune-orangé les étals des marchés, ce légume d'hiver est très apprécié à Venise où les marchands ambulants le proposent en tranches cuites au four. Cette variété de courge, assez trapue, est riche en vitamine A. Apprêtée en soupe, ragoût, tarte ou purée, elle se caractérise par un goût suave. Pour cette recette, choisissez-la bien lourde et entière.

Judicieusement parfumé, ce *spezzatino* dévoile les saveurs de la sauge et du romarin. Pour accompagner ce plat végétarien, nos chefs vous suggèrent de préparer une *polentina*, à base de semoule de blé dur. Si vous souhaitez l'enrichir, remplacez l'eau par du lait. N'oubliez pas au moment de la présenter de la décorer d'un filet d'huile d'olive.

Découpez à l'aide d'un grand couteau le chapeau de la citrouille. Évidez entièrement cette dernière avec une cuillère. Réservez la chair.

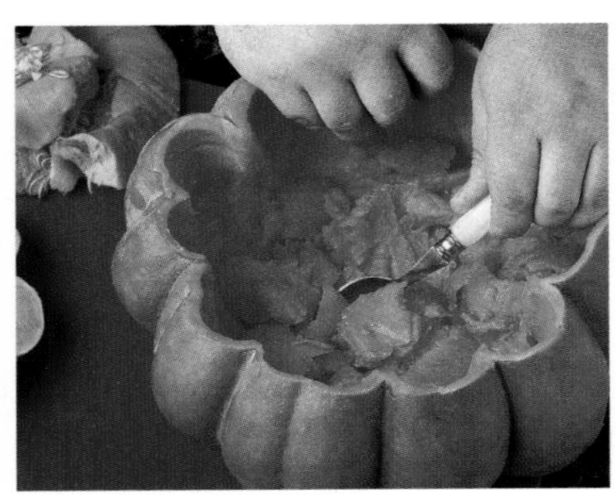

Épluchez les pommes de terre et coupez-les en gros cubes. Coupez la chair de la citrouille. Épluchez les oignons et les gousses d'ail. Émincez-les.

Dans une marmite, faites revenir avec l'huile d'olive les oignons, l'ail, les dés de piment, les feuilles de sauge et la branche de romarin. Ajoutez les cubes de citrouille et de pommes de terre. Versez la farine pour lier le tout.

t sa polentina

MARCO ET
ROSSELLA
FOLICALDI

Cuisson : 50 min

Versez le vin rouge. À évaporation, ajoutez es tomates. Salez, poivrez. Faites cuire, envi- on 40 min.

Préparez la polentina en faisant chauffer 50 cl d'eau. Versez la semoule. Mélangez au fouet. Salez. Saupoudrez de muscade. Faites cuire 3 min.

Découpez la polentina avec un cercle et disposez-la dans un ramequin. Transvasez le contenu de la marmite dans la citrouille évidée. Dressez cette dernière sur la table. Décorez de sauge et romarin. Accompagnez de pecorino.

ALFONSO CAPUTO

Zuppa di purgatorio

4 personnes ★ **Préparation : 20 min**

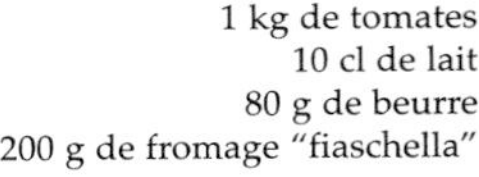

1 kg de tomates
10 cl de lait
80 g de beurre
200 g de fromage "fiaschella"

4 œufs
120 g de truffes noires
Sel
Poivre

Loin de l'agitation napolitaine, il existe dans l'arrière-pays de Campanie des montagnes isolées, où les paysans recueillent des truffes savoureuses et de succulentes noisettes. Avellino, chef-lieu de l'Irpinia est célèbre pour ces deux produits. Alfonso Caputo a imaginé d'associer le divin champignon à une soupe de tomates, des œufs au plat et du fromage local gratiné.

Dans l'Antiquité, les Romains étaient déjà de grands amateurs de truffes. Au premier siècle de notre ère, plusieurs recettes de l'ouvrage culinaire *De re coquinaria libri decem*, attribué à Marcus Gavius Apicius les mettaient déjà en valeur. Notre chef a choisi une variété assez rare à l'odeur puissante, spécifique de la Campanie. Elle est beaucoup moins connue que la truffe noire de Norcia, en Ombrie, ou la blanche d'Alba, dans le Piémont. Pour les conserver quelques jours, au réfrigérateur, n'enlevez pas la gangue de terre, enveloppez-les individuellement et enfermez-les dans une boîte hermétique. Dans notre recette, elles seront finement tranchées et ne recevront pas de cuisson.

Les tomates destinées à la soupe seront simplement fondues à la poêle ou en casserole, sans eau ni huile. Pour accélérer la cuisson et extraire le jus en évitant que le fond brûle, appuyez légèrement sur les légumes avec le couvercle du récipient. Une fois cuits, le broyage dans la moulinette laissera passer le meilleur de la pulpe, mais retiendra les pépins et la peau.

Des tranches de *fiaschella* grillées viendront agrémenter cette soupe. Ce fromage régional au lait de vache, à la saveur fumée et pâte cuite filante provient des environs de Naples. Dans la poêle, il fondra légèrement et dorera sans se "défaire". Vous le retournerez ensuite à la spatule pour colorer l'autre face. Il pourra éventuellement être remplacé par de la mozzarella fumée ou de la *scamorza*.

Rincez les tomates et coupez-les en quartiers. Faites-les réduire dans une casserole, 25 min à couvert et sur feu assez vif.

Lorsqu'elles sont fondues, passez les tomates au moulin à légumes (posé au-dessus d'une terrine). Versez la purée obtenue dans une casserole et portez à ébullition.

Lorsque la sauce tomates est chaude, ajoutez (sur le feu) 60 g de beurre, le lait, le sel et 1 pincée de poivre. Laissez mijoter 10 à 15 min à feu doux.

aux truffes noires

ALFONSO
CAPUTO

Cuisson : 55 min

Émincez finement les truffes (réservez-les). Tranchez le fromage fiaschella en lamelles de 5 mm d'épaisseur.

Faites chauffer une poêle à sec, très vivement. Lorsqu'elle est brûlante, faites griller les tranches de fromage d'un côté, et retournez-les à la spatule pour les faire dorer sur l'autre face.

Faites fondre 20 g de beurre dans une autre poêle. Cassez les œufs dedans et faites-les cuire au plat (5 min). Versez la soupe bien chaude dans un plat creux. Garnissez d'œufs frits, de fromage et de lamelles de truffes.

ALBERTO
MELAGRANA

Zuppa

4 personnes ★ **Préparation : 40 min**

1 kg de palourdes
300 g de pommes de terre
200 g de chair à saucisses
1/2 tête d'ail
2 branches de romarin frais
1/4 de bottillon de persil

5 cl de vin blanc
7 cl d'huile d'olive
Sel
Poivre

Décoration :
Persil

Pour Alberto Melagrana, la région des Marches est un véritable paradis. Ce passionné ne tarit pas d'éloges sur la diversité et l'excellence des produits, que la nature a généreusement offerte aux habitants. Bénéficiant des richesses de l'Adriatique et de l'arrière-pays, ces derniers se sont constitué au fil du temps un répertoire culinaire original et raffiné.

Typique de la province de Piceno, la *zuppa picena* est une soupe qui unit mer et terre. Très ancien, ce mets se dégustait autrefois à bord des chaluts. Avant de quitter les côtes, les marins emmenaient avec eux des victuailles. Ils entreposaient alors des pommes de terre dans la soute et accrochaient au mât des saucisses. En fonction du butin ramené dans les filets, ils confectionnaient une soupe qui leur rappelait les saveurs de leur village.

Aujourd'hui, la *zuppa picena* s'apprécie surtout l'hiver et s'accompagne parfois de croûtons. Offrant la vedette aux palourdes, cette spécialité est facile à réaliser. Également connus sous le nom de clovisse, ces coquillages sont reconnaissables à leur coquille mince et bombée au centre. Très estimés en Italie, pour leur chair délicatement parfumée, ils sont souvent mariés au vin blanc, tomates, échalotes et thym. Selon l'arrivage, vous pouvez les remplacer par des tellines, en prenant soin de bien les dés-sabler la veille.

Jadis, dans l'arrière-pays des Marches, les villageois tuaient le cochon. Les différentes parties de l'animal étaient alors partagées entre voisins ou conditionnées pour la charcuterie. Sur le littoral adriatique, les familles de pêcheurs se procuraient elles aussi cette précieuse denrée.

Les saucisses fraîches italiennes se distinguent par leur viande grossièrement hachée et leur goût légèrement épicé. Elles sont généralement destinées aux sauces et ragoûts.

Quant au romarin, il ensoleille magnifiquement cette soupe de pêcheur.

Nettoyez les palourdes à l'eau vive. Faites revenir dans 5 cl d'huile d'olive, 4 gousses d'ail. Ajoutez les palourdes. Faites cuire à couvert. Quand les coquillages sont ouverts, déposez le persil haché.

Façonnez des petites boulettes d'égale grosseur avec la chair à saucisses. Disposez-les dans une poêle et faites-les revenir avec 1 c. à s. d'huile d'olive. Salez, poivrez. Ajoutez le restant des gousses d'ail et 1 branche de romarin. Faites cuire, entre 3 et 4 min. Versez le vin blanc.

À l'aide d'un économe, épluchez les pommes de terre. Coupez ces dernières en cubes bien réguliers.

icena

ALBERTO MELAGRANA

Cuisson : 35 min

aites chauffer une casserole d'eau. À ébul-tion, posez les cubes de pommes de terre la branche de romarin restante. Faites uire, environ 20 min. Égouttez.

Transvasez délicatement dans une casserole, les palourdes, les pommes de terre et les boulettes de chair à saucisses.

Versez dans la casserole 50 cl d'eau bouillante. Faites cuire 5 min. Dressez la soupe dans les assiettes. Décorez avec une feuille de persil.

Pâtes
Riz

BIANCAROSA ZECCHIN

Bigoli en ragoû

4 personnes **★★** **Préparation : 20 min**

1/2 canard
1 oignon
1 gousse d'ail
2 tiges de romarin frais
1 cuillère à soupe d'huile d'olive
10 cl de vin blanc sec

700 g de bigoli
1 poignée de parmesan râpé
9 feuilles de laurier
Sel
Poivre

Biancarosa Zecchin propose de réaliser de savoureuses pâtes fraîches nappées d'une sauce fondante et parfumée, composée de canard, oignons, ail et romarin cuits au vin blanc. La recette nous vient tout droit de la région vénitienne.

Les *bigoli* mitonnés par notre chef sont proches des *spaghetti* : assez épais et plus courts, ils se présentent enroulés sous forme de "nids". Ils font partie de la catégorie des *pasta al uovo* (pâtes aux œufs). Peu courants dans le commerce, ils sont généralement préparés à la maison. Pour quatre personnes, pétrissez ensemble 700 g de farine blanche, 2 œufs, du sel et 10 cl d'eau. Formez une boule de pâte puis étalez-la. À défaut de machine à pâtes, découpez-la au couteau en lanières longues et très fines. Vous pouvez aussi détailler des pâtes plus larges ou *pappardelle*.

Généralement, les Vénitiens emploient en effet pour les réaliser un instrument appelé *torchio* ou *bigolaro*. Semblable à une presse à main, il est fixé sur un trépied. La pâte est versée dans un *trafila*, tube de 10 cm de diamètre, dont le fond peut être garni de grilles de différentes formes. Lorsqu'on tourne la manivelle, la pâte ressort par le fond du tube sous forme de *bigoli*. Ceux-ci tombent sur une grille sur laquelle ils vont sécher. Autrefois, peu d'amateurs de *bigoli* possédaient chez eux un *torchio*. La préparation de ces délicieuses pâtes fournissait alors l'occasion de réunions amicales ou familiales.

On ne saurait cependant oublier la confection du délicieux ragoût de canard. En italien, ce volatile prend le nom de *papero* lorsqu'il s'agit d'un mâle ; la jeune femelle, de plus petite taille est appelée *anatra*. Lorsqu'il est gros, il faut éliminer l'épaisse couche de graisse située sous la peau. Découpé en petits cubes, il prendra notamment les arômes du romarin. Biancarosa Zecchin parvient ainsi à mettre délicieusement en valeur cette plante, qui pousse à profusion aux alentours de son restaurant.

Enlevez la peau du canard, et la graisse si nécessaire. Ouvrez-le dans la longueur du côté du ventre, et tranchez le long de la carcasse pour prélever la chair. Détaillez-la en petits dés de 5 mm de côté.

Épluchez et hachez l'ail et l'oignon. Faites chauffer 1 c. à s. d'huile d'olive dans une poêle. Ajoutez ail et oignon. Faites-les fondre 2-3 min puis parsemez avec 1 tige de romarin hachée. Faites revenir encore un instant.

Ajoutez alors les dés de canard dans la poê de condiments. Faites revenir 10 à 15 m en mélangeant bien sur le feu, jusqu'à que le liquide soit évaporé.

le canard

BIANCAROSA
ZECCHIN

Cuisson : 35 min

Arrosez la préparation avec le vin blanc. Salez et poivrez. Achevez la cuisson durant minutes, en remuant.

Plongez les bigoli dans une casserole d'eau bouillante salée. Laissez-les cuire 10 min.

Prélevez les bigoli dans l'eau de cuisson et transférez-les dans le ragoût. Mélangez. Parsemez de parmesan râpé, décorez de laurier, de romarin et servez bien chaud.

SAURO BRUNICARDI

Gnocchi de pomme

4 personnes ★★ **Préparation : 30 min**

Gnocchi :
1 kg de pommes de terre
220 g de farine
Sel

Sauce :
1 carotte
1 côte de céleri
2 gousses d'ail

700 g de tomates mûres
1 oignon
20 petites feuilles de thym
40 g de pecorino
Huile d'olive vierge extra
Sel
Poivre

Connue dès 1867 à Ponte a Moriano, l'auberge *La Mora*, dont le nom signifie en latin "faire une halte", invite à découvrir la campagne proche de Lucques. Parmi leurs meilleures spécialités, Sauro Brunicardi et son assistant Paolo Indragoli proposent des *gnocchi* de pommes de terre agrémentés d'une sauce aux légumes simple et très parfumée.

Les *gnocchi*, dont le nom signifie "boulettes", sont habituellement préparés dans le Centre et le Nord de l'Italie. Appréciés depuis le XVIIIe siècle, ces portions de pâte pochées s'appelaient à l'époque *ravioli* (tandis que nos *ravioli* actuels se nommaient *tortellini* !). Deux catégories principales sont préparées de nos jours : mélange de pommes de terre et de farine, ou bien de semoule à la *ricotta* et épinards.

Apparemment simples à réaliser, les *gnocchi* requièrent une certaine habileté pour atteindre la perfection : légère mais ferme, leur pâte ne doit se défaire ni lors du pochage, ni dans la sauce. Des pommes de terre farineuses de type "bintje" apporteront la juste consistance. Pétrissez le mélange comme une pâte à tarte, puis découpez les *gnocchi* sur le plan de travail bien fariné, pour qu'ils ne collent pas entre eux.

La sauce doit toujours être épaisse pour napper les *gnocchi*. Traditionnellement, les Italiens leur offrent une sauce tomates au basilic ou bien un fameux *pesto* aux noix et *gorgonzola*. Dans la sauce mitonnée par notre chef, les tomates et légumes aromatiques cuits passent au moulin à légumes pour retenir peaux et pépins. La purée lisse et homogène ainsi obtenue accueillera à merveille la saveur du thym et du *pecorino*.

Pour rester dans le ton toscan, les *gnocchi* s'accommodent en effet de *pecorino toscano* râpé. Dans les pâturages de cette région, des milliers de brebis fournissent le lait nécessaire à sa fabrication. Ce fromage jaune paille à pâte pressée et cuite, affiné durant quatre mois révèlera dans votre assiette toute la douceur de ses arômes.

Gnocchi : faites bouillir les pommes de terre 20 min à l'eau bouillante salée. Épluchez-les, coupez-les grossièrement puis écrasez-les dans votre moulin à légumes. Laissez tiédir la pulpe obtenue.

Saupoudrez un peu de farine sur votre plan de travail. Déposez la pulpe de pommes de terre par-dessus, puis 200 g de farine. Pétrissez bien le tout jusqu'à ce que la pâte ne colle plus aux doigts.

Prenez de petits morceaux de pâte et roulez-les en "boudins" allongés et fins, de l'épaisseur d'un doigt. Avec une palette, coupez-les en tronçons d'environ 2 cm de long.

le terre alla Mora

SAURO
BRUNICARDI

Cuisson : 1 h environ

auce : effeuillez et détaillez le céleri en amelles. Épluchez et découpez la carotte en ondelles. Pelez et émincez l'oignon et l'ail. Coupez les tomates en quartiers. Versez le out dans un sautoir huilé, salez et poivrez t faites cuire 25-30 min à feu vif.

Dans une grande marmite, portez à ébullition de l'eau salée et additionnée de quelques gouttes d'huile. Plongez les gnocchi dans l'eau bouillante. Faites-les cuire environ 20 min, jusqu'à ce qu'ils remontent à la surface de l'eau.

Lorsque la sauce est cuite, écrasez-la dans un moulin à légumes. Versez-la dans une poêle avec les gnocchi et quelques feuilles de thym. Faites sauter le tout en mélangeant. Disposez dans les assiettes avec du pecorino râpé.

SERGIO
PAIS

Lasagne

4 personnes ★ **Préparation : 50 min**

250 g de lasagne
2 gros oignons
2 courgettes
2 aubergines
2 artichauts poivrades
1 citron
5 cl de vin blanc
5 cl de vinaigre balsamique
150 g de parmesan râpé
Huile de friture
1 filet d'huile d'olive
Sel
Poivre

Béchamel :
50 cl de lait
50 g de beurre
50 g de farine
1 pincée de noix de muscade en poudre
Sel
Poivre

Décoration :
Feuilles de roquette
Tomates cerise (facultatif)

Grand amateur de *rucola,* roquette, notre chef a tout naturellement choisi le nom de cette plante méditerranéenne pour baptiser son établissement, situé à Paris. Il a souhaité vous présenter un plat de lasagnes aux légumes qui figure en vedette sur la carte de son restaurant.

Les habitants de Bologne affirment qu'ils sont les maîtres incontestés dans l'art de préparer ces longues pâtes, rectangulaires. Originaires d'Émilie Romane, ces dernières sont garnies habituellement de viande hachée et béchamel puis disposées en strates ou couches. Si vous souhaitez présenter les lasagnes en portion individuelle, nous vous livrons une astuce : après avoir retiré le plat du four, faites-le réfrigérer pendant trois heures. Ainsi la découpe des parts en sera facilitée.

Indissociable de cette spécialité du nord de l'Italie, la béchamel est une sauce blanche, obtenue à partir d'un roux auquel on ajoute du lait. Autrefois, elle était confectionnée avec de la crème fraîche liquide et dévoilait alors une consistance épaisse, veloutée.

Ce plat végétarien est une pure réussite. Très tendres, les petits artichauts violets sont également connus sous le nom de poivrades. Après les avoir tournés, n'oubliez pas de plonger les cœurs dans de l'eau citronnée. Cette opération évite l'oxydation. Si vous souhaitez les conserver quelques jours avant de les utiliser, gardez les tiges intactes.

Les lasagnes de la Rucola ensoleillent magnifiquement les papilles. La présence des courgettes, légumes d'été par excellence, apporte la touche de couleur.

Quant aux aubergines, elles sont estimées dans tout le bassin méditerranéen. Les pourpres, que vous devez utiliser, sont la variété la plus répandue. Sur les marchés italiens, on trouve à profusion la *violetta di Firenze,* la *belleza nera,* la *nubia,* au goût discret.

Délicieux, ce plat de fête mérite vraiment d'être découvert.

Lavez les aubergines et les courgettes et coupez-les en petits dés d'égale grosseur ainsi que les oignons. Enlevez les feuilles des artichauts et tournez-les jusqu'au fond. Faites-les tremper dans de l'eau citronnée.

Dans une casserole, versez 1/2 verre d'eau, le vin blanc et le vinaigre balsamique. Disposez les fonds d'artichaut. Faites-les cuire, environ 20 min. Égouttez-les. Enlevez le foin. Émincez-les.

Faites frire séparément dans l'huile de friture, les oignons, les aubergines et les courgettes, ainsi que les feuilles de roquette. Épongez dans du papier absorbant.

de la Rucola

SERGIO PAIS

Cuisson : 1 h

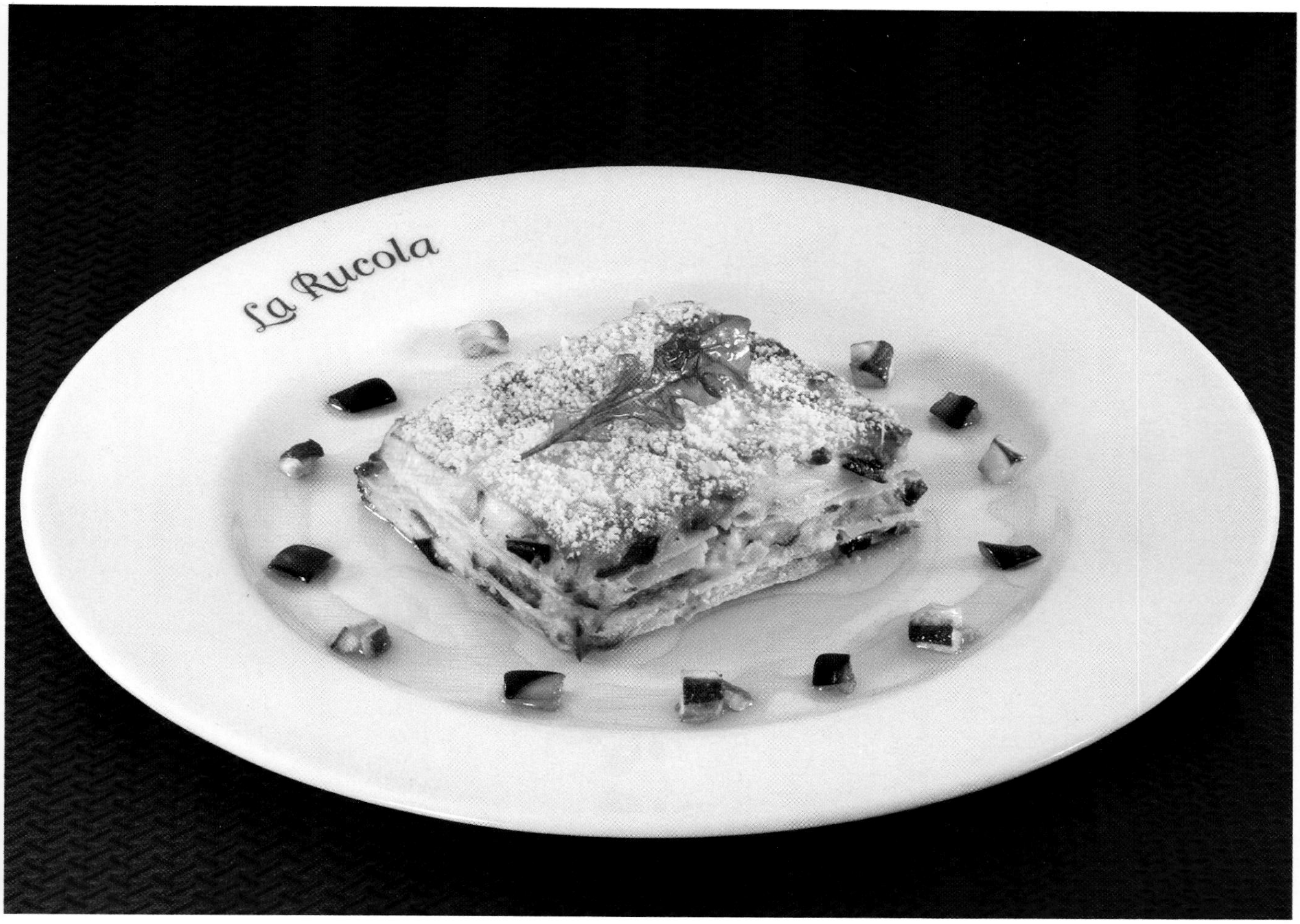

Préparez la béchamel en faisant fondre le beurre avec la farine en mélangeant continuellement. Versez le lait. Mélangez. Salez, poivrez. Saupoudrez de muscade.

Disposez les oignons, courgettes, aubergines et artichauts dans la béchamel. Mélangez délicatement. Rectifiez l'assaisonnement. Réservez quelques dés de légumes pour la décoration.

Dans un plat, disposez les lasagnes. Garnissez de béchamel. Recouvrez de lasagne et de béchamel. Saupoudrez de parmesan. Faites cuire au four à 180°C, pendant 30 min. Dressez les lasagnes de légumes dans l'assiette. Versez un filet d'huile. Décorez avec les dés de légumes réservés et la roquette.

MICHELINA
FISCHETTI

Paccheri au ragoû

4 personnes ★ **Préparation : 20 min**

300 g de paccheri di gragniano (pâtes)
200 g de gigot d'agneau
1 oignon
8 feuilles de basilic
250 g de tomates
150 g de caciocavallo râpé (fromage)
5 cl de vin rouge

5 cl d'huile d'olive
Huile d'olive de friture
Sel
Poivre

Décoration :
5 feuilles de basilic

Selon notre chef, l'homme de théâtre Edouardo De Filippo citait toujours en exemple le fameux ragoût napolitain, cher à son enfance. Ce plat traditionnel de mariage, très consistant, était pour ce gourmet "*degno de prinzo di nozze*", digne d'un déjeuner de noce !

Facile à réaliser, cette spécialité, où le gigot d'agneau mijote longuement en compagnie des tomates, oignons et vin rouge, est une pure merveille. Très parfumé, ce ragoût s'accompagne toujours de pâtes. Les *paccheri,* sorte de gros tuyaux, signifient en dialecte napolitain "claques" ou "grosses gifles" ! Vous pouvez aisément les remplacer par des macaroni.

Contrairement aux affirmations des habitants de cette région, la *pasta* n'est pas née au pied du Vésuve. Il fallut attendre la fin du XVIIIe siècle pour que la cité campanienne adopte les pâtes et les emploie avec talent sous les formes les plus variées. Certains historiens pensent que les Chinois en sont les inventeurs ; d'autres penchent pour les Romains de l'Empire. Ces derniers confectionnaient déjà dans l'Antiquité une pâte avec de la farine et de l'eau qu'ils nommaient *langanum.*

Dans ce ragoût, les tomates apportent toute leur fraîcheur. Indispensables à la cuisine méditerranéenne, elles sont le légume préféré des Italiens. Essentiellement cultivées dans le Sud, elles sont exportées dans les régions du Nord et dans le monde entier.

Pourtant, elles mirent de nombreuses années avant de s'imposer sur les tables du Royaume de Naples. On estime que leur culture commença véritablement au milieu du XVIIIe siècle. Les Napolitains, que l'on surnommait alors *mangiafoglia,* herbivores, devinrent des *mangiamaccheroni,* "mangeurs de pâtes à la tomate" !

Pour agrémenter les *paccheri,* notre chef utilise du *caciocavallo,* fromage typique du sud de l'Italie. Dans cette région, aux traditions ancestrales, il remplace le *pecorino romano* ou le très célèbre parmesan.

À l'aide d'un couteau, parez le gigot d'agneau. Coupez la viande en petits dés. Pour la décoration, faites frire dans l'huile d'olive de friture 1 ou 2 feuilles de basilic et ciselez les autres. Réservez.

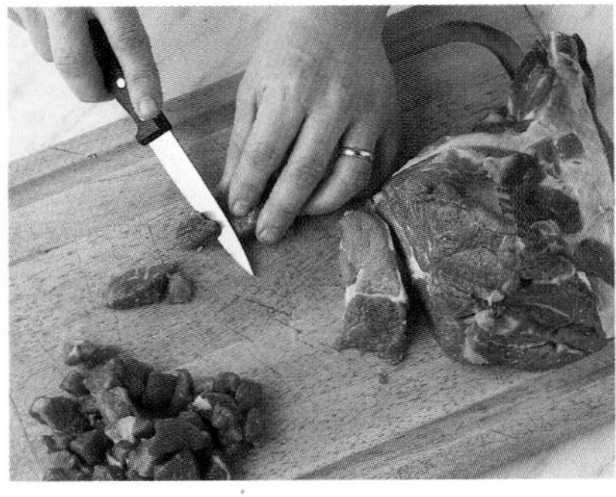

Disposez les dés d'agneau dans un saladier. Recouvrez d'eau. Versez dessus 2 cl de vin rouge. Mélangez. Égouttez. Poivrez la viande.

Coupez l'oignon en petits dés et faites-le dorer dans 5 cl d'huile d'olive. Ajoutez les dés d'agneau. Faites revenir 5 min. Salez.

l' agneau

MICHELINA FISCHETTI

Cuisson : 2 h 10

Versez dans la préparation le restant de vin rouge. Faites cuire jusqu'à évaporation. Mondez les tomates pour les peler. Réduisez-les en purée.

Versez la purée de tomates dans la préparation. Faites cuire environ 2 h. Ajoutez les feuilles de basilic.

Plongez les paccheri dans de l'eau bouillante salée. Faites-les cuire entre 10 et 15 min. Égouttez. Transvasez la sauce à l'agneau dans les pâtes. Dressez-les dans un plat. Saupoudrez de fromage râpé. Décorez avec le basilic réservé.

MICHELINA
FISCHETTI

Pizza traditionnelle

4 personnes ★★ **Préparation : 1 h**

400 g de tomates cerise
350 g de mozzarella de bufflonne
2 cuillères à soupe de farine
3 cuillères à soupe d'huile d'olive
Sel

Pâte :
500 g de farine
25 g de levure de bière
Sel

Décoration :
Feuille de basilic
Huile d'olive

Il fallait sûrement être né au pied du Vésuve pour avoir l'idée géniale d'inventer la *pizza*. Cette spécialité napolitaine, aujourd'hui renommée dans le monde entier, se décline à l'infini. Comme le disent avec fierté les Italiens, *"on peut la garnir avec tout ce qui nous passe par la tête"* : moules, palourdes, saucisse, jambon, roquette, poivrons, oignons, artichauts, câpres, olives ou différents fromages....

Mais pour les puristes, la *pizza* traditionnelle des Napolitains, se compose d'une pâte recouverte uniquement de tomates, *mozzarella*, basilic et huile d'olive. Selon la légende, elle serait l'œuvre du *pizzaiolo* Raffaele Esposito qui imagina en 1889, pour la reine Margherita, une garniture aux couleurs de l'Italie unifiée : vert, blanc, rouge.

Il fallut pourtant attendre l'exode massif des habitants de Naples vers le Nouveau Monde pour que cette préparation typique jouisse d'une notoriété sans précédent. C'est ainsi que la première pizzeria ouvrit ses portes à New-York en 1905 !

Cette réussite tient certainement au savoir-faire ancestral des *pizzaioli*. Tout repose en effet sur la confection de la pâte, qui doit être longuement étirée. Vous devez façonner une galette de 0,5 centimètre d'épaisseur.

Quant aux produits utilisés, en particulier la tomate, sachez que son arôme est primordial. Les Napolitains ont d'ailleurs été les premiers au XIXe siècle, à mettre au point divers procédés de conservation afin d'utiliser ce précieux fruit tout au long de l'année. En hiver, préférez les *pomodori pelati*, tomates pelées.

Dans la bouillonnante cité napolitaine, une *pizza* sans *mozzarella* relève de l'hérésie. En Campanie, ce fromage traditionnel, présenté en boule, est estimé pour sa saveur douce légèrement acidulée.

Idéale à savourer en entrée ou plat principal, cette spécialité du Sud est tout simplement *buonissima*...

Pour la pâte, diluez la levure de bière dans de l'eau chaude. Dans un récipient, disposez la farine en fontaine. Versez la levure diluée. Salez.

Mélangez avec les doigts en versant au fur et à mesure l'équivalent de 50 cl d'eau. Travaillez jusqu'à obtenir une pâte homogène. Façonnez une boule. Enroulez-la d'un linge humide. Laissez reposer 1 h.

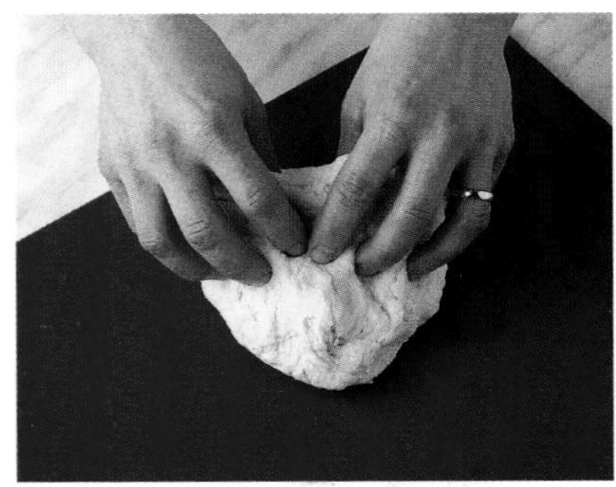

Lavez les tomates cerise. Écrasez-les entre vos doigts afin de les épépiner. Salez ces dernières et égouttez-les.

napolitaine

MICHELINA
FISCHETTI

Cuisson : 25 min

Repos de la pâte : 1 h

Enroulez de farine la boule de pâte. À l'aide d'un rouleau à pâtisserie, étalez-la sur le plan de travail et donnez-lui la forme d'un disque.

Versez 2 c. à s. d'huile d'olive sur les tomates. Huilez avec le restant d'huile d'olive le cercle allant au four. Disposez dessus la pâte. Ajoutez harmonieusement les tomates. Faites cuire, à 230°C, pendant 20 min.

Posez sur la pizza des dés de mozzarella. Faites cuire, au four, à 230°C, 5 min. Placez la feuille de basilic. Décorez d'un filet d'huile d'olive.

ALFONSO
CAPUTO

Pommes de terre au ri

4 personnes ★★ **Préparation : 1 h**

800 g de pommes de terre
160 g de moules
160 g de palourdes
160 g de praires
120 g de riz carnaroli
100 g de gambas

15 cl d'huile d'olive vierge extra
1 piment rouge frais
20 cl de vin blanc
1 gousse d'ail
1 branche de céleri

Pour farcir et présenter ses pommes de terre, Alfonso Caputo s'est inspiré des savoureux produits offerts par la mer Thyrrénienne : les gambas permettront de préparer la bisque, garnir le riz et agrémenter la sauce. Cette dernière sera également enrichie de moules, de praires et de palourdes.

De succulents fruits de mer sont toujours récoltés dans la baie de Naples, même s'ils sont moins fréquents en raison de la pollution et du ramassage intensif. Dans la cuisine italienne, la palourde est appelée *vongola verace* : assez grosse, on la reconnaît à sa coquille beige et brune striée d'un fin maillage. La praire quant à elle, ou *vongola gialla*, est plus petite ; sa coquille épaisse est marquée de sillons profonds et concentriques.

Désignées en italien sous le nom de *cozze*, les moules font le bonheur des cuisiniers napolitains. Rincez-les d'abord à grande eau, puis avec un petit couteau, grattez les balanes sur les coquilles et coupez les filaments bruns ou "bissus". Rincez-les de nouveau avant de procéder à la cuisson.

La bisque servira de base à la sauce aux fruits de mer. Composée de carcasses de crevettes, de vin blanc et de céleri, vous pourrez bien sûr la parfumer à votre goût : poireau, carotte, oignon, ciboule... lui apporteront leurs délicieux arômes.

Les pommes de terre à farcir seront choisies parmi les variétés à chair molle. Elles seront remplies d'un riz employé pour la préparation du *risotto* : du carnaroli, dont les grains peuvent gonfler tout en restant séparés après cuisson. Cette variété est cultivée dans la plaine du Pô. À défaut, du vialone nano ou de l'arborio conviendront aussi. Sa cuisson se fera en deux temps : après l'avoir attendri 10 minutes dans de la bisque, égouttez-le et laissez-le refroidir sur votre plan de travail. Il achèvera de cuire à l'intérieur des pommes de terre, dans le four. Comme notre chef, vous servirez une pomme de terre farcie par personne, entourée de sa sauce aux saveurs marines.

Nettoyez et séchez les pommes de terre. Coupez les deux extrémités bien droites. Videz l'intérieur à l'aide d'une cuillère parisienne. Blanchissez-les 5 min à l'eau bouillante.

Décortiquez les gambas. Faites revenir les têtes et carcasses à l'huile, en casserole avec le céleri haché. Lorsqu'elles commencent à rougir, déglacez avec 10 cl de vin blanc et mouillez d'eau à hauteur. Portez à ébullition, faites cuire 5 min et filtrez la bisque.

Dans une poêle, faites chauffer 5 cl d'huile additionnée d'1/2 gousse d'ail et d'un peu de piment. Ajoutez moules, palourdes et praires, couvrez et laissez cuire 5 min. Ôtez le couvercle, et les coquillages s'ouvrent. Éliminez les coquilles, réservez la chair et filtrez la sauce.

la sauce marine

ALFONSO CAPUTO

Cuisson : 1 h

aites dorer le riz dans 5 cl d'huile chaude illée. Arrosez de 10 cl de vin blanc et de isque de crevettes. Laissez cuire 10 min. nsuite, mettez le riz à refroidir sur le plan e travail.

Réchauffez les coquillages et leur sauce dans une poêle, 2-3 min à feu assez vif. Ajoutez la moitié des gambas et laissez cuire quelques minutes. Faites cuire l'autre moitié 3-4 min dans une poêle à part.

Garnissez chaque pomme de terre avec du riz et les gambas cuites à part. Dans un plat huilé, faites-les cuire 10 à 15 min au four à 180°C. Servez les pommes de terre farcies au milieu de la sauce aux fruits de mer.

PAOLO ZOPPOLATTI

Orzotto aux herbe

4 personnes ★★ **Préparation : 30 min**

250 g d'orge perlé
4 feuilles de sauge
50 g de fenouil
10 feuilles de menthe
300 g d'épinards
100 g de persil
10 feuilles de basilic
12 grandes gambas

1 branche de céleri
1 carotte
1/2 oignon
3 échalotes
50 g de beurre
2 cuillères à soupe d'huile d'olive vierge extra
Sel
Poivre

Originaire du Frioul, le savoureux *orzotto* est un proche cousin du *risotto* lombard. Autrefois, cette préparation à base d'orge perlé ressemblait à un potage assez liquide. Mais de nombreux cuisiniers actuels préfèrent, comme Paolo Zoppolatti, lui apporter une texture plus crémeuse et relativement sèche. Notre chef le parfume délicatement avec un mélange d'herbes aromatiques, et l'enrichit de gambas.

Le *orzotto* est mitonné de la même manière que le *risotto* : les grains sont rissolés dans une poêlée d'échalotes, puis arrosés de bouillon et cuits par absorption. La recette débute d'ailleurs par la confection de ce jus très original, concentré de sauge, menthe, épinards, basilic et fenouil. Une fois pochées, transférez rapidement toutes ces herbes dans un bol rempli de glaçons : vous préserverez ainsi leur chlorophylle et par conséquent, leur couleur vert vif. Elles seront ensuite réutilisées pour colorer et aromatiser l'orge.

En Italie, cette céréale est principalement récoltée dans le Frioul et le Haut-Adige. Connue depuis des millénaires, elle ne craint pas en effet les sols pauvres et les climats difficiles. De même calibre et couleur que ceux du blé, ses grains sont plus allongés et pointus aux extrémités. Les Frioulans les consomment volontiers sous forme de farine, ou bien mondés ou perlés, c'est-à-dire arrondis par polissage.

Comme les herbes, les gambas sont utilisées de deux façons dans cette préparation. Les têtes parfument le bouillon, et la chair est délicieusement incorporée au *orzotto*. Ouverte sur le nord de l'Adriatique, la région du Frioul-Vénétie Julienne pratique en effet une importante activité de pêche. Les riverains des lagunes de Grado et de Marano vont couramment pêcher au large mulets, bars, turbots et autres crevettes. Ces dernières pourront être remplacées à l'envie par d'autres crustacés ou coquillages.

Réunissez sauge, menthe, épinards, basilic et persil puis ciselez-les. Découpez grossièrement le bulbe de fenouil. Portez une casserole d'eau à ébullition, jetez toutes les herbes dedans et laissez cuire 1 min à frémissements.

À l'aide d'une écumoire, sortez les herbes du bouillon et transférez-les dans un récipient rempli de glaçons. Réservez herbes et bouillon.

Détachez les têtes des gambas. Décortique les queues et découpez-les en cubes (garde 4 queues entières pour la décoration) Réservez le tout.

t gambas

PAOLO
ZOPPOLATTI

Cuisson : 1 h 20

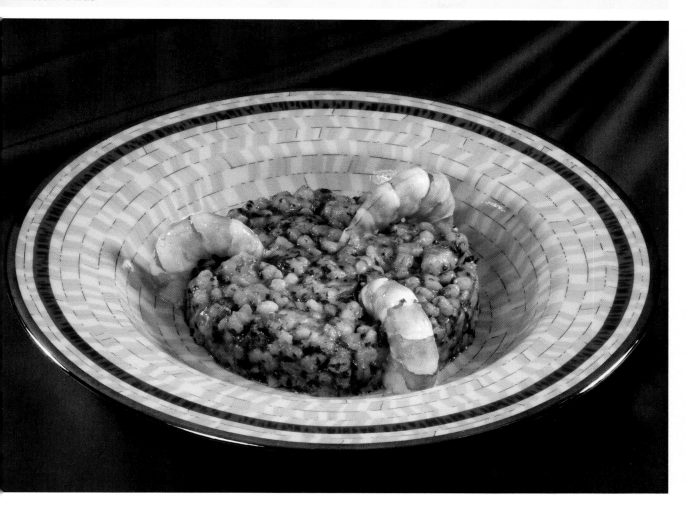

iltrez le bouillon de cuisson des herbes. 'ersez-le dans une casserole. Ajoutez le emi-oignon, la carotte, tige et feuilles de éleri et les têtes de gambas. Laissez cuire 0 min.

Dans un poêlon, faites fondre les échalotes 5 min à l'huile d'olive. Ajoutez l'orge perlé, et faites revenir 3 min, en mélangeant. Ajoutez les cubes de gambas.

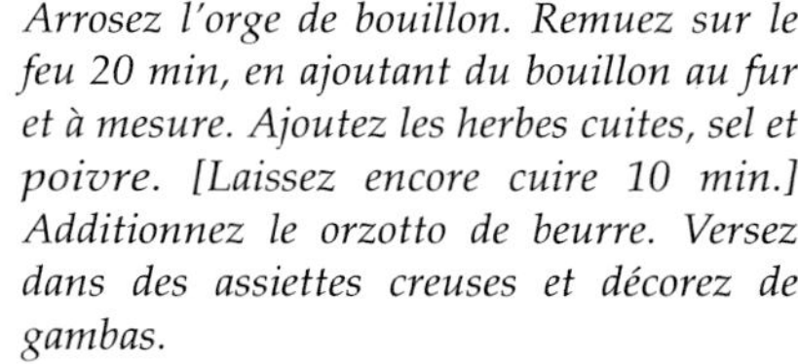

Arrosez l'orge de bouillon. Remuez sur le feu 20 min, en ajoutant du bouillon au fur et à mesure. Ajoutez les herbes cuites, sel et poivre. [Laissez encore cuire 10 min.] Additionnez le orzotto de beurre. Versez dans des assiettes creuses et décorez de gambas.

SAURO
BRUNICARDI

Ravioli au parfur

4 personnes ★★ **Préparation : 40 min**

Pâte :
750 g de farine
5 œufs
2 cuillères à soupe d'huile d'olive
Sel
Farce :
300 g de ricotta fraîche
150 g d'épinards
1 œuf
50 g de parmesan râpé
1 pincée de muscade râpée
Sel
Poivre

Sauce :
50 g de feuilles de marjolaine
220 g de basilic
70 g de pignons de pin
100 g de beurre
20 cl de crème fraîche liquide
Sel

Dans son restaurant de Ponte a Moriano, Sauro Brunicardi propose de succulents *ravioli* au parfum de marjolaine. Généralement, les *ravioli* toscans sont farcis d'un mélange de bœuf ou veau avec du porc. Très légère, la farce préparée par notre chef associe *ricotta*, épinards, parmesan et œufs.

Les Italiens ont inventé près de trois cents variétés de pâtes. Nous savons que les pâtes fraîches farcies du type *ravioli*, étaient servies dès la Renaissance. Tous ces délices seraient arrivés en Toscane par influence de l'Émilie-Romagne voisine, province souvent qualifiée de "véritable paradis des pâtes".

Pour réaliser l'enveloppe des *ravioli*, Sauro Brunicardi, utilise la recette la plus classique. Dans le puits de farine, remuez les ingrédients du bout des doigts puis rapprochez-vous progressivement des bords pour aller chercher la farine. Ramenez celle-ci au centre et pétrissez le tout comme une pâte à tarte.

Si la préparation se révèle trop ferme, ajoutez un peu d'eau froide et continuez à pétrir.

La farce sera délicieusement enrichie de *ricotta*, qui lui apportera texture et fondant. Pour obtenir ce fromage, on recueille le petit-lait issu du pressage d'un caillé de brebis, et on lui donne une seconde cuisson : d'où l'appellation de *ricotta*, ou "recuite".

Sauro Brunicardi nappe ses pâtes d'une sauce à la crème fraîche de son invention, dans laquelle la saveur très franche, mais non dominante du basilic s'allie à la fraîche douceur de la marjolaine. Cette petite plante buissonnante, proche cousine de l'origan fait partie des aromates italiens classiques. Ses petites feuilles ovales vert clair, aux arômes de menthe et de citron, étaient jadis déjà fort appréciées par les Romains.

Qu'ils soient de forme ronde, carrée ou en demi-lune, six à sept *ravioli* en sauce disposés par assiette seront à même de régaler vos convives.

Pâte : sur le plan de travail, disposez 700 g de farine en fontaine. À l'intérieur, ajoutez les œufs, l'huile, une pincée de sel et 10 cl d'eau. Pétrissez, et laissez reposer la pâte 30 min.

Farce : portez à ébullition une casserole d'eau bouillante salée. Nettoyez les épinards et plongez-les dans l'eau bouillante. Laissez blanchir 4-5 min, égouttez-les et hachez-les au couteau. Sur le plan de travail, malaxez les épinards avec la ricotta.

Ajoutez dans la farce le parmesan râpé, l muscade, pétrissez puis cassez un œuf a centre. Salez et poivrez. Mélangez une der nière fois, énergiquement.

e marjolaine

SAURO
BRUNICARDI

Cuisson : 15 min **Repos de la pâte : 30 min**

talez la pâte au rouleau sur le plan de tra-ail fariné, très finement et sur une grande rgeur. Découpez-la en grandes lanières. vec 2 cuillères, déposez des noix de farce à ntervalles réguliers sur la moitié des nières de pâte.

Recouvrez chaque lanière garnie avec une autre lanière de pâte. Du bout des doigts, scellez les bordures et entre les dômes de farce. Découpez le tout en ravioli à l'aide d'un petit cercle lisse. Faites cuire les ravioli 5 min à l'eau salée, puis égouttez-les.

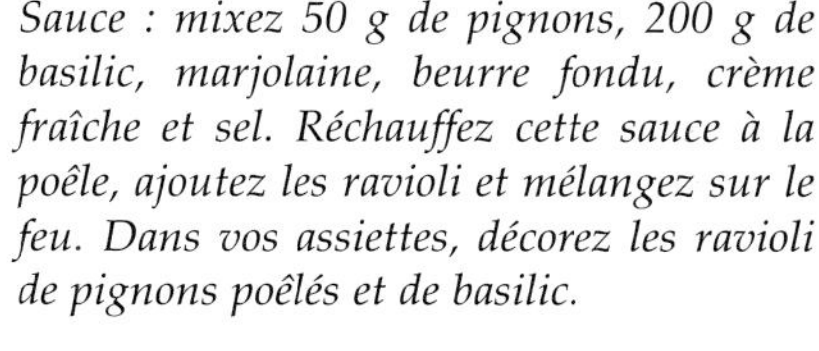

Sauce : mixez 50 g de pignons, 200 g de basilic, marjolaine, beurre fondu, crème fraîche et sel. Réchauffez cette sauce à la poêle, ajoutez les ravioli et mélangez sur le feu. Dans vos assiettes, décorez les ravioli de pignons poêlés et de basilic.

BIANCAROSA
ZECCHIN

Risi e bi

4 personnes ★★ **Préparation : 35 min**

3 kg de petits pois dans leur gousse
2 oignons
1 carotte
1 branche de céleri
200 g de riz vialone nano

5 cl d'huile d'olive vierge extra
3 ou 4 branchettes de persil
50 g de beurre
Fromage grana padano
Sel

Le riz aux petits pois ou *risi e bisi*, dans le dialecte vénitien, appartient au patrimoine culinaire de la cité lacustre. Ni trop sèche, ni trop liquide, cette préparation très ancienne se rapproche cependant plus de la soupe que du *risotto*.

Biancarosa Zecchin vous a concocté la formule la plus raffinée du *risi e bisi*. Dans le riz enrichi de petits pois, elle mélange en effet une purée réalisée avec leurs cosses, qui apporte sa délicieuse saveur. Mais il existe également une recette plus simple : faites revenir des oignons dans une casserole, ajoutez les petits pois, du persil, une louche de bouillon de volaille et faites cuire 15 minutes. Ajoutez ensuite le riz, remettez à cuire 20 minutes, puis incorporez beurre et fromage.

"*Ogni riso, un biso*" ("À chaque grain de riz, un petit pois") a-t-on coutume de dire dans la langue de Venise, à propos de ce mets. Car selon la légende, il faudrait pratiquement autant de petits pois que de grains de riz pour parfaire la recette... ce qui est bien sûr impossible.

Les pois sont très appréciés par les Italiens, mais leurs gousses entrent rarement dans les plats... elles font pourtant toute l'originalité de notre préparation.

Pour confectionnner la recette, choisissez du riz de variété vialone nano, typique de la plaine de Padoue. Les Italiens le classent dans la catégorie "semifino" : riches en amidon, ses grains courts, petits et très blancs comportent une sorte de "perle" en leur centre. Cuits, ils restent bien entiers et présentent un cœur tendre et juteux. À défaut, vous pourrez le remplacer par un autre "riz à risotto" comme le carnaroli.

Vous enrichirez le *risi e bisi* bien cuit de beurre et de *grana padano* : proche du parmesan, avec lequel il est souvent confondu, c'est un fromage au lait de vache à pâte pressée cuite et à croûte naturelle huilée. Mis au point vers l'an mille par des moines bénédictins, il est aujourd'hui fabriqué en Vénétie, Piémont, Trentin et Lombardie.

Écossez les petits pois (réservez les graines). Épluchez, taillez la carotte en rondelles. Pelez et découpez 1 oignon en quartiers. Effilez et détaillez la tige de céleri. Dans une marmite, disposez ces légumes, les cosses de petits pois, eau et sel. Laissez cuire 2 h.

Pendant ce temps, versez dans une casserole le 5 cl d'huile d'olive, les graines de petits pois, 1 oignon haché, 3 ou 4 branchettes de persil ciselées, du sel et 10 cl d'eau. Couvrez. Faites cuire durant 30 min.

Au bout du temps de cuisson indiqué, pr levez légumes et cosses de petits pois dar leur bouillon (préparés en photo 1), transférez-les dans un moulin à légume Moulinez énergiquement.

Cuisson : 2 h 25 env.

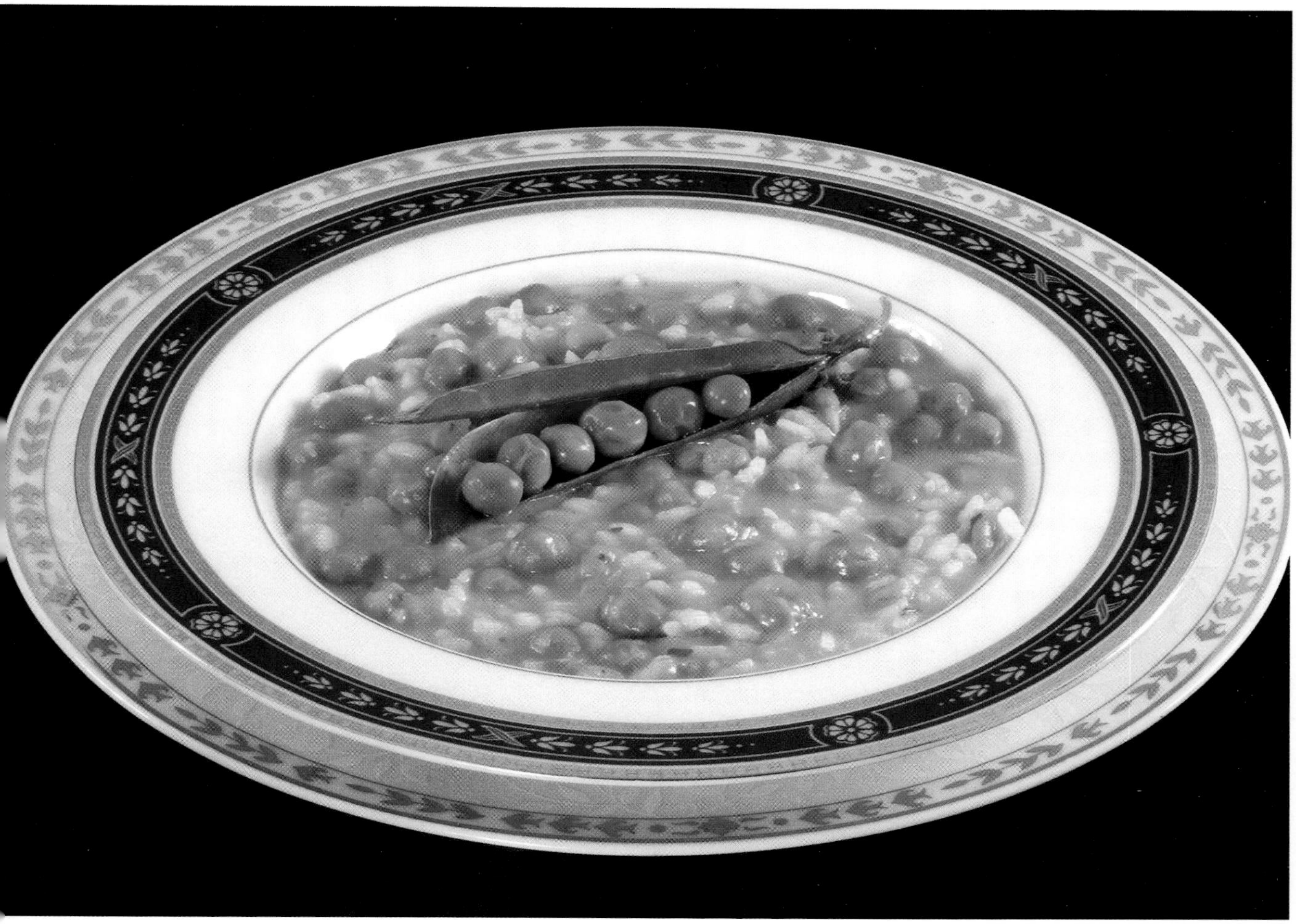

ersez la purée obtenue dans une casserole t ajoutez le riz cru. Faites cuire 20 min, en nélangeant à la spatule et en délayant au ur et à mesure avec du bouillon de cuisson.

Ajoutez les graines de petits pois. Faites cuire encore 5 min, en remuant toujours.

Pour terminer le plat, ajoutez du beurre et du grana padano râpé. Versez dans un plat creux ou une soupière et servez très chaud.

SERGIO
PAIS

Risott

4 personnes ★ Préparation : 40 min

410 g de riz arborio
1 litre de fumet de poissons
1/2 oignon
100 g de beurre
1 gousse d'ail
320 g de seiches
1 sachet d'encre de seiche

60 g de parmesan râpé
30 cl d'huile d'olive
Sel
Poivre

Décoration :
Persil
Tomates cerise (facultatif)

Jouissant d'une grande popularité à Venise, le *risotto* à l'encre de seiche est un plat traditionnel du littoral adriatique. Succulente, cette spécialité marine s'apprécie aussi dans les autres régions de la péninsule.

Facile à réaliser, le *risotto nero* dévoile des saveurs d'une grande délicatesse. La seiche mesure environ trente centimètres et peuple les fonds côtiers herbeux. Elle est reconnaissable à son corps ovale, gris beige, surmonté d'une tête assez importante, pourvue de dix tentacules irréguliers, dont deux très longs.

Le corps ou sac, entouré de nageoires, renferme une partie dure, l'os. N'oubliez pas de retirer ce dernier. Nous vous recommandons de vous munir de gants lors de cette opération. En effet, la poche d'encre, que vous devez conserver, doit être retirée avec les doigts. Vous pouvez également vous procurer cette dernière en sachet sous vide dans le commerce. Il est préférable de la conserver au réfrigérateur. De saveur très particulière, elle rehausse admirablement le goût du *risotto*.

Ingrédient phare de la cuisine du nord de l'Italie, le riz est la céréale la plus consommée dans le monde après le blé. Riche en magnésium, on l'utilise pour la confection des soupes, farces, salades...

Il existe plusieurs théories sur son introduction dans la péninsule. Certains historiens prétendent que dans l'Antiquité, les Romains le connaissaient déjà. D'autres rapportent qu'il fut amené bien plus tard en Sicile par les Arabes. Enfin, les Vénitiens, fiers de leur prestigieux passé, affirment que les commerçants au service de la *Serenissima* l'auraient importé de leur lointaine expédition au pays du Levant. Une chose est sûre cependant : la culture du riz ne commença qu'au XVIe siècle dans la plaine du Pô !

Très original, le *risotto* à l'encre de seiche est à l'image des richesses de la gastronomie italienne.

Nettoyez les seiches en les pelant sous l'eau vive. Ôtez l'os et réservez l'encre. Découpez les seiches en rondelles.

Épluchez et hachez le demi-oignon. Dans une casserole, faites revenir ce dernier avec 10 cl d'huile d'olive. Versez le riz et faites-le dorer 2 min en mélangeant avec une spatule en bois.

Préparez 1 litre de fumet de poissons Versez-le au fur et à mesure sur le riz. Faite cuire 18 min en remuant à l'aide d'une spatule en bois.

l'encre de seiche

SERGIO PAIS

Cuisson : 25 min

ans un poêlon, versez 20 cl d'huile d'oli-e et faites chauffer. Déposez les rondelles e seiches et faites-les sauter. Salez, poivrez. joutez la gousse d'ail hachée.

Versez l'encre dans la préparation des seiches. Mélangez avec une spatule en bois. Transvasez cette dernière dans le riz. Remuez délicatement.

Saupoudrez le riz de parmesan. Remuez. Ajoutez les morceaux de beurre. Rectifiez l'assaisonnement. Dressez le risotto. Décorez avec le persil et les tomates cerise.

MICHELINA FISCHETTI

Risotto aux brocoli[s]

4 personnes ★★ **Préparation : 35 min**

300 g de riz carnaroli
100 g de brocolis
100 g de saucisse fraîche
50 g de tomates pelées
1/2 oignon
1 piment rouge séché

50 g de pecorino frais râpé (fromage)
Gros sel (facultatif)
4 cuillères à soupe d'huile d'olive
Sel
Poivre noir

Indissociable de la gastronomie du Nord de l'Italie où il est né, le *risotto* a largement dépassé les seules frontières régionales. Extrêmement savoureuse, cette préparation, où les grains de riz sont généralement dorés à l'huile puis liés au beurre et parmesan, se conjugue à l'infini en s'accommodant des meilleurs produits du terroir.

Dévoilant des saveurs typiquement italiennes, le *risotto* aux brocolis et saucisse fraîche est un mets facile à réaliser. Très convivial, il peut se savourer à toute occasion.

Légume du Sud de l'Italie, le brocoli appartient à la famille du chou. Dérivé du grec "botrytis", qui signifie "rassemblé en grappes", il est estimé pour sa couleur, mais aussi pour sa forte teneur en vitamines et minéraux. Lorsqu'il est découpé en petits bouquets, il se cuit aisément à la vapeur.

Présents sur les marchés d'octobre à avril, les meilleurs brocolis sont reconnaissables à leur tête ferme, très serrée, vert foncé, voire bleuté ou violacé et à leur tige très dure. Notre chef vous suggère à l'occasion de les remplacer par des artichauts, également très prisés dans son pays.

Quant à la saucisse fraîche, elle relève de sa saveur légèrement corsée le *risotto*. Pour la désigner, les Italiens emploient généralement le terme *salsiccia*. Composée d'un mélange de viande de porc maigre et grasse, la saucisse fraîche est assaisonnée de poivre et différentes épices.

La réussite du *risotto* passe incontestablement par la qualité du riz. On compte environ 8000 variétés, répertoriées d'après la longueur des grains : court ou rond, moyen ou long. Notre chef vous recommande le riz italien, *carnaroli*, aux gros grains, semi-durs et à haute teneur en amidon.

Dans cette préparation, le célèbre parmesan est remplacé par le *pecorino*, fromage de brebis fabriqué dans le Sud. Très coloré, ce mets vous invite à découvrir les richesses de la cuisine italienne.

Détachez les têtes des brocolis. Plongez ces dernières dans une casserole d'eau bouillante avec du gros sel. Faites cuire, environ 10 min. Égouttez et réservez l'eau de cuisson. Rafraîchissez les brocolis dans de l'eau glacée.

Enlevez le boyau de la saucisse fraîche. Écrasez la chair avec les doigts. Épluchez et hachez le demi-oignon. Coupez le piment en petits morceaux ainsi que les tomates pelées.

Dans un poêlon, faites chauffer 1 c. à s. d'huile d'olive. Disposez une partie de l'oignon, la saucisse et les tomates. Faites revenir environ 5 min. Versez les brocolis. Salez, poivrez. Faites cuire 5 min.

t saucisse fraîche

MICHELINA
FISCHETTI

Cuisson : 50 min

Dans un autre poêlon, faites revenir dans 3 . à s. d'huile d'olive, le restant d'oignon et e piment. Versez le riz. Faites dorer ce der- ier. Mélangez à l'aide d'une spatule en ois.

Versez dans la préparation du riz 50 cl d'eau de cuisson réservée. Faites cuire environ 20 min en remuant continuellement.

Transvasez la sauce des brocolis dans le riz. Faites cuire 5 min. Rectifiez l'assaisonnement. Saupoudrez de pecorino râpé. Dressez le risotto dans les assiettes.

FRANCESCA
DE GIOVANNINI

Risotto aux cuisses d

4 personnes ★ **Préparation : 35 min**

400 g de riz vialone nano
500 g de cuisses de grenouilles
200 g de champignons des bois
1 échalote
1 gousse d'ail
1/2 bottillon de persil
20 g de beurre
3 cl de vin blanc
Huile végétale de friture
4 cuillères à soupe d'huile végétale
Sel
Poivre

Bouillon :
1 branche de céleri
1 carotte
1 oignon
1 cube pour bouillon végétal
2 feuilles de laurier
Gros sel

Décoration (facultative) :
Ciboulette
Tomates cerise
2 cuisses de grenouille

Dans la région de Vicenta, dont est originaire notre chef, on ne jure que par le *risotto*. Indissociable de la cuisine du nord de l'Italie, cette préparation de riz permet de mettre en vedette les meilleurs produits du terroir.

Dans ces paysages marécageux, que l'on nommait autrefois le marais de l'Adriatique, les habitants ont conservé une véritable passion pour la chasse et la pêche. Typique de l'arrière-pays, le *risotto* aux cuisses de grenouilles et champignons se savoure principalement l'hiver. Facile à réaliser, ce plat de fête n'en demeure pas moins succulent.

Importées actuellement des pays d'Europe de l'Est et présentées surgelées, les grenouilles sont des batraciens peuplant les lieux humides et les eaux douces. Les Italiens comme les Français estiment particulièrement la texture délicate de leur chair. Les cuisses s'apprêtent en blanquette, omelette, crème ou encore sautées à l'ail. Avant de les utiliser, vous devez les décongeler dans du lait.

Judicieusement pensé, ce *risotto* se rehausse de saveurs forestières. La présence des champignons des bois, appelés en dialecte local, *chiodini*, parfume admirablement ce mets. Connus sous le nom d'"armillaires couleur de miel", ils ne se consomment jamais crus. Pour conserver leur arôme, nous vous conseillons d'éviter de les laver. Essuyez-les simplement avec un linge humide. Selon Francesca De Giovannini, aucun autre champignon ne peut remplacer leur délicatesse !

Quant au riz, ingrédient majeur de cette préparation, il est primordial d'opter pour la variété *vialone nano*, aux gros grains semi durs et à haute teneur en amidon. Ces derniers possèdent l'avantage de rester humides et juteux.

Raffiné, le *risotto* aux cuisses de grenouilles et champignons mérite vraiment d'être découvert.

Pour le bouillon, épluchez la carotte, l'oignon et nettoyez le céleri. Dans une marmite d'eau, ajoutez le gros sel et le cube de bouillon. Faites chauffer. À ébullition, disposez les légumes coupés grossièrement, le laurier et les cuisses de grenouilles. Faites cuire, environ 10 min.

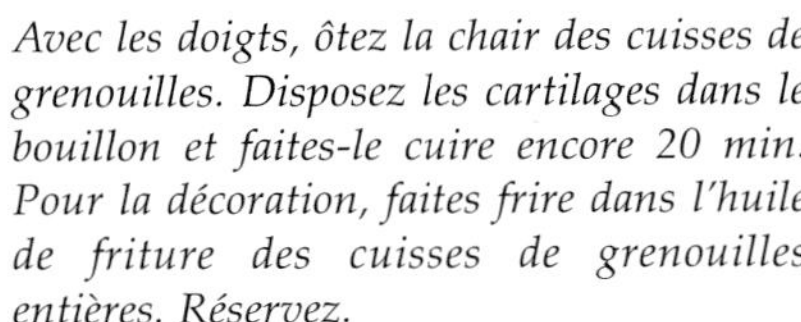

Avec les doigts, ôtez la chair des cuisses de grenouilles. Disposez les cartilages dans le bouillon et faites-le cuire encore 20 min. Pour la décoration, faites frire dans l'huile de friture des cuisses de grenouilles entières. Réservez.

Dans une poêle, faites chauffer 1 c. à s. d'huile végétale. Ajoutez l'échalote coupée en petits dés et la gousse d'ail hachée. Faites revenir et disposez les champignons émincés. Faites cuire, environ 5 min.

grenouilles et champignons

FRANCESCA
DE GIOVANNINI

Cuisson : 55 min

Dans une marmite, faites chauffer le restant d'huile et versez le riz. Faites-le dorer. Ajoutez les champignons et la chair des cuisses de grenouilles. Mélangez à l'aide d'une spatule en bois.

Versez le vin blanc. Faites cuire, environ 3 min. Ajoutez le bouillon filtré. Faites cuire 20 min en remuant souvent.

Ajoutez le beurre et saupoudrez de persil haché. Mélangez. Dressez le risotto dans les assiettes. Décorez avec les cuisses de grenouilles réservées, les tomates cerise poêlées et la ciboulette.

MADDALENA BECCACECI

Risotto aux

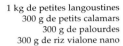

4 personnes ★★ **Préparation : 20 min**

1 kg de petites langoustines
300 g de petits calamars
300 g de palourdes
300 g de riz vialone nano

2 gousses d'ail
1 tête de saint-pierre
10 cl d'huile d'olive
Sel

Très populaire dans le Nord de l'Italie, le *risotto* doit son succès à la cuisson du riz. Presque toujours lié au beurre et parmesan, ce dernier est marié à une multitude de produits. Pourtant dans le répertoire culinaire des Abruzzes, cette spécialité est encore peu préparée dans les familles.

Maddalena Beccaceci s'est inspirée d'une recette traditionnelle de sa région où les fruits de mer sont habituellement associés aux pâtes. Dans son *risotto* revisité, les laitages sont tout naturellement remplacés par l'huile d'olive !

Offrant la vedette aux produits marins, ce mets, facile à réaliser, se révèle assez consistant. Composé de calamars, langoustines et palourdes, il peut se savourer à toute occasion. Selon le marché, vous pouvez aussi ajouter des moules, en prenant soin de bien les trier.

Il existe plusieurs théories sur l'implantation de la culture du riz en Italie. Certains pensent que dans l'Antiquité, les Romains le connaissaient déjà ; d'autres affirment qu'il fut introduit par les Arabes lors de l'occupation de la Sicile. Les Vénitiens, fiers de leur prestigieux passé, racontent que les commerçants au service de la Sérénissime, l'auraient rapporté de leur expédition au pays du Levant.

Une chose est sûre, cependant : la culture du riz ne commença qu'au XVIe siècle dans la péninsule. Elle serait l'œuvre de moines cisterciens du cloître de Lucedio, près de Trino Vercellese. Ces derniers découvrirent que la plaine du Pô, riche en eau, requierait les conditions climatiques pour cette céréale. Au XIXe siècle, cette entreprise connut un véritable succès. Selon la légende, le troisième président américain Thomas Jefferson ramena de la péninsule quelques-uns de ces précieux grains !

Cette histoire permet de saisir l'importance accordée aux diverses qualités de riz. D'ailleurs, les Italiens sont catégoriques : pour réussir un excellent *risotto*, il est impératif d'utiliser les variétés *carnaroli* ou *vialone nano* !

Décortiquez avec les doigts les langoustines en séparant la tête du corps. Réservez les têtes. Ôtez les anneaux de la carapace. Nettoyez les calamars en enlevant la peau et l'os. Rincez-les. Découpez-les en petits morceaux.

Préparez le fumet de poissons en faisant chauffer 1 l d'eau dans une marmite. Ajoutez les têtes des langoustines ainsi que la tête du saint-pierre. Faites cuire, environ 30 min, à couvert. Faites cuire les palourdes, 3 min, dans de l'eau bouillante. Enlevez-les de leur coquille.

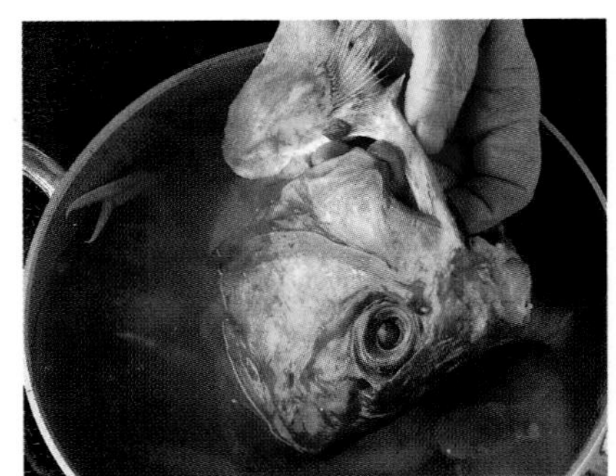

Versez dans une poêle 5 cl d'huile d'olive. Faites chauffer avec 1 gousse d'ail entière. Disposez les langoustines et faites-les dorer 3 min. Ajoutez les dés de calamars, puis les palourdes. Faites cuire environ 5 min. Salez. Réservez.

ruits de mer

MADDALENA
BECCACECI

Cuisson : 50 min

Dans une poêle, faites chauffer l'huile d'olive restante avec l'autre gousse d'ail écrasée. Versez le riz et faites-le dorer en mélangeant avec une spatule en bois.

Filtrez le fumet de poissons. Versez ce dernier dans la préparation du riz. Faites cuire, environ 20 min.

Versez la préparation des fruits de mer dans le riz. Faites cuire quelques instants en mélangeant. Dressez dans les assiettes, le risotto.

ALBERTO
MELAGRANA

Risotto safrané aux cèpes

4 personnes ★ **Préparation : 15 min**

300 g de riz vialone nano
2 oignons
400 g de potiron
200 g de cèpes séchés
10 cl de vin blanc
3 g de safran en poudre
1 gousse d'ail
50 g de parmesan râpé

1/2 bottillon de persil
4 cuillères à soupe d'huile d'olive
Sel
Poivre

Décoration :
Pistils de safran
Persil

Si le *risotto* est né dans le Nord de l'Italie, à Milan plus précisément, les autres régions de la péninsule ne sont pas en reste pour préparer magistralement les grains de riz. Dorés généralement à l'huile d'olive, ces derniers sont ensuite mariés aux produits du cru, puis presque toujours liés au beurre et parmesan.

Le *risotto* safrané aux cèpes, crème de potiron est une spécialité des Marches. Dans cette région aux paysages encore sauvages, les habitants sont réputés pour leur amour de la table. Grands amateurs de riz, ils dégustent ce mets en entrée ou en accompagnement de viande.

En puriste éclairé, notre chef vous conseille vivement d'utiliser la variété *vialone nano* dont les grains assez gros, semi-durs ont une haute teneur en amidon. Si vous souhaitez aromatiser davantage le *risotto*, remplacez l'eau par un bouillon de légumes.

Cultivé dans la province de L'Aquila dans les Abruzzes, le safran est une épice extrêmement recherchée. Selon les historiens, les Romains raffolaient déjà de ces précieux pistils. Ils les utilisaient pour parfumer les théâtres. Leur puissante couleur rouge servait également à teindre les soies luxuriantes !

Au Moyen Âge, les habitants de L'Aquila qui commerçaient avec Venise, Milan et Marseille décidèrent de se lancer dans cette culture. Aujourd'hui, le safran produit dans cette ville est renommé dans toute l'Italie. Pour cette recette, il est primordial de diluer la poudre dans un peu d'eau.

Comme ses compatriotes, Alberto Melagrana est un passionné de champignons. Dans son pays, les cèpes recueillent tous les suffrages. Aussi connus sous le nom de bolet, ils sont reconnaissables à leur pied trapu et à leur chapeau habituellement rond et convexe. Selon notre chef, ce champignon, irremplaçable pour sa saveur, se marie idéalement au *risotto* safrané.

Quant à la crème de potiron, elle apporte à ce mets une touche supplémentaire de raffinement.

Faites tremper les cèpes dans de l'eau pendant 1 h. Dans une casserole en cuivre, faites chauffer 2 c. à s. d'huile d'olive. Faites revenir 1 oignon ciselé. Versez le riz. Faites-le dorer en remuant à l'aide d'une spatule en bois.

Versez le vin blanc. Quand ce dernier s'est évaporé, versez au fur et à mesure l'équivalent de 60 cl d'eau. Faites cuire, environ 15 min.

Épluchez le potiron et coupez-le en cubes. Dans une casserole, contenant un verre d'eau, faites cuire ces derniers à couvert, avec l'oignon restant, pendant environ 15 min. Moulinez la préparation. Salez.

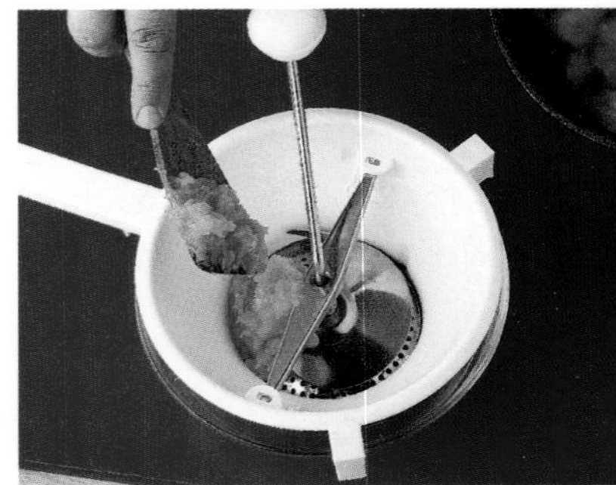

:rème de potiron

ALBERTO
MELAGRANA

Cuisson : 25 min

Réhydratation des cèpes : 1 h

Dans une poêle, faites revenir avec 1 c. à s. d'huile d'olive, la gousse d'ail entière. Déposez les cèpes coupés. Faites-les sauter. Ajoutez le persil haché. Remuez.

Disposez les cèpes dans la préparation du riz. Diluez le safran en poudre dans un demi-verre d'eau et versez-le dans la casserole. Salez, poivrez.

Hors du feu, saupoudrez de parmesan râpé. Versez 1 c. à s. d'huile d'olive. Mélangez. Dressez dans l'assiette, la crème de potiron et le risotto. Décorez de persil haché et de pistils de safran.

MADDALENA
BECCACECI

Spaghetti alla chitarr

4 personnes ★ **Préparation : 20 min**

400 g de spaghetti alla chitarra
1,5 kg de petites langoustines
1 échalote
1/4 de poivron vert
4 tomates
5 cl de champagne sec

10 cl d'huile d'olive
Sel

Décoration :
Lamelles de poivron vert

À chaque région d'Italie, sa *pasta*...Typiques des Abruzzes et du Molise, les *spaghetti alla chitarra*, à la guitare, doivent leur nom à l'instrument utilisé pour les confectionner. Très populaires, ces pâtes se dégustent habituellement en accompagnement de viande. Notre chef a souhaité les marier aux *scampi*, langoustines, très prisées dans la gastronomie de son pays.

Le génial inventeur de la *chitarra* devait comme il se doit aimer passionnément la musique et la *pasta* ! Sans exagérer, on peut affirmer que si son nom était aujourd'hui connu, ce dernier serait une célébrité dans les Abruzzes et le Molise.

Indispensable pour façonner les *spaghetti* et *macaroni*, l'instrument mis au point par cet illustre inconnu se compose d'un cadre en bois de hêtre rectangulaire, sur lequel sont tendues de fines cordes métalliques, à intervalles réguliers d'un millimètre. Comme pour une guitare, une clef spéciale permet de retendre les cordes lorsque la tension se relâche. Abaissée sur la *chitarra*, la pâte est ensuite découpée en très fins rubans de section quadrangulaire. À défaut, vous pouvez vous procurer dans le commerce des *spaghetti* ou encore des *macaroni*.

Facile à réaliser, ce plat, aux saveurs marines, s'avère idéal à déguster entre amis. Très chaleureux, il met en lumière les langoustines. Abondantes sur les côtes d'Europe Occidentale, elles ressemblent à de petits homards ou grosses crevettes par lesquelles vous pouvez les remplacer. Appelées *scampi* en Italie, elles sont particulièrement recherchées pour l'excellence de leur chair. Présentes à longueur d'année sur les étals des poissonniers, elles doivent posséder leurs pinces, avoir la carapace brillante et une odeur légèrement iodée.

Succulents, les *spaghetti alla chitarra con scampi* illustrent avec *brio* l'amour que portent les Italiens à la *pasta*...

Avec les doigts, séparez la tête du corps des langoustines. Décortiquez ces dernières. Réservez les têtes. Disposez-les dans une marmite avec 2 l d'eau. Faites cuire 30 min. Filtrez.

Épluchez l'échalote et hachez-la. Faites revenir cette dernière dans l'huile d'olive. Disposez les langoustines décortiquées. Faites-les dorer 3 min. Salez.

Versez le champagne dans la préparation Faites réduire, environ 5 min. Mondez les tomates, pelez-les et coupez-les en très petits dés.

on scampi

MADDALENA
BECCACECI

Cuisson : 30 min

Ajoutez les dés de tomates et le poivron vert oupé en petites lamelles. Salez. Faites uire, à couvert, environ 5 min.

Faites bouillir le fumet. Salez. Ajoutez les spaghetti. Faites cuire environ 1 min. Égouttez les pâtes.

Disposez immédiatement les spaghetti dans la sauce aux fruits de mer. Mélangez. Dressez-les dans les assiettes. Décorez avec des lamelles de poivron vert.

ALFONSO
CAPUTO

Spaghetti de

4 personnes ★ **Préparation : 20 min**

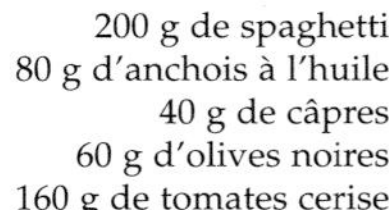
200 g de spaghetti
80 g d'anchois à l'huile
40 g de câpres
60 g d'olives noires
160 g de tomates cerise

1 gousse d'ail
10 cl d'huile d'olive vierge extra
1 petit piment rouge frais
Sel

Située à Marina del Cantone, près de Naples, la *Taverna del Capitano* offre une vue paradisiaque sur le golfe de Salerne, face à l'île de Capri. Alfonso Caputo propose au menu des *spaghetti* mijotés dans une sauce aux tomates cerise, anchois, câpres, ail et piment. Assez traditionnel, le mariage de ces ingrédients est fort célèbre en Italie.

Pour que la recette soit des plus délectables, Alfonso Caputo vous conseille de choisir des *spaghetti* artisanaux. Ceux qu'il emploie sont longs de 55 centimètres et d'une couleur beige-blanche non uniforme. Ils ont été séchés sur des fils puis coupés, ce qui explique que leurs extrémités soient recourbées. Ils doivent être brisés par le milieu pour pouvoir entrer dans une casserole. À défaut, remplacez-les par des *spaghetti* industriels de calibre n°8.

Les saveurs du sud de l'Italie marquent la sauce. La côte napolitaine abonde en petits poissons bleus, tels les anchois, pêchés de nuit au lamparo. Dans la recette, vous utiliserez ceux qui sont conservés à l'huile.

Près de Naples, les petites tomates cerise, localement dénommées *pomodorini*, sont cultivées à Corbara. Leur chair acidulée et peu sucrée se marie à merveille avec les poissons et fruits de mer. Savoureuses et décoratives, elles sont appréciées dans les sauces et sur les *pizza*.

Les câpres vont apporter leur puissant parfum à la sauce. Ce sont les boutons floraux non ouverts du câprier, arbre assez répandu sur les sols rocailleux des côtes italiennes. Récoltés au printemps, ils sont mis en saumure pour éliminer leur amertume. Les meilleurs proviendraient des îles Lipari et Pantelleria, au large de la Sicile.

Notre chef n'égoutte pas les pâtes dans une passoire. Il les prend par paquets avec sa pince à *spaghetti*, les secoue au-dessus de la casserole de cuisson et les transfère directement dans la poêle remplie de sauce. Un dernier mijotage leur apportera les saveurs préférées du "capitaine".

Épluchez et hachez l'ail. Faites-le revenir 2-3 min, à la poêle dans de l'huile d'olive chaude. Ajoutez les anchois et laissez-les fondre 4-5 min.

Dénoyautez les olives noires et hachez-les grossièrement au couteau.

Rincez, séchez les tomates cerise et détaillez-les en quartiers.

Capitano"

ALFONSO
CAPUTO

Cuisson : 25 min

ans la poêle d'anchois à l'ail, ajoutez les âpres, les olives hachées et les quartiers de omates. Laissez cuire encore 5 min.

Faites cuire les spaghetti 6 min à l'eau bouillante salée. À l'aide d'une pince à spaghetti, égouttez-les et transférez-les dans la sauce. Continuez la cuisson 5 min, en mélangeant.

Assaisonnez d'un filet d'huile d'olive et de petits morceaux de piment. Servez aussitôt.

ALBERTO MELAGRANA

Spinosir

4 personnes ★ Préparation : 20 min

250 g de spinosini (pâtes)
80 g de truffes noires
1 gousse d'ail frais
100 g de petits brocolis
50 g de tomates cerise
50 g d'olives noires dénoyautées
1 filet d'anchois salé

12 cl d'huile d'olive
Gros sel
Sel
Poivre

Décoration :
Lamelles de truffe

En Italie, il existe autant de variétés de pâtes que de façons de les cuisiner. Aussi importantes qu'un match de football, ces dernières sont l'enjeu de nombreuses passions. Car dans ce pays où la *pasta* est reine, chaque région en revendique la paternité et la marie religieusement aux meilleurs produits locaux.

Typiques de la région de Campo Filone, les *spinosini* ressemblent à de longs *spaghetti* très fins par lesquels vous pouvez les remplacer. Excellentes, ces pâtes à l'œuf sont fabriquées sur une planche en bois de cerisier qui leur confère un parfum particulier. Selon notre chef, elles ont aussi l'avantage de bien se tenir à la cuisson.

Dans la région des Marches, les *spinosini* accompagnent traditionnellement en hiver un ragoût de viande. Lorsque les beaux jours arrivent, ces pâtes sont alors servies avec une sauce tomates et basilic.

Notre chef a souhaité présenter ce mets avec de la truffe noire. Dans la province de Pesaro, ville natale du compositeur Rossini, ce champignon souterrain jouit d'une très grande renommée. Déjà dans l'Antiquité, le cuisinier romain Apicius voyait en lui "le comble du luxe". Comme ses contemporains, ce dernier pensait qu'il poussait uniquement aux pieds des arbres, frappés par les foudres de Jupiter, maître suprême des forces élémentaires !

Alberto Melagrana vous conseille de choisir des truffes bien rondes et d'un seul bloc. Si vous souhaitez les conserver, emballez-les individuellement dans du papier sulfurisé. Placez-les ensuite dans des boîtes hermétiques et dans un endroit frais.

Très coloré, ce plat est un merveilleux condensé de saveurs. Les brocolis, légumes originaires du Sud de l'Italie, sont très riches en vitamines C et minéraux. Abondants sur les marchés d'octobre à avril, vous pouvez les remplacer par leur proche cousin le chou-fleur.

Festifs, les *spinosini* à la truffe noire séduiront vos convives.

Avec la pointe d'un couteau, détachez les têtes des brocolis. Faites-les cuire dans l'eau avec du gros sel, 5 min.

Plongez les brocolis dans un récipient d'eau froide glacée. Rafraîchissez-les quelques minutes. Égouttez.

À l'aide d'une râpe, grattez la truffe. Pr… parez la sauce, en faisant chauffer dans un… petite poêle, 2 c. à s. d'huile d'olive av… 1 gousse d'ail non pelée. Déposez la truf… râpée. Faites revenir quelques instant… Réservez.

la truffe noire

ALBERTO MELAGRANA

Cuisson : 15 min

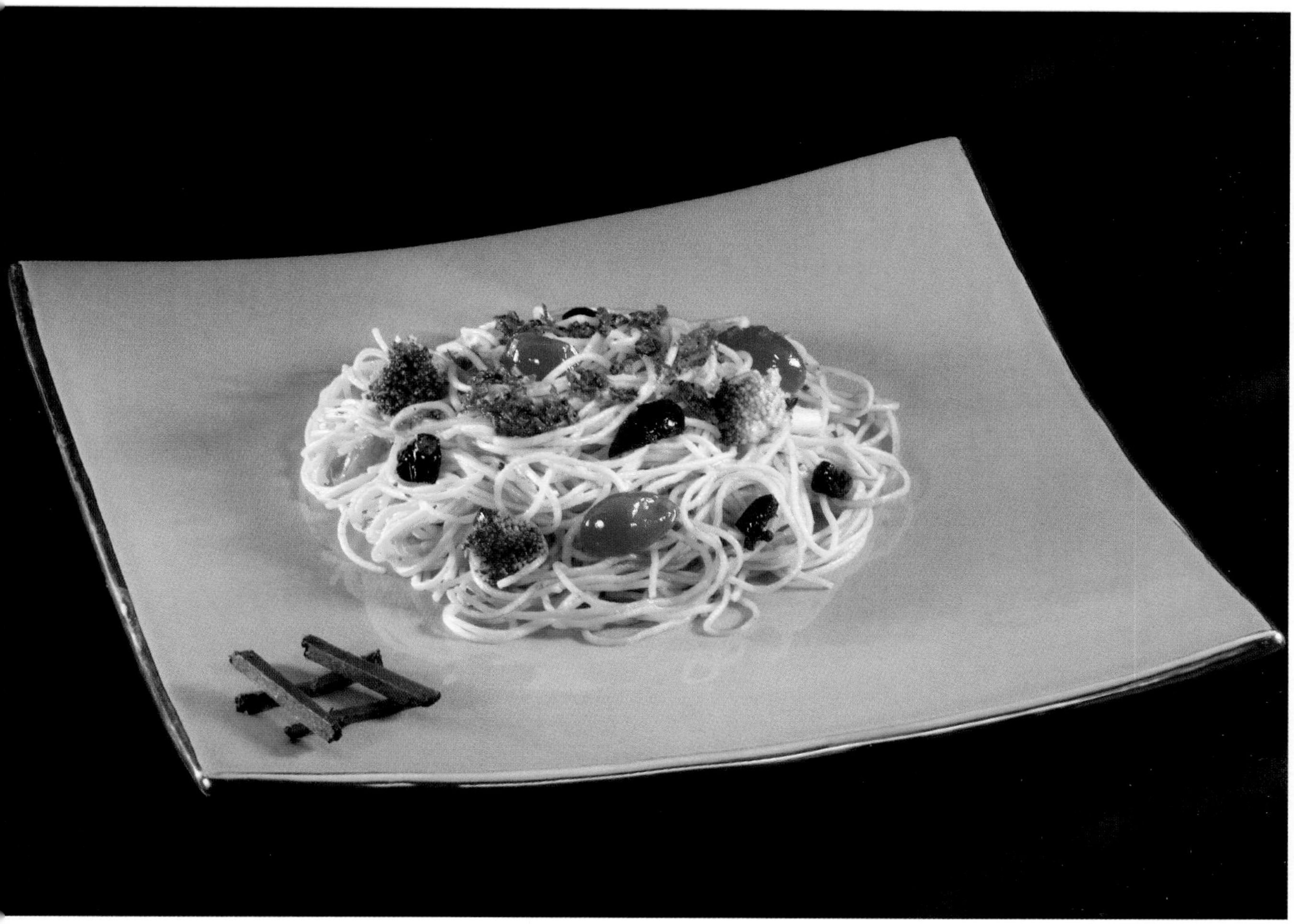

Dans une poêle, versez le restant d'huile d'olive. Disposez l'anchois rincé et haché, les olives et les tomates coupées, les têtes de brocolis. Faites revenir 1 min.

Faites chauffer une marmite d'eau avec du gros sel. Plongez dedans les spinosini. Faites cuire 4 min. Égouttez-les.

Disposez les spinosini dans la poêle des brocolis. Faites-les sauter. Salez, poivrez. Dressez-les dans l'assiette avec la sauce aux truffes. Décorez avec des lamelles de truffe.

FRANCESCA
DE GIOVANNINI

Taglierini verd

4 personnes ★★ Préparation : 45 min

Pâtes des taglierini :
300 g de farine de blé tendre
2 œufs
300 g de feuilles d'épinards
1/2 cuillère à café de bicarbonate
Gros sel

Sauce :
200 g de morilles séchées
1 échalote
1 branche de ciboulette
1/2 bottillon de persil
2 œufs
1 noix de beurre
20 g de parmesan râpé
2 cuillères à soupe d'huile végétale
Sel
Poivre

En Italie, la dégustation des pâtes relève du rituel. Accommodées à toutes les sauces, ces dernières se déclinent à l'infini. Du nord au sud de la péninsule, on en recense pas moins de trois cents variétés ! Les Italiens, en parfaits puristes, les distinguent en deux catégories : la *pasta secca*, disponible dans le commerce, fabriquée à partir de semoule de blé dur et d'eau ; la *pasta fresca* ou *pasta fatta in casa*, confectionnée à la maison.

Dans certaines régions, on laisse aussi parler son imagination en colorant les pâtes fraîches. Les *taglierini verdi*, à base de purée d'épinards, s'inscrivent dans cette lignée. Portant le surnom de l'époux de notre chef, Pippo, ce mets de fête, enrichit le dimanche la table familiale.

Extrêmement raffiné, ce plat végétarien est une pure réussite. Les épinards, qui entrent dans la composition de la pâte, abondent sur les marchés au printemps et automne. Originaires de Perse, ils se consomment crus en salade ou cuits. Pour cette recette, il est impératif d'opter pour de jeunes pousses, particulièrement tendres. Préférez des feuilles bien formées, entières et non tâchées. Lavez-les à l'eau courante sans les faire tremper. Vous pouvez éventuellement les remplacer par des feuilles de blettes.

Experte dans la confection des *taglierini verdi*, Francesca De Giovannini vous conseille vivement d'ajouter un peu d'eau et de beurre si la préparation se révèle un peu sèche. Quant aux morilles, vedettes de la sauce, elle les réhydrate cinq minutes dans du lait.

Appelés *spugnole* en italien, ces champignons de printemps se préparent frais ou séchés. Leur chapeau délicat et spongieux est particulièrement apprécié des gourmets. Dans certaines régions d'Italie, ils accompagnent parfois le *risotto*.

Exquis, ce plat de pâtes est un merveilleux concentré de saveurs italiennes.

Lavez les feuilles d'épinards. Faites chauffer une casserole d'eau avec du gros sel et le bicarbonate. Versez les épinards. Faites cuire, environ 4 min. Égouttez ces derniers. Réhydratez 5 min les morilles séchées.

Disposez les épinards cuits dans un robot avec 2 œufs entiers. Mixez.

Dans un récipient, versez la farine. Ajoute les épinards mixés. Travaillez la prépara tion en la mélangeant jusqu'à l'obtentio d'une pâte. Façonnez cette dernière en boule

le Pippo

FRANCESCA
DE GIOVANNINI

Cuisson : 10 min

Réhydratation des morilles : 5 min

Sur le plan de travail, étalez la boule de pâte avec un rouleau à pâtisserie. Enroulez la pâte sur elle-même afin de former un boudin. Découpez de fines tranches. Déroulez ces dernières.

Pour la sauce, coupez en julienne les morilles réhydratées et l'échalote en très petits dés. Faites revenir dans l'huile végétale et le beurre, l'échalote et la ciboulette hachée. Ajoutez les morilles. Salez, poivrez. Faites cuire 5 min.

Incorporez dans la sauce des morilles, les blancs d'œufs, puis les jaunes. Mélangez. Faites cuire les pâtes dans de l'eau avec le gros sel, 1 min. Égouttez. Transvasez-les dans la sauce. Saupoudrez de parmesan et de persil. Dressez les taglierini dans l'assiette.

MARCO ET
ROSSELLA
FOLICALDI

Trenette pest

4 personnes ★ **Préparation : 15 min**

500 g de trenette (pâtes)
3 pommes de terre
200 g de haricots verts
Sel

Pesto :
5 bottes de basilic
3 gousses d'ail
12 cl d'huile d'olive

40 g de pignons de pin
6 g de gros sel
120 g de parmesan
30 g de fromage pecorino

Décoration :
Pignons de pins
Feuilles de basilic

Il faut se rendre à Gènes, se perdre dans les ruelles exiguës menant au port et humer avec délice le parfum du basilic fraîchement cueilli qui s'échappe des cuisines. Dans la cité ligure où la *pasta* est reine, les *mamma* confectionnent le meilleur *pesto* du monde... Cette spécialité, aux saveurs de l'Italie, est aujourd'hui universellement connue. Dans la gastronomie génoise, elle relève magistralement les *trenette*, longues pâtes plates, à base de farine de blé, que l'on accompagne volontiers de pommes de terre et haricots verts.

Signifiant écrasé, le *pesto* est une délicieuse sauce verte où se retrouvent toujours le basilic, l'huile d'olive, l'ail, le parmesan et le *pecorino*. Quant à la présence des pignons de pin, certains puristes y sont formellement opposés, faisant valoir qu'il s'agit d'une variation propre à la région de Savonne ! D'autres au contraire, comme Marco et Rossella Folicaldi, affirment que ces petites graines oblongues, extraites de la pigne du pin parasol, font partie de la recette originelle.

Comptant de nombreux amateurs, cette préparation de Ligurie fait l'objet de bien des discussions. Parmi les questions restées sans réponse, les amoureux du *pesto* s'interrogent encore sur la nécessité de laver les feuilles de basilic. Mais derrière ce débat de connaisseurs se cache en réalité la véritable problématique : peut-on réaliser le *pesto alla genovese* en délaissant le célèbre mortier en marbre et le pilon en bois d'olivier pour un mixeur ? Les *mamma* qui passent des heures à écraser les ingrédients répondront sûrement par la négative !

En attendant, tous les gourmets s'accordent sur un point : la réussite de cette sauce repose sur la qualité de l'huile d'olive. Dans ces conditions, utilisez une oléagineuse extra-vierge. Sachez également que les Ligures font pousser dans leur minuscule jardin un basilic, à petites feuilles, au parfum très délicat.

Préparez le pesto en disposant dans le robot les gousses d'ail épluchées, les pignons et le gros sel. Mixez. Ajoutez les feuilles de basilic. Mixez de nouveau.

Ajoutez dans le robot le parmesan et le pecorino. Mixez. Versez l'huile d'olive. Mixez de nouveau. Réservez.

Épluchez les pommes de terre et coupez-les Plongez ces dernières dans une marmit d'eau salée. Faites cuire, environ 10 min.

vvantaggiato

MARCO ET
ROSSELLA
FOLICALDI

Cuisson : 20 min

Lavez et équeutez les haricots verts. Plongez-les dans la marmite. Faites cuire, environ 2 min.

Ajoutez les trenette. Faites cuire environ 8 min. Égouttez ces dernières.

Transvasez dans la sauce pesto, les trenette ainsi que les pommes de terre et haricots. Mélangez délicatement. Dressez les pâtes dans un plat. Décorez avec les pignons et le basilic.

Poissons Fruits de mer

PAOLO
ZOPPOLATTI

Anguille

4 personnes ★★ **Préparation : 30 min**

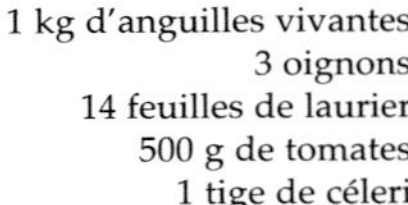

1 kg d'anguilles vivantes
3 oignons
14 feuilles de laurier
500 g de tomates
1 tige de céleri

10 cl de vin blanc
25 cl d'huile d'olive vierge extra
Poivre en grains
Sel

Situé au nord-est de l'Adriatique, le port de Trieste s'étend sur une mince bande de terre italienne bordant la Slovénie et la Croatie. Les Istriens peuvent se régaler des plus délicieuses recettes aux anguilles, fréquentes dans les estuaires et les eaux calmes des nombreuses lagunes qui découpent la côte jusqu'à Venise.

Les anguilles sont d'étonnants poissons en forme de serpent, dont la longueur peut atteindre 1 mètre. Elles éclosent en mer des Sargasses, près des Bermudes. Ensuite, les larves se laissent porter par les courants durant deux ou trois ans et parviennent jusqu'en Europe. Elles remontent les rivières et y grandissent. Devenues adultes, elles redescendent les cours d'eau et voyagent en sens inverse pour aller pondre aux Sargasses : les pêcheurs en profitent alors pour les capturer.

Sur les marchés, les anguilles sont proposées vivantes, et ne se conservent pas plus d'une journée au réfrigérateur. Pour les tuer, enfoncez la pointe du couteau profondément en arrière de la tête. Une autre méthode, plus ancienne, consiste à les étouffer dans de la cendre. Douées d'une force nerveuse peu commune, elles peuvent sauter facilement par-dessus la bordure de l'évier. Une fois trucidées, leur corps continue parfois à s'agiter pendant une bonne heure !

Dépouillées puis détaillées en tronçons, elles doivent macérer une journée dans un mélange de vin et de légumes. L'alcool acide va "cuire" légèrement la chair et la blanchir, et les légumes lui confèreront leurs saveurs. La marinade permet aussi d'atténuer leur arrière-goût parfois "vaseux". Cependant, vous pouvez omettre cette phase et procéder directement au rissolage.

Dans les familles istriennes, anguilles, tomates et oignons sont mijotés dans la même poêle. Mais notre chef fait cuire séparément poisson et légumes, pour éliminer la graisse de cuisson des anguilles et assurer une présentation plus harmonieuse.

Plantez le couteau en arrière de la tête des anguilles pour les tuer. Coupez la peau à cet endroit, et tirez-la énergiquement en direction de la queue jusqu'à ce qu'elles soient entièrement dépouillées.

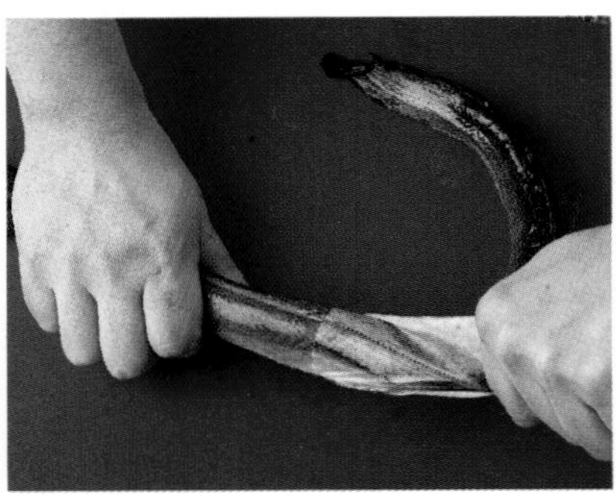

Sur une planche à découper, détaillez les anguilles en tronçons de 7-8 cm de long.

Disposez les tronçons d'anguilles dans ur plat avec des bâtonnets de céleri, 1/2 oignor en lanières, 4 feuilles de laurier, quelque grains de poivre et du vin blanc. Couvrez e laissez mariner pendant 24 h au réfrigérateur.

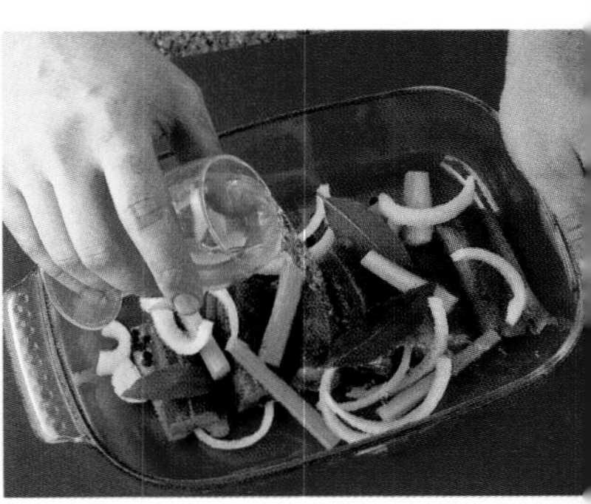

l'istrienne

PAOLO ZOPPOLATTI

Cuisson : 1 h 20

Marinade de l'anguille : 24 h

Le lendemain, prélevez les morceaux d'anguilles dans la marinade et salez-les. Faites-les dorer à la poêle dans 20 cl d'huile d'olive très chaude, pendant une dizaine de minutes (réservez au chaud).

Hachez 2 oignons entiers et la moitié restante. Dans une poêle, faites-les revenir 5 min à feu vif, dans 5 cl d'huile avec les tomates en lanières et 2 feuilles de laurier. Délayez avec un peu d'eau, salez, poivrez et laissez cuire encore 3-4 min à feu moyen.

Filtrez la sauce obtenue dans une passoire. Disposez les tomates compotées au centre de vos assiettes. Entourez de jus filtré. Surmontez de 3 tronçons d'anguilles et décorez avec 2 feuilles de laurier.

ALBERTO MELAGRANA

Baccal

4 personnes ★ **Préparation : 30 min**

300 g de morue
200 g de pommes de terre
30 g de raisins secs
20 g de pignons de pin
200 g de feuilles de blettes
2 oignons blancs
70 cl de lait
1 filet d'huile d'olive
Poivre

Sauce pimentée (facultatif) :
2 piments rouges
1 cuillère à soupe de paprika
3 cuillères à soupe d'huile d'olive

S'inspirant toujours des recettes traditionnelles de sa région, les Marches, Alberto Melagrana, installé à Aqualagna, confectionne avec passion des mets aux saveurs exceptionnelles. Dans son restaurant Il Furlo, dont l'enseigne existe depuis 1888, notre chef adapte avec *brio* les produits du terroir.

La *baccalà*, morue en italien, occupe une place à part dans la gastronomie de l'arrière-pays. Autrefois, les villageois se rendaient deux fois dans l'année sur le littoral adriatique pour se procurer ce précieux poisson. Séché et salé, il présentait l'avantage de pouvoir se conserver longtemps. Conditionnée en Norvège, la morue est également très appréciée en Espagne et Portugal. Sa chair maigre, délicate et ferme s'apprête de multiples façons. Il est impératif de la faire dessaler, vingt-quatre heures, dans un récipient rempli d'eau. Émiettée, elle est ensuite mise en cuisson dans du lait.

Merveilleusement pensée, cette préparation insiste sur les diverses textures. Très tendres, les pignons de pin offrent leur goût résineux et corsé, qui rappelle celui des amandes par lesquelles ils peuvent être remplacés.

Quant aux raisins secs de Corinthe, ils apportent leur saveur sucrée. Utilisés dans la cuisine du soleil comme condiment ou ingrédient, ces derniers doivent être réhydratés dans de l'eau pendant une heure. Très énergétiques, ces grains possèdent peu de pépins.

Dans ce mets printanier, la morue est enveloppée de feuilles de blette. Riche en vitamines A et C, ces légumes toniques et rafraîchissants, doivent être lavés soigneusement. Légèrement plus dures et moins sucrées que les épinards, leurs feuilles solides s'avèrent idéales pour cette recette.

N'oubliez pas de huiler les gobelets avant de placer les blettes et de les recouvrir ensuite de papier aluminium.

La *baccalà* façon Il Furlo est un plat à découvrir sans tarder.

Dans un récipient rempli d'eau, déposez 300 g de morue. Faites-la dessaler 48 h en changeant l'eau souvent. Dans un bol rempli d'eau, faites réhydrater les raisins secs pendant 1 h.

À l'aide d'une pince à épiler, désarêtez la morue et enlevez avec un couteau les parures. Dans une casserole d'eau bouillante, faites blanchir les oignons épluchés. Renouveler l'opération une fois en changeant l'eau.

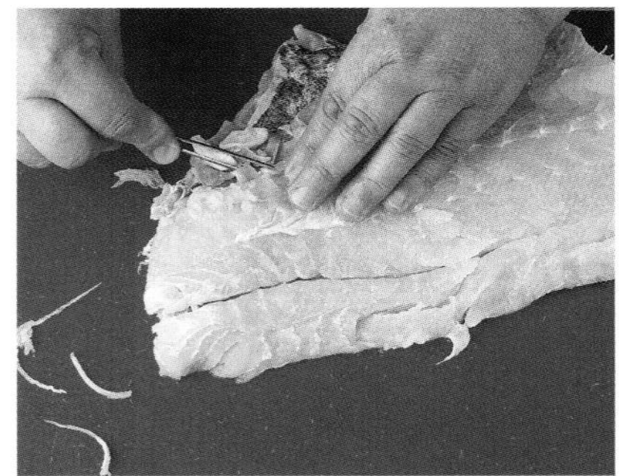

Épluchez les pommes de terre. Faites-les cuire dans 50 cl de lait, avec les oignons blanchis, environ 20 min. Poivrez. Passez la préparation à la moulinette. Réservez la crème obtenue.

açon il furlo

ALBERTO
MELAGRANA

Cuisson : 35 min **Dessalage de la morue : 48 h** **Trempage des raisins : 1 h**

vec les doigts, émiettez la morue. Dans ne casserole, versez le restant de lait et éposez le poisson. Dans une poêle, torréez les pignons de pin.

Dans la casserole de la morue, ajoutez les raisins réhydratés. Faites cuire, environ 20 min. Ajoutez les pignons. Faites blanchir, 2 min, les feuilles de blettes, dans de l'eau bouillante. Rafraîchissez-les. Enduisez d'huile d'olive les gobelets.

Recouvrez l'intérieur des gobelets de feuilles de blettes en les faisant dépasser. Garnissez avec la morue. Refermez en rabattant les feuilles. Faites cuire au bain-marie 15 min. Démoulez et dressez la morue sur la crème de pommes de terre. Versez la sauce pimentée.

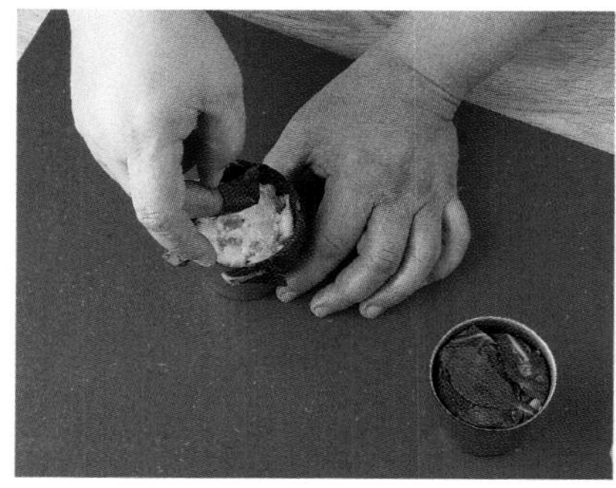

MICHELINA
FISCHETTI

Baccalà "frecole

4 personnes ★ **Préparation : 30 min**

500 g de morue
150 g de cerneaux de noix
250 g de pain rassis
1 gousse d'ail
30 g d'origan séché
3 cuillères à soupe d'huile d'olive

Sel (facultatif)
Poivre

Décoration :
Cerneaux de noix
Feuilles d'origan

En dialecte napolitain le mot "frecole" désigne la mie de pain. Dans la gastronomie de cette région, elle remplace idéalement la chapelure. Typique d'Avellino, ce plat de *baccalà*, morue, est traditionnellement confectionné lors du réveillon de Noël.

Très appréciée des Italiens, la morue est l'un des poissons les plus pêchés à travers le monde. Conditionnée en Norvège, elle est coupée en deux, puis salée abondamment avant d'être séchée à l'air libre. Il est donc impératif avant de l'utiliser, de la tremper quarante huit heures dans un récipient rempli d'eau.

Apprêtée de multiples façons, la *baccalà* est recherchée pour sa chair maigre, délicate et ferme. Notre chef vous suggère de la remplacer par de la sole ou de la daurade. Dans ce cas, ajoutez des tomates et du persil.

Extrêmement raffiné, ce plat de fête peut se savourer à toute occasion. Mélangées au "frecole", ail, origan et huile d'olive, les noix apportent leur texture croquante. Riches en cuivre et magnésium, ces fruits s'avèrent très nourrissants. On les consomme entiers, hachés ou moulus.

Les cerneaux doivent être conservés dans un récipient hermétique et placés à l'abri de la lumière, de la chaleur et de l'humidité. Pour leur redonner une jeunesse éternelle, trempez-les quelques heures dans un bain de lait chaud. La pellicule partira toute seule et la chair retrouvera sa fraîcheur. Selon vos goûts, vous pouvez également utiliser des noisettes, cultivées à Irpinia dans la province d'Avellino, ou encore des amandes.

Quant à l'origan, il s'agit d'une variété sauvage de marjolaine à la saveur légèrement plus prononcée. Dans la gastronomie italienne, cette plante aromatique se révèle indispensable et parfume de nombreux mets à la tomate.

Délicieuse, la *baccalà* "frecole" aux noix séduira tous vos convives.

À l'aide d'un grand couteau, découpez la morue en morceaux d'égale grosseur. Enlevez les arêtes.

Disposez les morceaux de morue dans un saladier rempli d'eau. Faites dessaler 48 h en changeant trois fois l'eau.

Posez les cerneaux de noix dans un mortie À l'aide d'un pilon, concassez-les.

ux noix

MICHELINA
FISCHETTI

Cuisson : 20 min **Dessalage de la morue : 48 h**

rottez la mie de pain rassise entre vos oigts. Épluchez la gousse d'ail et écrasez-la.

Disposez dans un saladier, la mie de pain, la gousse d'ail écrasée, l'origan séché, les noix pilées. Versez 1 c. à s. d'huile d'olive. Poivrez. Mélangez avec les doigts.

Huilez le plat avec le restant d'huile d'olive. Posez les morceaux de morue. Étalez dessus le mélange de noix. Faites cuire au four, à 180°C, environ 20 min. Dressez la baccalà. Décorez de cerneaux de noix et de feuilles d'origan.

MADDALENA
BECCACECI

Brodett

4 personnes ★ **Préparation : 1 h**

1 saint-pierre de 800 g
400 g de lotte
4 langoustines moyennes
2 rougets moyens
500 g de raie
2 grondins
2 seiches de 200 g pièce
4 crevettes grises
2 soles de 130 g pièce

6 tomates
1/2 poivron vert
1 piment rouge (facultatif)
1 gousse d'ail
5 cl d'huile d'olive
Sel

Décoration :
Persil

Dans la gastronomie italienne, le mot *brodetto* désigne un petit bouillon. Ce plat traditionnel de pêcheurs connaît selon les régions et même les villages de nombreuses variantes. Dans les Marches, on utilise jusqu'à treize espèces de poissons différentes, sans oublier les fruits de mer !

Originaire des Abruzzes, Maddalena Beccaceci vous invite à découvrir son *brodetto*, qui s'apparente un peu à une bouillabaisse. Cuisiné traditionnellement dans un plat à *tajine*, il se savoure habituellement accompagné de pain grillé.

Réunissant un grand nombre de poissons de Méditerranée, Adriatique et Atlantique, ce plat, où se retrouvent les tomates, poivron vert, ail et huile d'olive exhale les saveurs du soleil. Facile à réaliser, il offre l'avantage de s'harmoniser en fonction de l'arrivage ou de vos préférences.

Dans cette spécialité marine, certains poissons dont les rougets barbets et grondins sont présentés entiers. Appréciés pour leur texture unique, ces derniers dévoilent leur chair maigre, blanche et ferme. Choisissez-les avec le corps bien rigide, le ventre plein, l'œil clair et bombé, les écailles brillantes et intactes.

Le saint-pierre, également présent dans cette préparation, est considéré comme un poisson particulièrement raffiné. Reconnaissable à ses taches noires, il mesure de trente à cinquante centimètres, mais ne donne que 40% de son poids en chair. Cette dernière, blanche, ferme et fondante se détache facilement. Redoublez de vigilance au moment de le préparer : ses nageoires sont très épineuses.

Quant à la raie, il est conseillé de la faire tremper quelques minutes dans de l'eau vinaigrée. Cette opération permet d'enlever les mucus de la peau avant de la peler. Elle se consomme toujours très chaude et nécessite un temps de cuisson important.

Extrêmement riche, ce petit bouillon ravira aussi les amateurs de langoustines, dont l'excellence de la chair évoque celle du homard.

Préparez les poissons : pelez la lotte et coupez-la en médaillons. Videz le saint-pierre, les soles, les rougets, les grondins. Écaillez tous les poissons. Pelez les soles. Coupez la raie et le saint-pierre.

Mondez les tomates, pelez-les et coupez-les en petits dés. Dans un grand plat, versez l'huile d'olive avec la gousse d'ail hachée. Faites revenir. Ajoutez les dés de tomates et les dés de poivron vert. Faites cuire 5 min.

Coupez en dés les seiches nettoyées et dis posez-les dans la préparation. Salez Faites cuire, en recouvrant le plat d'u papier aluminium, environ 5 min.

la Beccaceci

MADDALENA
BECCACECI

Cuisson : 50 min

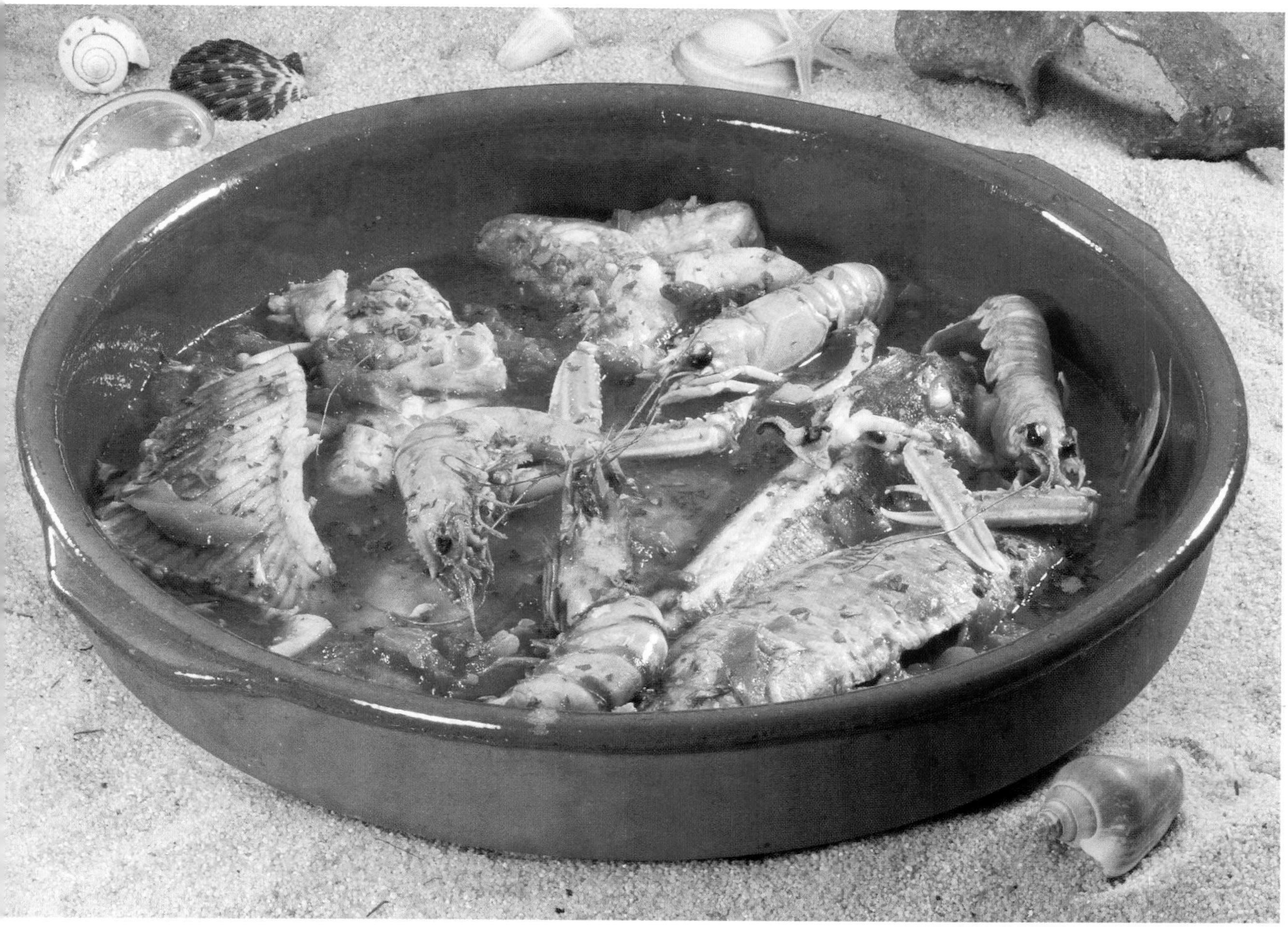

outez le saint-pierre, les médaillons de te et la raie. Faites cuire, à couvert, envi-n 5 min.

Disposez délicatement la sole, les rougets ainsi que les grondins. Faites cuire entre 3 et 4 min, à couvert.

Ajoutez les langoustines et les crevettes grises entières. Faites cuire, environ 5 min, à couvert. Dressez dans un plat le brodetto à la Beccaceci. Saupoudrez de persil haché.

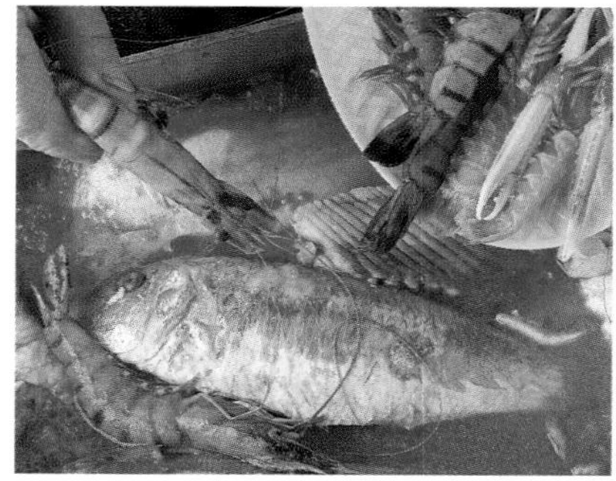

SAURO
BRUNICARDI

Cacciucc

4 personnes ★★ Préparation : 1 h

320 g d'espadon
200 g d'anguille vivante
200 g de truite saumonée
4 écrevisses vivantes
300 g de tomates
1 gousse d'ail
20 cl de vin blanc
1 pincée de persil
1 pincée de piment séché
Huile d'olive vierge extra
Sel
Poivre

Bouillon de poisson :
Parures de truite
1 petite branche de céleri
1/2 carotte
1/2 oignon
3 feuilles de basilic
Sel

Garniture :
Tranches de pain de campagne
Huile d'olive
Persil haché

À 50 mètres du restaurant *La Mora,* tenu par Sauro Brunicardi, le fleuve Serchio abrite poissons et crustacés (anguilles, truites, écrevisses...). Inspiré par ce trésor proche de chez lui, notre chef a "revisité" une célèbre recette de Livourne, sur la côte adriatique pour l'adapter aux poissons de rivière. La légende raconte qu'il y a bien longtemps, une pauvre veuve de cette ville alla mendier des restes de poissons et de mollusques pour préparer une maigre soupe : ainsi serait née la version originelle du *cacciucco.* Depuis, les cuisiniers l'ont enrichi de rascasse, poissons locaux et crustacés. Tomates, ail, persil, vin blanc et piments composent le bouillon haut en couleurs et en saveurs.

Ce sont donc des poissons d'eau douce qui entrent dans notre recette, à l'exception de l'espadon, qui remplace l'esturgeon généralement utilisé par notre chef. Les Italiens cuisinent assez peu les poissons de rivières, car ils estiment que leur chair est trop fade. Ils marquent toutefois une nette préférence pour l'anguille. Au sud de la Toscane, elles sont capturées dans l'anse Orbetello, lorsqu'elle redescendent le fleuve Albegna vers la mer.

Les anguilles sont généralement commercialisées vivantes. Pour les tuer, déposez-les dans le bac de l'évier, sans les faire trop attendre car elles peuvent sauter assez haut pour s'échapper ! Puis enfoncez à l'arrière de la tête la pointe d'un couteau bien aiguisé. Non pelées, elles seront ensuite découpées telles quelles en tronçons.

Lorsque vous aurez levé les filets de truite, n'oubliez pas de retirer soigneusement les arêtes à l'aide d'une pince à épiler de cuisine. Le poissonnier peut bien sûr vous les préparer.

Sauro Brunicardi accompagne son *cacciucco* de tranches de pain toscan cuit au feu de bois, à la mie très compacte. Toasté puis nappé d'huile d'olive, il se révèle tout à fait délectable pour "saucer" le bouillon.

Tuez l'anguille en enfonçant la pointe du couteau à l'arrière de la tête. Coupez cette dernière, puis détaillez le corps en tronçons de 3-4 cm de long.

Ouvrez la truite par le ventre et videz-la. Tranchez le long du dos puis en biais au niveau de la queue. Passez ensuite le couteau le long de l'arête centrale pour lever les filets. Découpez-les en morceaux d'environ 4-5 cm de large sur 10 cm de long.

Tronçonnez la tête et autres parures de tru te. Dans une marmite remplie d'eau salé plongez céleri, carotte, oignon, basilic parures de poisson. Faites cuire 30 min feu doux.

e poisson

SAURO BRUNICARDI

Cuisson : 55 min

ndez les écrevisses vivantes en deux dans longueur. Tranchez la chair d'espadon. uvrez et épépinez le piment séché.

Faites rissoler l'ail dans un sautoir huilé. Ajoutez persil, piment émietté et faites revenir 1 min. Ajoutez espadon, anguille, écrevisses, truite et laissez rissoler 5 min, tout en mélangeant. Mouillez au vin blanc.

Ajoutez les tomates concassées, continuez la cuisson 5 min à feu vif. Salez, poivrez. Versez le fumet de poisson et continuez à cuire 10 min. Disposez poissons, écrevisses et sauce dans les assiettes avec des toasts huilés. Décorez de persil haché.

FRANCESCA
DE GIOVANNINI

Crevettes royales vapeur

4 personnes ★ **Préparation : 10 min**

12 crevettes royales
400 g de haricots blancs sec cannellini
1 branche de céleri
1 carotte
1 oignon
1 feuille de laurier

1/2 bottillon de persil
1 tomate ou 4 tomates cerise
4 cuillères à soupe d'huile d'olive
Sel
Poivre

En Italie, la gastronomie du littoral adriatique est réputée pour accommoder merveilleusement les fruits de mer. À Vicenta, la province de notre chef, les crevettes royales, appelées *mazzancolle*, sont particulièrement prisées. Dans cette cuisine du terroir, elles sont habituellement accompagnées de *polenta*.

Francesca De Giovannini a souhaité adapter ce plat traditionnel en remplaçant la célèbre "galette" de maïs par une crème de haricots. Facile à réaliser, ce mets aux saveurs délicates peut se savourer à toute occasion.

Recherchées pour la finesse exceptionnelle de leur chair, les crevettes de l'Adriatique sont le plus souvent apprêtées à la vapeur. Ce mode de cuisson préserve idéalement leur goût unique. Selon l'arrivage, vous pouvez aussi utiliser des gambas.

Grands amateurs de haricots secs, les Italiens affichent pour ces légumineuses en forme de rognon, une véritable prédilection. Il en existe plusieurs variétés dont le célèbre *cannellino*, de couleur blanche et très fin. Cultivé à l'origine en Toscane, il est aujourd'hui présent dans toute la péninsule. Très nourrissant et riche en vitamines, il compte parmi les espèces les plus usitées en cuisine. N'oubliez pas de tremper les *cannellini* douze heures dans un récipient rempli d'eau. À l'occasion, notre chef vous suggère de confectionner une purée de pois chiches ou de fèves.

Très suave, ce mets se rehausse d'une "sauce" aux saveurs typiquement méditerranéennes. Cette dernière, composée d'huile d'olive, sel et poivre, apporte du caractère aux crustacées. Quant au persil, également présent, il offre généreusement tout son parfum. Disponible toute l'année, cette plante aromatique est parfois employée en grande quantité pour adoucir certains ingrédients.

Très colorée, cette adaptation de Francesca De Giovannini est un véritable enchantement pour les papilles.

Dans un récipient rempli d'eau, disposez les haricots blancs secs avec le laurier, la carotte coupée, la branche de céleri et l'oignon. Faites tremper 12 h.

Transvasez le contenu du récipient dans une marmite. Faites cuire les haricots avec du gros sel environ 1 h.

Versez les haricots dans un robot. Mix afin d'obtenir une crème. Versez dessus 1 à s. d'huile d'olive.

rème de haricots

FRANCESCA
DE GIOVANNINI

Cuisson : 1 h

Trempage des haricots : 12 h

londez les tomates pour les peler. Coupez-s en petits dés. Si vous optez pour les mates cerise, coupez-les en 2.

Faites cuire à la vapeur les crevettes royales, entre 4 et 5 min. Décortiquez la carapace en conservant la tête.

Préparez l'assaisonnement en mélangeant l'huile d'olive, le persil haché, le sel et le poivre. Dressez dans l'assiette, la crème de haricots, les crevettes, les tomates. Arrosez avec l'assaisonnement.

ALFONSO CAPUTO

Encornets farci

4 personnes ★★ **Préparation : 45 min**

800 g de petits encornets
500 g de tomates cerise
150 g de pain de mie
1 gousse d'ail

20 cl de vin rosé
1 petit piment rouge frais
12 cl d'huile d'olive vierge extra
Sel

À la *Taverna del Capitano*, dans la baie de Salerne, Alfonso Caputo s'est spécialisé en plats de poissons et produits de la mer. Dans la recette traditionnelle, la farce des encornets se compose habituellement de leurs tentacules, de porc ou veau hachés et de pain de mie. Notre chef rend cette garniture légère et plus attrayante, en mêlant tentacules, tomates cerise, cubes de pain, ail et piments poêlés.

Les petits encornets, ou *totani* en italien appartiennent à la famille des calamars. Ces derniers constituant, avec les poulpes et les seiches, l'un des trois grands types de mollusques marins céphalopodes. Recouverte d'une peau foncée, leur chair se révèle tendre et leur saveur prononcée. Ils sont pêchés en profondeur, à l'aide de lignes. Les Napolitains les utilisent dans de nombreuses recettes, aussi bien farcis qu'en soupe ou en garniture de pâtes.

Du pain de mie conviendra parfaitement pour réaliser la farce. Après avoir découpé soigneusement la croûte, posez plusieurs tranches l'une sur l'autre et détaillez le tout en petits cubes.

Les tomates cerise quant à elles apportent à la fois leur magnifique coloris rouge vif et leur saveur acidulée, peu sucrée. Elles se marient à merveille avec les encornets, et s'allient à l'acidité du vin rosé utilisé pour la cuisson au four. Notre chef vous conseille de choisir du "lacrima christi" élaboré en Campanie. Mais toute autre variété de rosé, ou même du vin blanc conviendront aussi.

La seule difficulté de cette recette réside dans la parfaite cuisson des encornets farcis. L'extérieur et l'intérieur de la chair doivent en effet être saisis à l'unisson. Lorsque la sauce est réduite et sirupeuse, les *totani* sont cuits à point. Découpez-les ensuite soigneusement, afin que la farce ne s'échappe pas des anneaux de chair. Vous servirez trois médaillons par assiette, déposés sur un lit de sauce de cuisson moulinée. Il ne vous reste plus qu'à décorer de persil frais haché.

Coupez la tête des encornets et retirez les viscères. Enlever la peau rincez les poches obtenues sous l'eau courante.

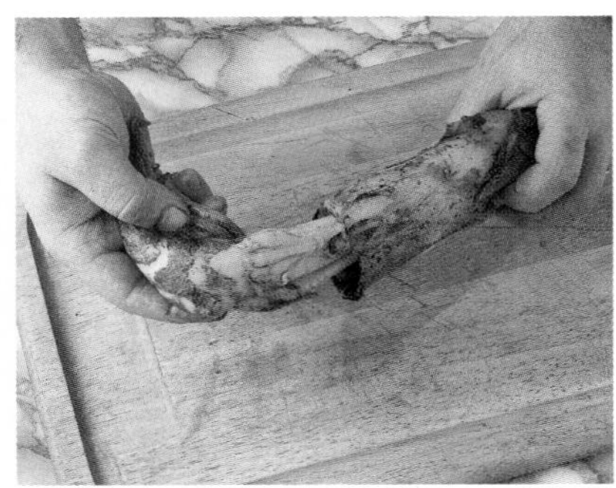

Prélevez les tentacules et découpez-les en très petits dés, ainsi que les tranches de pain de mie.

Dans une poêle nappée de 2 cl d'huile chauffée, versez les morceaux de tentacul[es] et faites-les sauter. Ajoutez 250 g [de] tomates cerise, cubes de pain de mi[e,] lamelles de piment et d'ail. Faites sauter [à] feu vif.

ıijotés en ragoût

ALFONSO
CAPUTO

Cuisson : 45 min

ɔsez les poches d'encornets dans la poêle, ›ulevez-les et à l'aide d'une cuillère, rem-issez-les de farce. Fermez l'extrémité avec ıe brochette en bois.

Dans un plat à four, versez 10 cl d'huile d'olive, 250 g de tomates cerise crues et salez. Disposez les encornets farcis au centre. Arrosez de vin. Entourez de farce excédentaire et refermez avec un morceau de papier d'aluminium. Passez au four 40 min à 170°C.

Lorsqu'ils sont cuits, réservez les encornets et passez la sauce au moulin à légumes. Mélangez le jus pour l'homogénéiser. Découpez les encornets en rondelles et servez-les sur un lit de sauce bien chaude.

SERGIO
PAIS

Filets de roug

4 personnes ★ **Préparation : 40 min**

4 rougets de 200 g pièce
5 cl d'huile de tournesol
12 tomates cerise
Sel
Poivre

Pesto de noix :
40 g de basilic frais
200 g de cerneaux de noix
2 gousses d'ail
40 cl d'huile d'olive
Sel
Poivre

Polenta :
100 g de semoule de maïs
50 cl de lait
60 g de beurre
Sel
Poivre

Réputé dans le monde entier, le *pesto* génois accompagne habituellement la *pasta*. Notre chef a revisité cette célèbre sauce verte en remplaçant les pignons de pin par des noix. Amoureux des produits de la mer, il a souhaité marier cette dernière aux filets de rouget, très prisé des Ligures. Délicieux, ce mets, facile à réaliser, peut se savourer à toute occasion.

Apprécié depuis l'Antiquité, le rouget de Méditerranée de couleur rose doré possède trois écailles sous les yeux. Sa chair ferme et savoureuse demande peu de cuisson. Si vous faites lever les filets par votre poissonnier, pensez à retirer les petites arêtes avec une pince à épiler. Selon l'arrivage, vous pouvez le remplacer par de la dorade ou du saint-pierre.

Traditionnellement, le *pesto* se compose d'huile d'olive, sel, poivre, feuilles de basilic et pignons de pin. Dans cette adaptation, ces derniers laissent leur place aux cerneaux de noix. Très présents dans la cuisine ligure, ces fruits du noyer interviennent notamment dans la *salsa di noci*. Originaire d'Asie, cet arbre fut implanté en Italie dès l'Antiquité par les Romains.

Quant au basilic, vedette incontestée de cette sauce, il est reconnaissable à son odeur puissante et à sa jolie couleur verte. Les Génois cultivent dans leur jardin une variété au goût très délicat. Originaire de l'Inde, cette plante aromatique doit son nom au grec ancien *basilikos* qui signifie " royal ". En cuisine, on l'utilise pour relever les tomates et les pâtes.

Judicieusement pensé, ce plat de poisson s'accompagne d'une *polenta*. Cette spécialité du littoral vénitien est aujourd'hui très populaire dans le Nord de la péninsule. Dans cette région, les puristes la cuisent encore au feu de bois. Ils la versent ensuite sur une planche en bois et utilisent le dos humidifié d'un couteau pour la découper !

Préparez la polenta en faisant chauffer le lait. Ajoutez le beurre. Versez la semoule. Mélangez à l'aide d'une spatule en bois. Faites cuire entre 3 et 4 min. Salez, poivrez.

Humidiez un linge. Étendez ce dernier sur la table de travail et transvasez dessus la polenta. Refermez le linge sur lui-même. Serrez. Laissez reposer 1 h.

Écaillez les rougets. À l'aide d'un coutea entaillez derrière la nageoire. Longez l'ar te dorsale en partant de la tête jusqu'à queue. Retournez le poisson et recomme cez l'opération. Avec une pince à épiler, ôt les petites arêtes. Fendez en 2 l'extrémi des filets.

u pesto de noix

SERGIO PAIS

Cuisson : 10 min **Repos de la polenta : 1 h**

réparez le pesto en déposant dans le robot, s cerneaux de noix, les gousses d'ail 'germées, les feuilles de basilic et l'huile 'olive. Salez, poivrez. Mixez.

Dans une poêle, posez les filets de rougets côté peau. À l'aide d'un pinceau, enrobez-les de pesto. Coupez en 2 les tomates cerise et ajoutez-les. Salez, poivrez. Faites-les saisir au four, à 180 °C, 3 min.

Coupez en tranches régulières la polenta. Faites dorer ces dernières avec 5 cl d'huile de tournesol. Salez, poivrez. Dressez les rougets avec la polenta et un peu de pesto.

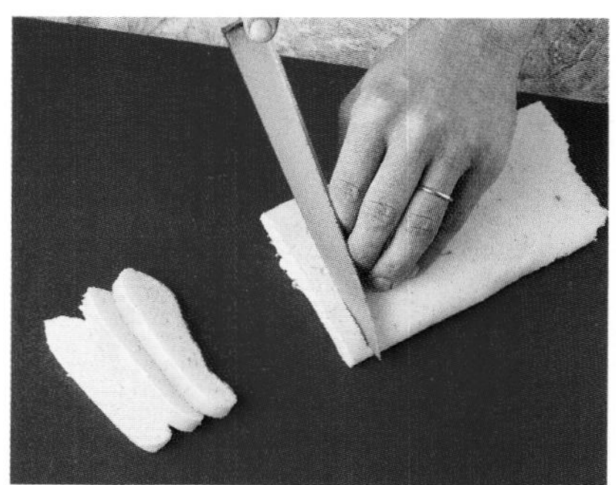

PAOLO
ZOPPOLATTI

Filets de turbc

4 personnes ★★ **Préparation : 20 min**

1 turbot de 1 à 1,2 kg
2 gousses d'ail
200 g de farine de maïs blanche
20 cl de vin blanc
50 g de beurre

7 cl d'huile d'olive vierge extra
2 cl de vinaigre de vin blanc
Poivre noir
Sel

Dans la province du Frioul-Vénétie Julienne, les pêcheurs de la côte Adriatique ont concocté le savoureux *boreto*, fumet au poivre noir, au vinaigre, au vin blanc et à l'ail destiné à napper de délicieux poissons : anguilles, turbot, bar... Paolo Zoppolatti a choisi de servir son turbot en *boreto* sur un lit de *polenta* blanche.

Considéré comme un poisson noble à la chair blanche fine et succulente, le turbot présente un corps plat en forme de losange. Il est pêché aussi bien en Méditerranée que dans l'Atlantique. Notre chef vous propose de poêler les filets simplement, avant de les relever de sauce *boreto*.

Les gourmets du Frioul accompagnent volontiers leur poisson grillé ou frit de *polenta* au maïs blanc, à l'arôme plus délicat que la farine de maïs jaune. Abondante et fumante, cette préparation symbolise à merveille la convivialité familiale. Elle figure au patrimoine culinaire local depuis le XVIIe siècle, lorsque des marchands vénitiens firent connaître le maïs dans la région.

Notre chef utilise de la *polenta* classique, dont la cuisson demande 40 à 45 minutes. Mais il existe également une variété "précuite" prête en 20 minutes. Traditionnellement, la cuisson s'effectue dans une marmite en cuivre, au-dessus d'un feu de bois (le cuivre répartit en effet très bien la chaleur). L'eau devra d'abord être chauffée jusqu'à la limite de l'ébullition. Pour savoir si elle est à point, jetez une pincée de *polenta* dedans. Si elle fait des tourbillons, vous pouvez verser le reste de la farine en pluie. Tournez la préparation à la cuillère en bois, en changeant régulièrement de sens jusqu'à obtention d'une purée épaisse. Pour la rendre plus fondante, vous pouvez aussi la faire cuire dans un mélange de lait et d'eau.

Pour le service, n'hésitez pas à lier la sauce du poisson en la fouettant avec de l'huile d'olive. Vous obtiendrez une jolie décoration en y déposant quelques tomates cerise poêlées.

Dans une casserole en cuivre, faites chauffer 80 cl d'eau salée jusqu'à la limite de l'ébullition. Ajoutez la farine de maïs et mélangez pendant 40 min jusqu'à obtention d'une purée épaisse et homogène. Incorporez le beurre et réservez au chaud.

Ouvrez le turbot par le dos et prélevez les filets. Concassez les arêtes et autres parures.

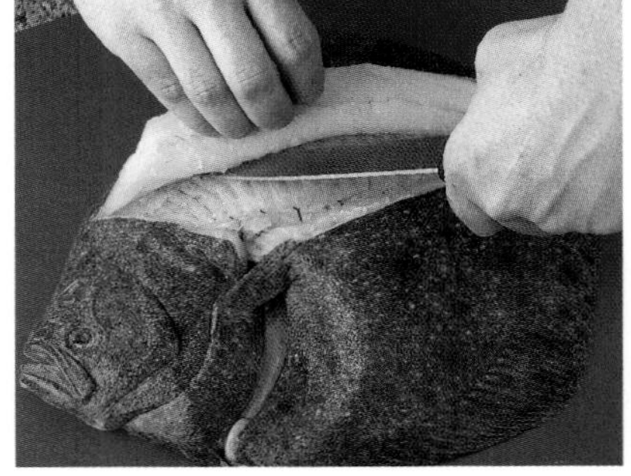

Épluchez les gousses d'ail, coupez-les en et faites-les brunir à la poêle, dans 2 d'huile d'olive chaude. Ajoutez les parure de poisson et enlevez l'ail. Laissez-les dore 5 min à feu vif.

n boreto et polenta

PAOLO ZOPPOLATTI

Cuisson : 1 h 15

églacez les parures avec le vinaigre blanc. oivrez. Puis faites réduire 5 min à feu ssez vif.

Une fois réduit, déglacez les parures avec le vin blanc, puis couvrez d'eau à hauteur. Faites de nouveau réduire pendant une dizaine de minutes, salez puis filtrez.

Ensuite, salez les filets de turbot puis poêlez-les dans 5 cl d'huile d'olive, 5 min sur chaque face. Dans vos assiettes, disposez-les sur un lit de polenta. Entourez de sauce au vin blanc parsemée de poivre concassé.

FRANCESCA
DE GIOVANNINI

Les brochettes d

4 personnes ★ **Préparation : 10 min**

12 noix de Saint-Jacques
4 cèpes frais
4 filets de lard
4 branches de romarin
3 cl de vin blanc
2 cuillères à soupe d'huile végétale
Sel
Poivre

Crème de maïs :
200 g de farine de maïs
1/2 botte de ciboulette fraîche
Gros sel

Décoration :
Branches de romarin

Mariant admirablement les produits du terroir et de la mer, cette entrée chaude est une création de notre chef. Très raffinées, les brochettes de Saint-Jacques de Francesca dévoilent avec *maestria* les saveurs de l'Adriatique. Facile à réaliser, ce mets de fête s'accompagne d'une crème de maïs, sorte de *polenta*.

Estimées pour leur chair blanche, ferme et délicate, les coquilles Saint-Jacques vivent sur les fonds côtiers. À l'achat, elles doivent être parfaitement fermées. Vous pouvez demander à votre poissonnier de les ouvrir et de sectionner le muscle. N'oubliez pas ensuite de les faire dégorger.

Les branches de romarin, utilisées en guise de brochettes, apportent la touche d'originalité. Cette plante aromatique méditerranéenne, aux feuilles persistantes parfume avec panache les coquillages.

Souhaitant offrir à ce mets les saveurs du terroir, Francesca De Giovannini a tout naturellement pensé aux cèpes. Jouissant d'une grande renommée en Italie, ces champignons font l'objet d'une véritable passion. Aussi connus sous le nom de bolet, ils sont reconnaissables à leur pied trapu et leur chapeau habituellement rond et convexe. Enrobés de tranches de lard, ces brochettes sont un pur régal.

Quant à la crème de maïs, elle apporte son caractère rustique. Très appréciée dans la cuisine de Vénétie, patrie de la *polenta*, la semoule de maïs honore la table familiale. Ramenée de la vallée de Tehuacàn, au Mexique, au XVIe siècle, cette céréale remplaça rapidement dans le Nord de l'Italie, fèves, pois chiches et pain. Cultivée essentiellement dans cette partie de la péninsule, elle est aujourd'hui un ingrédient indispensable de la gastronomie régionale.

Ciselée puis incorporée à la crème, la ciboulette dévoile son goût légèrement poivré. Riche en vitamine C, cette herbe aux tiges fines et tendres remplace idéalement l'oignon et offre sa jolie couleur verte.

Pour la crème de maïs, faites chauffer 50 cl d'eau avec une bonne pincée de gros sel. À ébullition, versez la farine. Faites cuire, environ 40 min, en prenant soin de remuer souvent.

Coupez très finement la ciboulette et ajoutez-la dans la crème de maïs. Remuez. Réservez.

Taillez la base des branches de romarin en biseau. Enlevez le long de la tige les feuilles en conservant uniquement celles du haut Coupez les cèpes en gros dés bien réguliers

Saint-Jacques de Francesca

FRANCESCA DE GIOVANNINI

Cuisson : 40 min

'mbrochez sur la branche de romarin noix de Saint-Jacques et deux dés de cèpes.

Enroulez entièrement la brochette de romarin de filets de lard.

Disposez les brochettes dans un plat allant au four. Salez, poivrez. Versez l'huile végétale. Faites cuire, 2 à 3 min, à 200°C. Arrosez de vin blanc. Faites cuire, environ 3 min. Dressez la crème de maïs avec la brochette. Décorez de romarin.

ALBERTO MELAGRANA

Lotte de l'Adriatiqu

4 personnes ★ **Préparation : 40 min**

1 kg de lotte
200 g de pancetta
200 g de pommes de terre
100 g de beurre
50 cl de lait
50 g de tapenade noire
1 filet d'huile d'olive
Sel
Poivre blanc

Fumet de poissons :
1 branche de céleri
1 tomate
3 gousses d'ail
1 carotte
1 oignon
3 branches de persil
Parures de poisson (arêtes)
Sel
Poivre

Décoration :
Persil
Olives noires (facultatif)

Très riche, le littoral adriatique, situé dans la région des Marches, parvient à couvrir 10% des besoins en poissons de toute l'Italie. Tous les jours, des chalutiers regorgeant de sardines, poulpes, turbots, lottes... accostent dans les principaux ports côtiers.

La lotte de l'Adriatique aux saveurs de Cartoceto unit magistralement les produits marins à ceux de l'arrière-pays. Facile à réaliser, ce plat traditionnel illustre la délicatesse de la gastronomie italienne. Enroulé de *pancetta*, le poisson ainsi apprêté est une pure merveille.

Également appelée baudroie en Méditerranée, la lotte peuple les fonds sableux ou argileux des côtes. Estimée pour sa chair dense, fine et juteuse qui évoque parfois celle du homard, elle se marie idéalement à bon nombre de préparations épicées ou relevées. Selon l'arrivage, notre chef vous suggère de la remplacer par du cabillaud.

En revanche, il est impératif d'utiliser de la *pancetta*. Cette poitrine fumée, version italienne du bacon, est encore fabriquée artisanalement. La viande de porc, éliminée de sa couenne, est ensuite assaisonnée de muscade, clous de girofle, genièvre et cannelle. Mise à sécher pendant deux semaines, elle est roulée dans un étui semblable à celui du salami. Cette spécialité apporte son goût incomparable et sa saveur mi-douce, mi-sucrée.

Dans cette préparation, la lotte est accompagnée de tapenade noire, délayée en sauce. Ce condiment, cher aux Méridionaux du Sud de la France, met à l'honneur les olives. Relevée parfois d'anchois, ail et thym, cette pâte au goût inimitable accompagne viandes, poissons et pain grillé.

Les habitants des Marches apprécient particulièrement les olives. Si la ville d'Ascoli Piceno est réputée pour farcir admirablement ces fruits du soleil, la province de Cartoceto produit, quant à elle, une huile de première qualité.

Sachez, toutefois, que notre chef remplace parfois la tapenade par une sauce aux truffes. Selon ses dires, cette dernière mariée à la lotte est un véritable bonheur !

Avec les doigts, pelez la lotte. Suivez le cartilage central avec la pointe d'un couteau et levez les filets. Réservez les parures et la grosse arête.

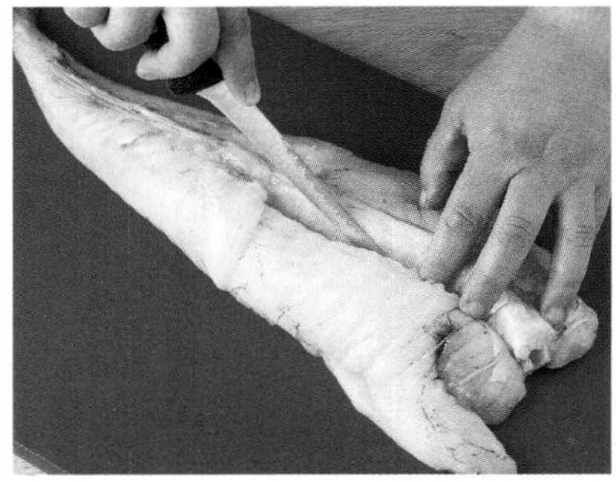

Préparez le fumet en disposant dans une marmite d'eau, la carotte, l'oignon, la tomate, le persil, le céleri, l'oignon, les gousses d'ail épluchés. Ajoutez les parures réservées. Faites cuire, environ 1 h. Salez, poivrez.

Recouvrez la table de travail d'un doubl papier film. Tapissez-le de tranches de pancet ta. Disposez dessus le filet de lotte. Salez, poi vrez. Enroulez le poisson dans la pancetta.

ux saveurs de Cartoceto

ALBERTO
MELAGRANA

Cuisson : 1 h 05

:pluchez les pommes de terre. Coupez-les n fines tranches. Faites-les cuire dans de 'eau bouillante, environ 30 min. Égouttez-es. Moulinez-les avec les morceaux de eurre et en versant au fur et à mesure le ait. Salez, poivrez.

Faites dorer la lotte avec un filet d'huile d'olive. Mettez-la au four, à 170°C, environ 3 min. Découpez-la en médaillons.

Filtrez le fumet. Faites chauffer l'équivalent de 20 cl. Ajoutez la tapenade. Délayez. Dressez dans les assiettes, la purée, les médaillons de lotte et la sauce tapenade. Décorez avec des olives noires et le persil.

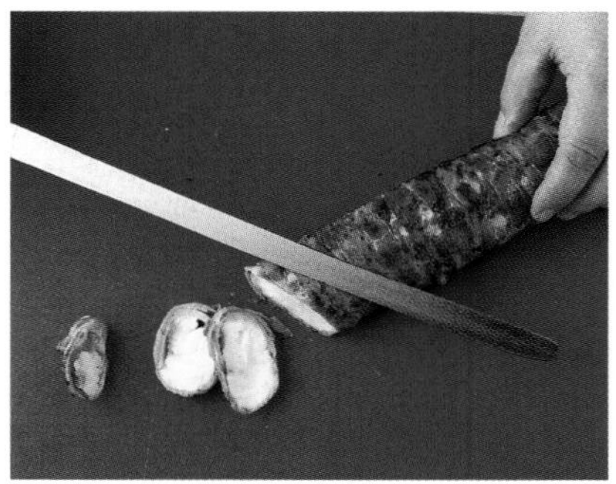

MICHELINA
FISCHETTI

Morue di cas

4 personnes ★ **Préparation : 25 min**

500 g de morue
100 g de pommes de terre
1 oignon
200 g de tomates
1 branche de céleri
4 cuillères à soupe d'huile d'olive
Sel
Poivre

À l'image des familles du Sud de l'Italie, les Fischetti sont viscéralement attachés aux traditions de leur région. C'est autour de la *mamma* et du *padre* que les enfants de cette grande lignée ont tout naturellement choisi de vivre, n'hésitant pas ouvrir les portes de leur maison au fur et à mesure des mariages et naissances.

Niché sur les hauteurs de Vallesaccarda, dans l'arrière-pays d'Avellino, le restaurant familial, l'Oasis, ressemble à une ruche. Dans ce superbe domaine, le clan Fischetti (ils sont treize) accueille la clientèle et concocte avec amour des plats traditionnels du terroir.

Extrêmement populaire dans la région de Naples, la morue, appelée *baccalà* en italien, s'apprête de multiples façons. Autrefois, ce poisson des mers froides, séché et salé, offrait l'avantage de bien se conserver et permettait ainsi aux habitants de survivre en cas de disette.

Très coloré, ce plat de la maison Fischetti affiche avec *brio* ses racines méditerranéennes. Indispensable pour son parfum, le céleri dévoile sa fraîcheur et sa texture croquante. Cette plante potagère, que l'on trouve à profusion de l'automne à l'hiver, agrémente soupes, sauces et ragoûts.

Quant aux tomates, elles ensoleillent de tout leur éclat cette spécialité aux accents napolitains. Consommées quasiment tous les jours, elles connaissent différents usages en fonction des variétés : salades, sauces, ragoûts... Si pendant un temps, elles ne servirent qu'à orner les jardins, elles sont aujourd'hui cultivées surtout dans le Sud et exportées dans le monde entier. Parmi les 5000 espèces recensées, on trouve la ramato. Poussant en grappes, elle possède des branches capables de porter jusqu'à 130 grammes de ces fruits rouges !

Très chaleureux, ce plat de morue *di casa* Fischetti, qui peut se savourer à toute occasion, allie la simplicité à la finesse.

À l'aide d'un grand couteau, découpez la morue en morceaux d'égale grosseur. Enlevez les arêtes.

Disposez les morceaux de morue dans un saladier rempli d'eau. Faites dessaler 48 h en changeant trois fois l'eau.

Épluchez les pommes de terre et l'oignon. Coupez-les grossièrement. Lavez le céleri. Ciselez les feuilles. Mondez les tomates pour les peler. Concassez-les.

Fischetti

MICHELINA
FISCHETTI

Cuisson : 30 min **Dessalage de la morue : 48 h**

aites chauffer 4 c. à s. d'huile d'olive et aites revenir l'oignon pendant environ min. Ajoutez les pommes de terre. Faites uire 5 min. Versez les tomates concassées. alez, poivrez. Faites cuire, environ 5 min. Aélangez à l'aide d'une spatule en bois.

Égouttez la morue et ôtez le restant des arêtes. Disposez les morceaux dans la préparation des tomates. Faites cuire, environ 5 min.

Ajoutez le céleri ciselé. Faites cuire environ 10 min en remuant. Dressez dans les assiettes la morue di casa Fischetti.

SERGIO
PAIS

Moules à la crèm

4 personnes ★ **Préparation : 40 min**

2 kg de moules
20 cl de crème fraîche liquide
20 cl de vin blanc
1 oignon
1 botte de marjolaine
10 g de beurre
Sel
Poivre

Salade :
2 aubergines
2 gros oignons

2 poivrons rouges
1 boîte de câpres
20 cl de vinaigre balsamique
20 cl de vin blanc
Huile de tournesol de friture
1 filet d'huile d'olive
Gros sel
Sel
poivre

Décoration :
Marjolaine

Extrêmement raffinée, cette entrée chaude est une création de notre chef. Très suaves, les moules à la crème au parfum de marjolaine sont agrémentées d'une salade aux saveurs du soleil. Facile à réaliser, ce mets très coloré séduira vos convives.

Le golfe de Tarente, situé entre le talon et la semelle de la Botte italienne est réputé pour sa culture des moules. Surnommée la *mar piccolo*, petite mer, par les habitants, ces eaux d'une grande pureté conviennent idéalement à l'élevage de ces mollusques de couleur noire bleuâtre.

Redoublez de vigilance lors du triage : les moules doivent être bien fermées et non desséchées. Cuisinez-les dans les 3 jours qui suivent l'expédition depuis le lieu de production. Éliminez celles dont les coquilles sont cassées ou entrouvertes. Avant de les cuisiner, ébarbez-les en les débarrassant de tous les filaments. Puis brossez-les sous l'eau courante.

D'une grande délicatesse, la sauce au parfum de marjolaine est une pure réussite. Très prisée dans la cuisine méditerranéenne, cette plante originaire d'Asie qui est aussi appelée origan, possède toutefois un arôme plus doux et subtil que ce dernier. Sa fraîcheur rappelle celle de la menthe et du basilic. Habituellement, la marjolaine aromatise les mets à la tomate, vinaigrettes, farces, poissons et potages.

Quant à la salade, elle offre aux papilles un merveilleux condensé de saveurs italiennes. Composée d'aubergines, oignons, poivrons rouges et câpres, elle est relevée d'huile d'olive, sel, poivre et vinaigre balsamique.

Produit à partir de jus de raisin, l'*aceto balsamico* était déjà fabriqué, il y a neuf cents ans par les ducs d'Este et autres familles nobles des alentours de Modène et de Reggio nell'Emilia. Utilisé comme remède, on l'offrait également en cadeau aux personnages influents. En Italie, ce concentré d'arômes est toujours employé avec parcimonie.

Disposez les poivrons dans un plat allant au four. Versez dessus 1 filet d'huile d'olive et saupoudrez-les de gros sel. Faites-les griller, environ 45 min. Pelez-les, épépinez-les et découpez-les en julienne. Coupez les aubergines en petits dés et effeuillez les oignons.

Dans une poêle, faites chauffer l'huile de friture et faites dorer les dés d'aubergines. Épongez-les. Dans une autre poêle, faites dorer les feuilles d'oignons.

Dans un saladier, déposez les dés d'auber gines, les feuilles d'oignons et les lamelle de poivrons. Ajoutez les câpres.

u parfum de marjolaine

SERGIO PAIS

Cuisson : 50 min

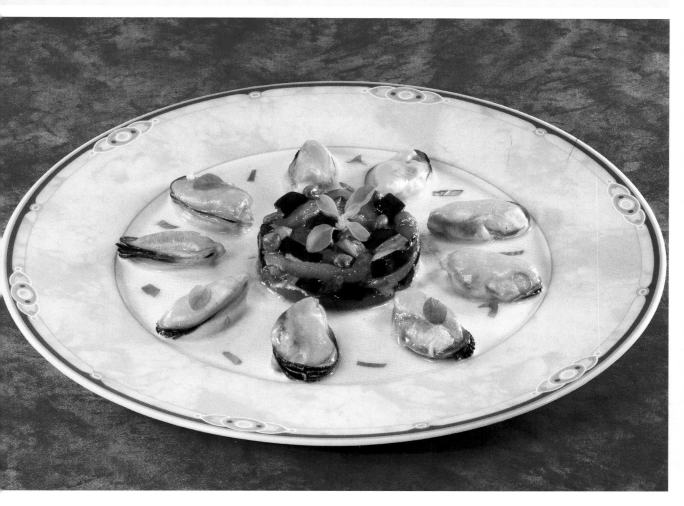

Dans un poêlon, versez 20 cl de vin blanc et 0 cl de vinaigre balsamique. Faites réduire, min. Transvasez cette préparation dans la alade de légumes. Mélangez délicatement. alez, poivrez.

Nettoyez les moules en les ébarbant. Hachez l'oignon. Dans une casserole, versez 20 cl de vin blanc et l'oignon haché. Faites revenir. Ajoutez les moules et faites cuire, à couvert, 10 min. Décortiquez ces dernières.

Dans une casserole, versez la crème fraîche, le beurre, les feuilles de marjolaine. Salez, poivrez. Faites fondre. Ajoutez les moules décortiquées. Faites cuire entre 3 et 4 min. Dressez la salade de légumes, les moules et la sauce. Décorez avec la marjolaine.

ALFONSO CAPUTO

Paupiettes de rouget

4 personnes ★★ **Préparation : 30 min**

600 g de rougets-barbets
100 g de pancetta salée
100 g de poireau
160 g de châtaignes
1 gousse d'ail

10 cl de vin blanc
Sel
Poivre
Huile d'olive

Les cuisiniers napolitains préparent traditionnellement un plat appelé *braciola,* composé de viande de porc enroulée en petites paupiettes. Alfonso Caputo s'en est inspiré pour mettre au point ses *bracioletta di triglie,* paupiettes de rougets enroulées dans de la *pancetta,* accompagnées de châtaignes au vin blanc et de poireau frit.

Les plus savoureux poissons sont couramment pêchés dans la baie de Naples et le golfe de Salerne : rougets, dorades, loups de mer, anchois... arrivent encore tout frétillants sur les étals des poissonniers. Lorsque vous lèverez les filets de rougets, laissez la peau, qui est très fine et s'enlève difficilement. Vous éliminerez ensuite les nombreuses arêtes, deux par deux. Pour savoir jusqu'où il y en a, tâtez avec votre doigt le long de la partie centrale du filet, en allant dans la direction de la queue.

Les filets de poisson vont être garnis de *pancetta* puis roulés. Ce produit typiquement italien est une pièce de lard maigre provenant de la panse. Elle est proposée salée, fumée, séchée ou même épicée de poivre, muscade, girofle, genièvre ou cannelle. Sa forme varie également : plate ou roulée.

L'association du rouget avec le poireau est peu courante dans la cuisine italienne. Il sera taillé en filaments puis passé en friture pour décorer le plat final. Vous utiliserez également le vert découpé en lanières pour nouer les paupiettes de poisson (vous pouvez aussi réaliser l'opération avec des piques en bois).

Les châtaignes pour leur part, sont bien plus couramment alliées aux plats de viande. Elles abondent dans les montagnes boisées de l'arrière-pays napolitain. Notre chef apprécie particulièrement celles qui proviennent de la localité de Serino. Il vous propose de servir deux paupiettes par personne, agrémentées de châtaignes et de poireau frit.

Fendez les rougets du côté du ventre. Pratiquez une fente en biais à la base de la queue, puis tranchez le dos. Levez les filets en passant le couteau le long de l'arête centrale.

Émincez le poireau en fine julienne. Faites-le frire 5 min à la poêle dans de l'huile d'olive. Égouttez sur du papier absorbant.

Découpez la pancetta en tranches mince Garnissez chaque filet de rouget avec ur tranche de pancetta et enroulez-les pou former des paupiettes.

la pancetta et marrons

ALFONSO
CAPUTO

Cuisson : 20 min

ntourez chaque paupiette avec une fine nière de vert de poireau et refermez en faiant un solide nœud.

Versez les châtaignes dans une poêle nappée d'huile d'olive et chauffée. Arrosez de vin blanc et laissez cuire 10 min.

Ajoutez les paupiettes de rougets dans la poêle, avec des lamelles d'ail. Salez et poivrez. Couvrez et faites cuire encore 4-5 min. Disposez les paupiettes sur vos assiettes de service, entourez de châtaignes et décorez avec le poireau frit.

BIANCAROSA
ZECCHIN

Sardin

4 personnes ★ **Préparation : 30 min**

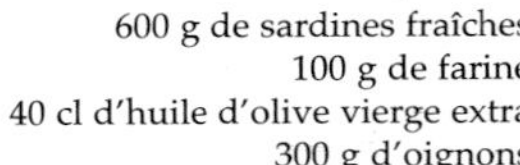
600 g de sardines fraîches
100 g de farine
40 cl d'huile d'olive vierge extra
300 g d'oignons

50 g de raisins secs
50 g de pignons de pin
10 cl de vinaigre rouge
Sel

Depuis plusieurs siècles, les *sardine* ou *sarde in saor*, en dialecte local régalent les habitants de Venise. D'abord enrobées de farine puis frites à l'huile, elles sont ensuite nappées d'une compotée d'oignons au vinaigre, avec laquelle elles sont marinées. Pour se distinguer des gens du peuple, qui réalisaient couramment cette recette, les nobles vénitiens ajoutaient jadis volontiers aux oignons, des raisins secs et des pignons de pin. Cette délicieuse habitude s'inspirerait des coutumes culinaires romaines et bysantines. Très précieux lorsqu'il fait froid, les fruits secs augmentent la valeur calorique du plat, mais lui apportent aussi un petit air festif. Les restaurants vénitiens proposent les *sardine in saor* à leurs convives pour ouvrir l'appétit, ou comme plat principal.

Les sardines abondent encore dans la lagune de Venise, dans les zones peu fréquentées par les *vaporetto* et autres embarcations à moteur de toutes espèces. Leur prix sur les marchés étant dérisoire, elles constituaient autrefois le poisson quotidien des familles les plus modestes.

Des sardines de taille moyenne ou mêmes petites conviennent parfaitement à la réalisation de cette recette. Pour la préparation de ces petits poissons, retirez la tête mais laissez la queue et les arêtes. Lorsque vous les aurez passés dans la farine, tapotez-les légèrement du bout des doigts pour en éliminer l'excédent. Une fois frits, leur huile de cuisson servira de nouveau, pour faire rissoler les oignons émincés.

Biancarosa Zecchin vous conseille de laisser mariner les sardines pendant au moins 12 heures avant de les déguster. Mais une macération de 48 heures permettra de développer encore davantage les arômes.

Trois ou quatre sardines seront disposées par assiette. Nappez-les de compotée d'oignons. Parsemez de raisins, de pignons puis d'herbes de votre choix. S'il vous en reste, vous pourrez les conserver au frais durant encore trois jours.

Réhydratez les raisins 1 h à l'eau tiède. Enlevez les têtes des sardines. Ouvrez-les dans la longueur et videz-les. Rincez-les sous l'eau courante puis séchez-les soigneusement.

Disposez une assiette remplie de farine sur votre plan de travail, et passez successivement toutes les sardines dedans.

Portez l'huile d'olive à ébullition dans un sauteuse. Disposez les sardines dedans e faites-les frire 5 min sur chaque face Lorsqu'elles sont dorées, égouttez-les su du papier absorbant.

n saor

BIANCAROSA
ZECCHIN

Cuisson : 30 min **Réhydratation des raisins : 1 h** **Marinade des sardines : 12 h**

;pluchez les oignons. Coupez-les en 2 puis mincez-les.

Faites revenir les oignons 5 min dans l'huile de cuisson des sardines, en mélangeant pour qu'ils n'attachent pas et cuisent plus vite. Ajoutez ensuite les pignons, les raisins réhydratés, vinaigre et sel. Laissez cuire 15 min.

Disposez les sardines dans un plat. Nappez de compotée d'oignons. Laissez mariner pendant au moins 12 h. Servez frais, avec la garniture et un peu de marinade filtrée.

BIANCAROSA
ZECCHIN

Seich

4 personnes ★★ **Préparation : 20 min**

1,5 kg de seiche
400 g d'oignons
1 côte de céleri
2 gousses d'ail
40 cl d'huile d'olive vierge extra
20 cl de vin blanc sec
5 feuilles de laurier

2 cuillères à soupe de sauce tomates
Sel
Poivre

Polenta tendre :
150 g de farine de maïs jaune précuite
Sel

À Venise, les seiches servies dans leur sauce à l'encre prennent le nom de *seppie al nero* ou "seiches au noir". Soucieuse de raffinement, Biancarosa Zecchin vous propose de les présenter en compagnie de *polenta* tendre.

Située entre les fleuves Brenta, Bacchiglione et Sile, la lagune de Venise s'étend sur plus de 58 000 hectares. Elle comprend de riches zones de pêche, qui fournissent une grande variété de poissons, crustacés et céphalopodes. Au sud de Venise, le port de Chiogga abrite le plus grand marché aux poissons du pays. Les seiches sont abondantes, peu coûteuses et donc abordables pour de nombreuses familles.

Privilégiez toutefois plusieurs seiches de petite taille, dont la chair sera tendre et peu caoutchouteuse. La nature les a pourvus d'un petit "sac" rempli d'une substance noire, semblable à de l'encre de Chine, qu'elles peuvent projeter dans l'eau pour effrayer leurs prédateurs. Toujours avides de nouveautés, les cuisiniers ont découvert depuis longtemps les vertus culinaires de ce produit en créant une délicieuse sauce.

Lorsqu'elles cuiront dans les légumes, les lanières de seiche pourront être arrosées d'un peu d'eau, si nécessaire. Elles doivent toujours rester humides et ne pas attacher au fond de la casserole.

La *polenta* constitue l'autre ingrédient indispensable à ce plat. Biancarosa Zecchin vous suggère d'employer de la farine de maïs très fine et d'une belle couleur jaune d'or. La variété "précuite" épaissira beaucoup plus vite sur le feu que la *polenta* classique. Si vous n'en trouvez pas dans le commerce, vous pouvez parfaitement servir les seiches en compagnie de riz ou de pâtes.

Déposée au centre des assiettes, la *polenta* va se figer en une belle galette lisse. Installée par-dessus, les lanières de seiche seront décorées d'une feuille de laurier.

Préparez la polenta : dans une casserole, portez 50 cl d'eau à ébullition. Ajoutez peu à peu la farine de maïs et du sel, en remuant. Fouettez la préparation env. 20 min sur feu vif, jusqu'à obtention d'une purée jaune pâle.

Tranchez la tête de la seiche et tirez les viscères (réservez le sac à encre). Enlevez l'os central. Rincez la poche obtenue et éliminez la fine peau violacée.

Étalez la chair de seiche sur votre plan de travail. Détaillez-la en lanières.

la vénitienne

BIANCAROSA ZECCHIN

Cuisson : 1 h 40

pluchez l'ail, détaillez-le en lamelles. elez et hachez les oignons. Hachez la tige e céleri. Mélangez et recoupez le tout très nement.

Dans une marmite, faites revenir ces condiments 5 min à l'huile chaude. Ajoutez les lanières de seiche. Salez et poivrez. Faites cuire à feu doux pendant 45 min à 1 h.

Ajoutez alors la sauce tomates, l'encre de seiche, le vin blanc et 1 feuille de laurier. Mélangez sur le feu pendant encore 15 min. Avec un cercle, installez un lit de polenta sur vos assiettes. Disposez les lanières de seiche au centre. Décorez de laurier et de points de sauce.

MADDALENA
BECCACECI

Sol

4 personnes ★ **Préparation : 15 min**

4 soles de 200 g pièce
1/2 citron
1 gousse d'ail
1/2 bottillon de persil
20 olives noires

5 cl d'huile d'olive
Sel

Décoration :
Citron

À Giulianova, petite ville portuaire, située dans la région des Abruzzes, Maddalena Beccaceci est réputée pour ses talents de cuisinière. Surnommée affectueusement Nena, elle confectionne dans son restaurant des mets aux saveurs exceptionnelles.

Très attachée aux traditions, notre chef vous propose de découvrir une préparation typique de sa cité. Extrêmement facile à réaliser, la sole façon Nena est une recette assez minimaliste. Utilisant peu d'ingrédients, elle met en lumière la texture unique de ce poisson.

Reconnaissable à sa forme ovale quasi parfaite, la sole doit mesurer plus de vingt et un centimètres pour être commercialisée. Son poids peut varier de deux cents grammes à un kilo !

Dans l'Antiquité, ce poisson, prisé des Romains, était apprêté confit, à l'étuvée ou en potage. Sa chair très délicate, qui possède peu d'arêtes, requiert un temps de cuisson très court. Si vous éprouvez des difficultés pour la peler, demandez à votre poissonnier de le faire. En fonction de l'arrivage, vous pouvez aussi opter pour de la lotte ou du merlu.

La sole façon Nena ne saurait se passer de la présence du persil. Utilisée pour son parfum spécifique, cette plante aromatique est essentielle dans la cuisine italienne et de l'Europe méridionale dont elle est originaire. Les tiges sont également employées pour leur saveur douce et délicate. Disponible toute l'année sur les étals, le persil doit être bien vert, frais, les feuilles rigides.

Quant aux olives noires, elles sont principalement utilisées dans la cuisine méditerranéenne comme condiment, ou ingrédient. Ces fruits de l'olivier se conservent dans de l'huile ou en saumure. Agrémentant de nombreux mets, ils parfument aussi les pains ou décorent les plats. Les olives grecques et italiennes sont considérées comme les meilleures du monde !

Très légère, cette spécialité de Giulianova peut se déguster à toute occasion.

À l'aide d'un couteau, écaillez les soles. Découpez avec une paire de ciseau, le contour des arêtes extérieures. Videz-les.

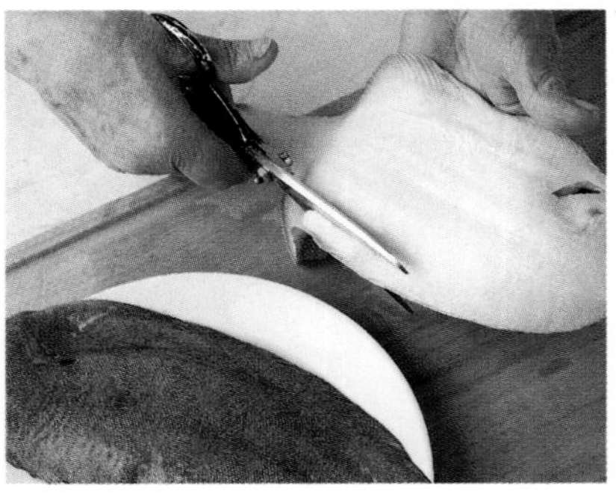

Incisez les soles en contournant les ouies. Avec le pouce, décollez doucement la peau, puis saisissez-la avec un torchon et tirez d'un coup sec. Pour la face blanche, tirez la peau de la tête vers la nageoire caudale.

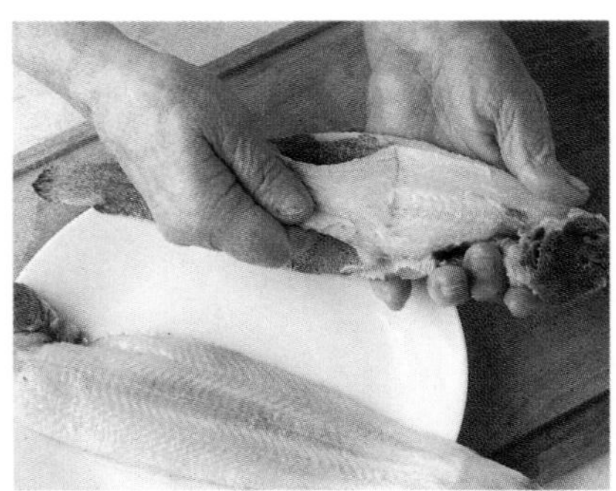

Épluchez la gousse d'ail et hachez-la. Lavez le persil et émincez-le très finement. Pressez le jus du demi citron.

açon Nena

MADDALENA BECCACECI

Cuisson : 15 min

Disposez délicatement les soles nettoyées dans un très grand plat ou une grande poêle.

Rassemblez dans un bol la gousse d'ail écrasée, le jus du citron, le persil émincé. Ajoutez l'huile d'olive. Salez. Mélangez. Versez ce mélange sur les soles. Ajoutez un demi-verre d'eau.

Recouvrez le plat de papier d'aluminium. Faites cuire entre 10 et 15 min. Ajoutez les olives noires. Dressez dans les assiettes le poisson. Décorez avec des tranches de citron.

FRANCESCA
DE GIOVANNINI

Stoccafiss

4 personnes ★ **Préparation : 40 min**

1 stoccafisso (morue)
5 filets d'anchois salés
1 oignon
20 g de farine
30 g de parmesan râpé
1/4 de litre de lait
1/2 bottillon de persil

7 cuillères à soupe d'huile d'olive
Sel

Polenta :
200 g de farine de maïs
Gros sel

Extrêmement renommée, cette préparation de morue est typique de Vicentina, un petit village des environs de Venise. Autrefois, ce poisson séché servait de monnaie d'échange aux marins, originaires de ce lieu. Ces derniers, au service de la prestigieuse cité des Doges, embarquaient sur leur bateau cette précieuse denrée et l'apprêtaient avec du lait et de l'huile d'olive. Aujourd'hui, ce mets très ancien se déguste essentiellement en famille.

Dans cette région du littoral adriatique, les habitants emploient deux termes distincts pour désigner le conditionnement de la morue. Si cette dernière est salée, elle prend le nom de *baccalà*. En revanche, si elle est uniquement séchée, elle est appelée *stoccafisso*. Cette différenciation réside dans la teneur en sel. En effet, dans les deux cas, le poisson est étêté, vidé puis suspendu par la queue à l'air libre.

Comme pour la *baccalà*, le *stoccafisso* doit impérativement être trempé dans un récipient rempli d'eau entre vingt-quatre et quarante-huit heures. Cette opération permet de réhydrater la chair. Savamment orchestré, ce mets de caractère se compose aussi d'anchois. Ces petits poissons, très appréciés des Méditerranéens, sont reconnaissables à leur dos vert bleu et à leurs flancs argentés. Ceux que vous devez utiliser sont déjà salés. Pensez-y lors de l'assaisonnement.

Requièrant un temps de cuisson important, cette spécialité du bord de mer est facile à réaliser. Pour l'agrémenter, notre chef vous propose de confectionner une *polenta*, plat traditionnel de sa région. Composée de peu d'ingrédients, farine de maïs, gros sel et eau, cette dernière nécessite cependant de la dextérité : vous devez continuellement mélanger la préparation à l'aide d'un fouet dans le sens des aiguilles d'une montre !

Extrêmement conviviale, le *stoccafisso alla Vicentina* est un plat à découvrir sans tarder.

Faites tremper 48 h la morue dans un récipient d'eau. Préparez la polenta en faisant chauffer 50 cl d'eau avec du gros sel. À ébullition, versez la farine de maïs. Faites cuire, environ 40 min, en mélangeant avec un fouet.

À l'aide d'un couteau, ouvrez délicatement la morue en incisant tout le long du ventre.

Faites revenir dans 3 c. à s. d'huile d'olive, l'oignon haché. Ajoutez les filets d'anchois. Remuez avec la spatule jusqu'à l'obtention d'une purée.

lla vicentina

FRANCESCA
DE GIOVANNINI

Cuisson : 4 h **Trempage de la morue : 48 h**

*talez la morue ouverte sur le plan de tra-
il. Saupoudrez-la légèrement de sel,
rine et parmesan. Recouvrez-la de purée
anchois et oignon.*

Refermez la morue. À l'aide d'un couteau, découpez-la en darnes bien régulières.

Disposez la morue dans un plat. Saupoudrez avec la farine et le parmesan restants. Versez 4 c. à s. d'huile d'olive et le lait. Recouvrez de papier sulfurisé. Faites cuire, au four, à 180 °C, entre 3 et 4 h. Saupoudrez de persil haché. Dressez la morue avec la polenta.

SAURO BRUNICARDI

Truite saumoné

4 personnes ★★ **Préparation : 35 min**

2 truites saumonées de 600 g chacune
1 orange
20 cl de vin blanc
50 g de beurre
50 g de farine de blé
Sel

Fumet de truites :
Parures de truites
3 tomates

1 oignon
1 tige de céleri
1 carotte
3 feuilles de basilic
Sel

Décoration facultative :
1 tomate
1 orange
Pluches de cerfeuil

Pendant des siècles, les grands fleuves charriant les eaux des Apennins et des Alpes abondaient en truites, perches, carpes, esturgeons et aloses. Mais la pollution et les activités industrielles ont eu raison de cette abondance. De nos jours, la majorité des truites produites en Italie proviennent d'élevages piscicoles.

Encore présente dans les rivières du nord de l'Italie, la truite saumonée était fort consommée autrefois, lorsque l'on n'importait pas encore du saumon d'Écosse. Certaines fréquentent toujours le Serchio, fleuve qui passe à Ponte a Moriano, tout près du restaurant de notre chef. Les cuisiniers traditionnels se contentant de les préparer grillées ou frites, Sauro Brunicardi leur apporte un raffinement en leur offrant un écrin de sauce à l'orange.

Notre chef vous conseille de choisir des truites de 600 grammes chacune, qui donneront deux portions bien copieuses et très présentables. En effet, des poissons plus gros obligent à détailler les filets. Lorsque vous les avez prélevés, éliminez soigneusement toutes les arêtes, en utilisant une pince à épiler de cuisine. Vous vous faciliterez la tâche en sollicitant l'aide du poissonnier pour préparer les filets. Cependant, demandez-lui de réserver la tête et les arêtes pour la confection du fumet. Pour parfumer ce dernier, parures de poisson concassées, céleri, oignons, carottes et basilic suffisent, l'ajout de tomates étant facultatif.

Selon votre goût, vous pouvez poêler les filets encore munis de leur peau et enrobés de farine, dans du beurre ou à l'huile d'olive. Vous commencerez la cuisson côté peau : celle-ci maintient la chair, et sa graisse, en fondant assure un parfait rôtissage. Vous les retournerez ensuite côté chair pour achever la cuisson.

Pour varier les plaisirs, cette recette se satisfera également de truite commune, ou même d'espadon ou de turbot, qui accueilleront sans problème la très gastronomique sauce à l'orange.

Tranchez les truites par le ventre et videz-les. Tranchez ensuite le dos et en biais au niveau de la queue. Levez les filets. Conservez les parures pour la confection du fumet.

Préparez les légumes du fumet : épluchez la carotte et tronçonnez-la. Pelez l'oignon et coupez-le en quartiers, ainsi que les tomates. Détaillez le céleri en petits bâtonnets.

Portez de l'eau à ébullition dans une casse role. Plongez les légumes dedans ainsi qu les têtes et arêtes de truites, basilic et se Faites cuire 1 h à feu doux et réservez.

u Serchio, sauce orange

SAURO
BRUNICARDI

Cuisson : 1 h 10 env.

ɛrsez la farine dans une assiette et salez gèrement. Passez les filets de truites dans farine, côté chair puis côté peau. Secouez-s ensuite délicatement pour éliminer l'ex-'dent de farine.

Faites fondre du beurre dans une grande poêle. Lorsqu'il est bien chaud, faites dorer les filets de truites, environ 3 min sur chaque face en commençant par le côté peau. Égouttez la graisse de cuisson.

Dans la poêle, ajoutez le vin blanc, le jus d'orange et l'écorce en julienne et le fumet. Faites réduire 5 min à feu vif et montez au beurre. Dans vos assiettes, nappez les filets de sauce, décorez de zestes et rondelles d'orange, cubes de tomate et cerfeuil.

Viandes Volailles

MADDALENA
BECCACECI

Agnea

4 personnes ★ **Préparation : 25 min**

1 gigot d'agneau de 1,5 kg
1 gousse d'ail
1 branche de romarin
5 cl de vin blanc
1 citron
2 œufs
1 cuillère à café de parmesan râpé

5 cl d'huile d'olive
2 grains de poivre
Sel

Décoration :
Romarin
Tomates cerise

Dans la magnifique région des Abruzzes, la vie pastorale a donné naissance à de succulents plats de viande. Typique de ce terroir, l'agneau *all'abruzzese* est une préparation qui se déguste essentiellement lors des fêtes de Noël et Pâques.

Facile à réaliser, ce mets, très riche, dévoile des saveurs rustiques. Encore élevés traditionnellement par les bergers, les troupeaux quittent la plaine à la saison chaude pour rejoindre les alpages. Sur ces hauts plateaux, les bêtes se nourrissent d'herbes aromatiques. Très parfumée, la viande d'agneau des Abruzzes est réputée dans toute l'Italie. Le gigot, que vous devez utiliser, peut aisément être remplacé par de l'épaule.

Autrefois, les paysans de cette région se nourrissaient essentiellement d'œufs et de fromage. Dans ce mets festif, ces ingrédients du quotidien viennent tout naturellement agrémenter la viande.

Roi des fromages italiens, le parmesan est encore fabriqué artisanalement. Né en Toscane au XIe siècle, on doit, selon la légende, à Bartolomeo Riva l'invention de la célèbre marque *parmigiano reggiano*, en 1612. Aujourd'hui, seules les provinces de Parme, Reggio Émilia, Modène, Mantoue et Bologne sont autorisées à imprimer son nom.

Produit à partir de lait de vache partiellement écrémé, le parmesan se présente sous la forme d'un gros cylindre de 35 à 40 centimètres de diamètre et de 18 à 25 centimètres d'épaisseur. Son poids peut varier entre 24 et 40 kilos ! Qualifié de *vecchio* après 1 an d'affinage, de *stravecchio* après 3 ans, il est recherché pour sa saveur lactique, boucanée, fruitée, salée parfois piquante.

Judicieusement aromatisé, l'agneau *all'abruzzese* met en vedette le romarin. Cette plante des régions méditerranéennes possède une saveur légèrement piquante et des senteurs d'arrière-pays. Utilisées comme condiment, ses feuilles persistantes s'utilisent fraîches ou séchées. Très parfumées, elles doivent être employées avec parcimonie.

Coupez le gigot d'agneau en cubes bien réguliers. Faites chauffer l'huile d'olive avec la gousse d'ail hachée. Disposez les cubes d'agneau. Salez. Faites-les dorer. Ajoutez le romarin haché et les grains de poivre écrasés. Faites cuire, environ 10 min.

Versez le vin blanc dans la préparation. Faites réduire, environ, 10 min.

Dans un bol, pressez le jus du citro Cassez les 2 œufs et déposez-les. Versez parmesan. Salez.

ll' abruzzese

MADDALENA
BECCACECI

Cuisson : 30 min

*l'aide d'une fourchette, battez énergique-
ent la préparation des œufs.*

Versez délicatement la préparation des œufs battus sur les cubes d'agneau.

Vannez la poêle et mélangez à l'aide d'une spatule en bois jusqu'à ce que les œufs se solidifient. Dressez dans l'assiette, l'agneau all'abruzzese. Décorez avec le romarin et les tomates cerise.

MICHELINA
FISCHETTI

Agneau d'Irpini

4 personnes ★ **Préparation : 25 min**

600 g de carré d'agneau
2 oignons
100 g de piments doux séchés
1/2 bottillon de persil plat
3 branches de romarin

5 cl de vin blanc
Gros sel
5 cuillères à soupe d'huile d'olive
Sel
Poivre

Extrêmement contrastée, la Campanie ne se limite pas à Naples et Pompéi. L'arrière-pays dévoile aux visiteurs des paysages d'une beauté inouïe où la vie pastorale a légué à cette cuisine du Sud des préparations aux saveurs inégalables. Située dans la province d'Avellino, la ville d'Irpinia, réputée en Italie pour sa culture des noisettes, possède un patrimoine culinaire hérité des bergers.

Judicieusement parfumé et aromatisé, le carré d'agneau que nous vous proposons de découvrir était autrefois un plat de fête. Facile à réaliser, il met à l'honneur les produits du terroir. Très attachés à leur région, les habitants d'Irpinia ont d'ailleurs pour devise *"travailler ici, ne pas quitter le pays"* !

Savoureuse, la viande d'agneau doit, dans cette recette, être lavée au vin blanc. Cette opération permet d'ôter l'excédent de graisse. Selon le marché, vous pouvez aussi utiliser du cabri, très prisé des Campaniens.

Extrêmement léger, l'agneau d'Irpinia à l'ancienne peut se déguster à toute occasion. Savamment relevé, il accorde aux *peperoncini,* piments, une place de choix. Ces fruits d'une plante de la famille des solanacées apportent leur tempérament. En Italie, ils se conjuguent à l'infini sur les marchés. Leur nom diffère en fonction de leur taille et aspect. Si vous désirez atténuer leur goût, évitez de consommer les graines et membranes intérieures blanchâtres. Les piments séchés se déshydratent facilement et se conservent ainsi pendant au moins un an.

Quant au romarin, il se révèle indispensable. Cette plante aromatique qui pousse en abondance en Méditerranée est indissociable du fameux mélange des herbes de Provence. Sa saveur légèrement piquante parfume admirablement les marinades.

Également utilisé pour son parfum spécifique, le persil plat possède un arôme plus intense que le persil frisé. Disponible toute l'année, il doit être bien vert, frais, les feuilles et les tiges rigides.

À l'aide d'un grand couteau, manchonnez les côtes du carré d'agneau. Incisez l'intérieur des côtes, sectionnez le bas du carré de la valeur de 2 doigts. Séparez les côtelettes.

Dans un récipient, disposez les côtelettes. Versez dessus de l'eau et le vin blanc. Ajoutez une bonne pincée de gros sel. Mélangez avec les doigts.

Lavez le persil et hachez-le. Épluchez oignons et ciselez ces derniers. Effeuil le romarin. Coupez les piments en pet morceaux.

l'ancienne

MICHELINA
FISCHETTI

Cuisson : 15 min

ites chauffer 5 c. à s. d'huile d'olive. isposez les oignons et faites-les légèrement rer. Ajoutez les piments. Faites revenir, viron 3 min.

Disposez dans la préparation les côtelettes. Salez, poivrez. Faites revenir, environ 3 min.

Recouvrez avec 10 cl d'eau. Faites cuire environ 5 min. Ajoutez le romarin. Saupoudrez de persil haché. Dressez l'agneau d'Irpinia dans les assiettes. Versez un cordon de sauce.

SERGIO PAIS

Escalope de vea

4 personnes ★ **Préparation : 45 min**

1 filet de veau de 600 g
150 g de jambon de Parme
12 feuilles de sauge
20 cl de vin blanc
25 cl de fond brun
20 g de beurre
1 tête de brocoli

2 courgettes
100 g de farine
25 cl de lait
Huile d'olive de friture
1 cuillère à soupe d'huile de tournesol
Gros sel
Sel
Poivre

Dévoilant des saveurs typiquement italiennes, l'escalope de veau à la sauge est une pure merveille. Facile à réaliser, ce plat de fête est particulièrement prisé dans le Latium.

Reconnaissable à sa forme ovale et régulière, l'escalope peut être prélevée dans la noix, l'épaule ou le quasi de veau. En Italie, les *scaloppine* sont généralement taillées dans le filet. Aplaties, souvent ciselées sur un côté, elles peuvent être poêlées ou sautées. Les Milanais les préfèrent habituellement panées !

Ce plat, très riche, met également en vedette, le très célèbre jambon de Parme. Appelé *prosciutto*, il est confectionné à partir de cuisse de porc. En Toscane, on l'assaisonne d'ail, clous de girofle et poivre. Après quatre semaines de salaison, il subit une longue période d'affinage. Séché six mois plus tard, il est alors enduit d'une couche de graisse de porc. Mais il faut encore compter un semestre supplémentaire pour poursuivre l'affinage, période pendant laquelle il sera l'objet de soins attentifs. Chaque jambon porte sur sa couenne la couronne de l'ancien royaume de Parme, gage de sa prestigieuse origine.

Judicieusement relevé, ce mets dévoile la saveur légèrement piquante de la sauge. Très recherchée dans la cuisine italienne, cette plante des régions tempérées aromatise de nombreux aliments. Employée pour condimenter la charcuterie, elle est souvent mariée aux haricots secs, viande de porc ou pâtes.

Quant au brocoli, originaire du Sud de la péninsule, on le trouve à profusion dans la région des Pouilles. Ce légume de la famille du chou colore les étals des marchés d'octobre à avril. Riches en vitamines et sels minéraux, il doit son nom au mot grec *brotrytis* qui signifie "rassemblé en grappe". Choisissez-le avec la tête ferme, serrée et la tige très dure. Comptez entre dix et quinze minutes de cuisson.

Découpez le filet de veau en morceau d'égale grosseur. À l'aide d'un hachoir, tapez la viande afin de lui donner la forme d'une escalope.

Découpez les tranches de jambon de Parme de la longueur des escalopes. Sur le plan de travail, déposez la viande. Recouvrez-la de jambon et d'une feuille de sauge. Transpercez-la à l'aide d'une pique en bois.

Détachez les têtes de brocoli de leur pie Dans une casserole d'eau frémissante, ajo tez une bonne pincée de gros sel et faite les cuire 15 min. Égouttez. Rafraîchisse les dans de l'eau glacée.

la sauge

SERGIO
PAIS

Cuisson : 15 min

écoupez les courgettes en bâtonnets. Trempez-s dans le lait. Enrobez-les de farine. Faites-s frire dans l'huile d'olive de friture. pongez.

Faites chauffer dans une poêle, 1 c. à s. d'huile de tournesol. Enlevez la pique en bois des escalopes et posez ces dernières dans la poêle. Faites-les saisir, environ 3 min. Déglacez avec le vin blanc. Versez le fond brun. Faites cuire, 3 min.

Ajoutez le beurre. Vannez. Salez, poivrez. Dressez dans l'assiette l'escalope avec les courgettes, le brocoli et un cordon de sauce.

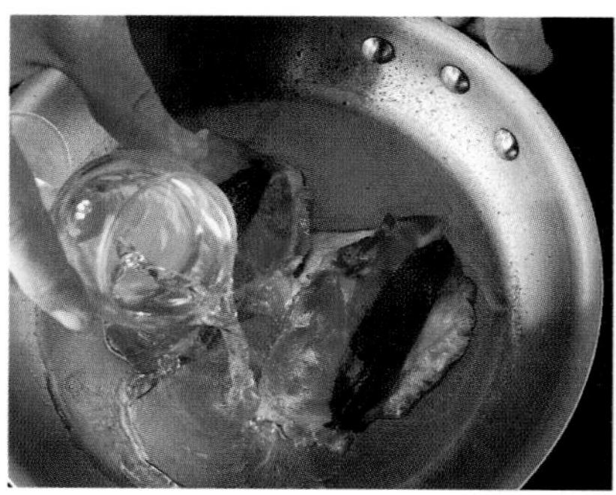

SAURO BRUNICARDI

Carré de cochon d

4 personnes ★ **Préparation : 25 min**

1 carré de cochon de lait de 1 kg
50 g de chapelure
1 cuillère à soupe d'herbes de Provence
15 cl d'huile d'olive vierge extra
Sel

Sauce à l'ail :
50 cl de crème fraîche liquide
5 gousses d'ail
1 cuillère à soupe de fécule
Sel

Pour mettre au point la recette du carré de cochon de lait aux herbes, Sauro Brunicardi s'est inspiré d'un plat toscan traditionnel : l'*arista di maiale*, viande de porc cuite au four avec des herbes aromatiques. Il l'améliore en nappant la bordure de chaque tranche d'une épaisse sauce à l'ail, qu'il parsème ensuite de chapelure aux herbes de Provence ou *pan alle herbe* (pain aux herbes).

Le cochon de lait est très prisé depuis le Moyen Âge. Ce petit porc, abattu avant l'âge de deux mois pèse généralement moins de 15 kg. Sa chair est blanche et tendre, savoureuse mais parfois grasse. Vous choisirez pour réaliser la recette un "carré". Celui-ci comprend selon les cas quatre ou huit côtes, qui seront détaillées après la première cuisson au four. À la place du porc, un carré d'agneau conviendra également à la recette.

Pour faire rôtir la viande, Sauro Brunicardi privilégie l'excellente huile d'olive vierge extra de Lucque. D'une magnifique couleur jaune-vert très vive, elle révèle un goût et une odeur de pomme verte.

Enduites de sauce à l'ail et d'aromates, les côtes connaîtront un second passage au four. Il faut les enfermer dans une papillote de papier d'aluminium, en laissant juste la bordure à découvert pour qu'elle gratine à souhait sous le gril du four et se couvre d'une croûte appétissante et parfumée. Dans son restaurant, notre chef réalise toutefois l'opération sous une salamandre.

Pour accompagner ces savoureuses côtes de porc et donner de la couleur dans l'assiette, nous vous suggérons de préparer des légumes sautés, mélange d'épinards, de brocolis ou de chou-fleur rissolés avec des pommes de terre. Vous pouvez toutefois, comme nous l'avons fait, servir des petits légumes pochés. Disposez les carottes, courgettes et pommes de terre à côté des côtes de porc et entourez de sauce à l'ail, joliment ponctuée de jus de cuisson.

Enlevez la première peau des gousses d'ail. À l'aide d'un petit couteau pointu, coupez les extrémités puis enlevez la peau rosâtre. Éliminez aussi le germe vert clair.

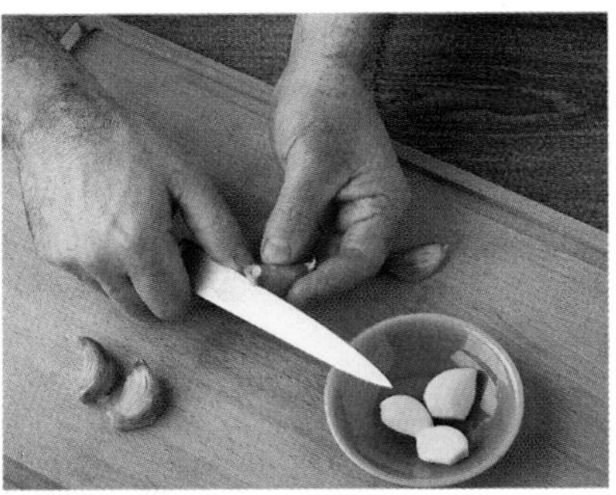

Versez la crème fraîche dans une casserole. Ajoutez les gousses d'ail et du sel. Portez à ébullition et laissez cuire 5 min. Puis passez le tout au mixeur.

Remettez la sauce en casserole. Sur le feu incorporez la fécule diluée à l'eau et mélangez env. 5 min, jusqu'à ce que la sauce soi épaisse et bien liée.

ait aux herbes

SAURO
BRUNICARDI

Cuisson : 55 min

*ersez un fond d'huile dans un plat à four.
éposez le carré de cochon de lait à l'inté-
eur et salez. Faites dorer 40 min au four à
20°C.*

Posez le carré sur une planche à découper et détaillez les côtes. D'autre part, mélangez la chapelure avec les herbes de Provence.

Enduisez la bordure de chaque côte de porc avec de la sauce à l'ail, et parsemez-la de chapelure aux herbes. Enveloppez presque toute la côte dans du papier aluminium, en laissant la bordure à découvert. Laissez gratiner 5 min sous le gril du four préchauffé.

ALBERTO
MELAGRANA

Filet de porc en

4 personnes ★ **Préparation : 40 min**

600 g de filets mignon de porc
1 kg de brocolis
3 gousses d'ail
1 cuillère à café de farine
3 cuillères à soupe d'huile d'olive
Sel

Farce de la croûte :
300 g de pain de mie
2 œufs
10 g de thym frais
10 g de sarriette
10 g de marjolaine

10 g de romarin
1 feuille de laurier
3 branches de persil
20 g de beurre
Sel
Poivre

Sauce au basilic (facultative) :
1/2 botte de basilic
5 branches de persil
5 cl d'huile d'olive

Bordée par la mer Adriatique, la magnifique région des Marches fait la fierté de ses habitants. En s'éloignant du littoral, les visiteurs découvrent des paysages chargés d'histoire avec leur cortège de villes moyennageuses, cernées par des forêts de chênes centenaires.

La gastronomie de cette contrée, où selon les dires fut "inventé" le cochon de lait, se distingue par son extrême richesse. Savamment utilisées, les herbes aromatiques, qui poussent en abondance dans cette région, rehaussent admirablement les viandes, poissons et légumes.

Le filet de porc en croûte et brocolis illustre avec *maestria* la cuisine des Marches. Dévoilant des saveurs raffinées, ce mets traditionnel enchante les papilles. Facile à réaliser, il se déguste traditionnellement le dimanche en famille.

Grands amateurs de viande de porc, les Italiens se montrent particulièrement pointilleux quant à la qualité de cette dernière. Selon notre chef, les cochons, élevés encore selon les habitudes ancestrales en Toscane, possèdent une chair moelleuse.

Coupé dans la longe puis paré, le filet mignon constitue une noisette savoureuse et tendre. Dans notre recette, cette pièce est enroulée d'une "farce" avant d'être rôtie. Judicieusement parfumée, cette dernière met à l'honneur les herbes aromatiques.

Caractéristique des paysages des Marches, la marjolaine sauvage, appelée en dialecte *persichina*, est très utilisée dans la cuisine méditerranéenne. Poussant à l'état sauvage, son odeur et sa saveur rappellent la menthe et le basilic. Cousine de l'origan, elle dévoile néanmoins un goût plus doux, que ce dernier.

Selon la saison, Alberto Melagrana vous suggère d'enrichir cette préparation d'une sauce aux truffes. Dans ce cas, utilisez les aromates avec parcimonie. Quant aux brocolis, très prisés des Italiens, vous pouvez les remplacer par du chou-fleur.

Préparez la croûte en disposant dans le robot la mie du pain, le beurre, les blancs d'œufs, le persil, le thym émietté, la marjolaine, le romarin, la sarriette, le laurier, le sel, le poivre. Mixez. Faites réfrigérer 30 min.

Farinez légèrement les filets de porc. Faites-les rissoler dans 1,5 c. à s. d'huile d'olive. Laissez refroidir.

Avec un rouleau à pâtisserie, étalez la farc de la croûte en fine pâte. Posez le filet d porc sur 2 feuilles de papier film. Recouvre la viande de farce. Enroulez-la à l'aide d papier film. Retirez ce dernier. Faites cuir au four, à 170°C, environ 6 min.

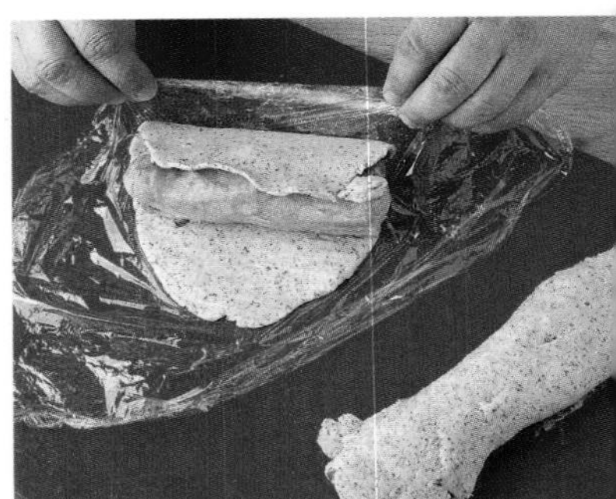

roûte et brocolis

ALBERTO
MELAGRANA

Cuisson : 15 min

Réfrigération de la farce de la croûte : 30 min

oupez les têtes des brocolis. Faites-les cuire ans de l'eau salée, environ 5 min. Égouttez-s et plongez-les dans de l'eau glacée afin de s rafraîchir.

Faites chauffer dans une poêle, 1,5 c. à s. d'huile d'olive avec les gousses d'ail en chemise. Déposez les brocolis et faites-les sauter.

À l'aide d'un couteau, découpez le porc en médaillons. Préparez la sauce au basilic avec les ingrédients. Dressez dans l'assiette le filet de porc en croûte avec les brocolis. Décorez d'un cordon de sauce.

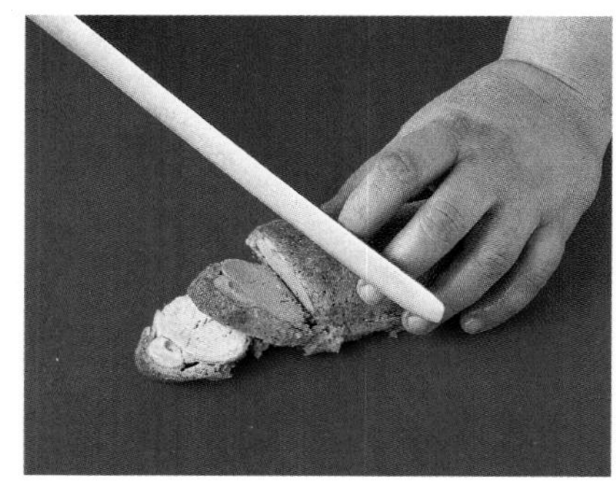

ALFONSO CAPUTO

Filet de porc en croûte

4 personnes ★★ **Préparation : 40 min**

Filet en croûte :
600 g de filet mignon de porc
400 g de mozzarella de bufflonne
1 litre de vin blanc
30 g de beurre
5 cl d'huile d'olive
Sel
Poivre

Tortino d'artichauts :
2 artichauts
2 œufs
5 cl de lait
50 g de farine
1 citron
10 g de beurre
Sel
Poivre

Sauce aux betteraves :
2 betteraves rouges cuites et épluchées
10 cl d'huile d'olive vierge

Le filet de porc en croûte et ses *tortino* d'artichauts ont été concoctés par le chef Alfonso Caputo. Les *tortino*, sortes de flans individuels assez mous et souples accompagnent en effet à merveille les viandes poêlées. En Italien, leur nom signifie "petite tarte". Ils sont composés d'œufs, farine, lait, sel et poivre dans lesquels le cuisinier ajoute des légumes au gré de son imagination : artichauts, courgettes, pommes de terre, cèpes...

Les artichauts, ou *carciofi*, en italien, sont assez délicats à préparer. Seuls les fonds bien débarrassés de leur "foin" et coupés en lamelles serviront dans cette recette. Pour les empêcher de noircir, laissez-les tremper dans une terrine remplie d'eau additionnée de jus de citron ou de vinaigre blanc.

De la sauce aux betteraves escortera de manière très originale le filet mignon et les *tortino*. Si elles proviennent de votre jardin, faites-les cuire durant 2 heures à l'eau salée puis épluchez-les. En revanche, celles du commerce sont presque toujours proposées cuites et pelées, ce qui raccourcit fortement le temps de réalisation de la recette. Pour les réduire en purée, notre chef vous conseille d'employer un mixeur électrique. En effet, le moulin à légumes ne donnerait pas une préparation assez fine. Ensuite, versez-les dans une passoire et écrasez-les. Avec une spatule en plastique, raclez le dessous pour recueillir la pulpe.

Le filet mignon quant à lui, se parera de l'excellente mozzarella de bufflonne. Ce produit rare, souvent remplacé par de la mozzarella de vache, est élaboré en Campanie. Le lait provient des femelles de buffles d'eau, qui sont élevés près de Naples dans la vallée du Volturno, entre Salerne, Éboli et Paestum.

Ainsi recouvert de fromage fondant, le filet mignon escorté par ses petits flans aux artichauts et la touche de couleur vive de la sauce aux betteraves, suscitera inévitablement la convoitise des convives.

Salez et poivrez le filet mignon. Dans un sautoir, faites-le dorer une dizaine de minutes dans un mélange de 5 cl d'huile-30 g de beurre, en le retournant pour qu'il colore de tous côtés. Arrosez de vin blanc. Couvrez et continuez à cuire durant 6 min.

Préparez les artichauts : retirez les feuilles et la barbe. Dégagez les fonds. Émincez-les. Réservez-les 5 min dans un bol d'eau citronnée.

Dans une terrine, fouettez les œufs à l fourchette. Ajoutez le lait, sel, poivre e farine. Mélangez bien. Ajoutez les lamelle d'artichauts. Versez la préparation dans de petits moules antiadhésifs beurrés. Faite cuire les tortino 7 min au four à 180°C.

›rtino d'artichauts

ALFONSO CAPUTO

Cuisson : 30 min

'oupez les betteraves en cubes et mixez-les. .vec une spatule, écrasez-les dans une pas-›ire et récupérez la fine purée obtenue ›ans une terrine.

Ajoutez 10 cl d'huile d'olive dans la purée de betteraves. Mixez de nouveau jusqu'à obtention d'une belle émulsion.

Coupez le filet de porc en tranches. Remettez-le dans le sautoir de cuisson. Garnissez de lamelles de mozzarella. Faites griller 5 min au four ou fondre en casserole, à couvert. Disposez dans les assiettes 3 tranches de filet, un tortino d'artichauts et la sauce aux betteraves.

PAOLO
ZOPPOLATTI

Joues de veau à l

4 personnes ★ **Préparation : 30 min**

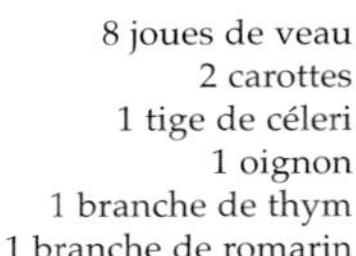
8 joues de veau
2 carottes
1 tige de céleri
1 oignon
1 branche de thym
1 branche de romarin

3 feuilles de sauge
2 feuilles de laurier
50 g de raifort
300 g de chicorée
Huile d'olive vierge extra
Gros sel

Les Italiens du Nord se régalent volontiers de pot-au-feu relevé au raifort râpé et au gros sel. Ils prolongent ainsi une tradition culinaire d'Europe centrale, appréciée en Autriche, Hongrie, Allemagne... Dans notre recette, les joues de veau bouillies se parent également d'une tendre poêlée de chicorée.

Peu cuisinées mais néanmoins savoureuses, les joues de veau sont classées parmi les produits tripiers. Votre boucher saura fendre la tête de l'animal pour prélever les joues, opération plutôt délicate. Vous pouvez les faire bouillir seulement en compagnie des carottes ou ajouter, comme nous l'avons fait, oignon, céleri et herbes aromatiques. Du céleri-rave et des pommes de terre compléteront avec délices l'assortiment. La même recette peut aussi être réalisée avec du jarret.

Pour accompagner les joues de veau, libre à vous de mitonner de la chicorée sauvage ou cultivée, le principal étant qu'elles soient amères. Parmi les multiples espèces cultivées, on peut notamment citer la frisée à feuilles dentelées, la scarole au feuillage large, et plusieurs variétés rouges. Très différente d'aspect, la chicorée sauvage peut atteindre 1 mètres à 1,50 mètres de haut. Ses feuilles poussent en rosette à la base de tiges longues et minces. On les consomme lorsqu'elles sont jeunes et tendres. Des pissenlits, ou "dents-de-lion" pourront également escorter le veau.

Le très piquant raifort viendra relever la saveur des joues bouillies. En Italie, cette racine de couleur jaune ou grisâtre, à pulpe blanche est consommée uniquement dans les provinces du nord, où on l'appelle *kren*. Arrachée en automne, elle peut se conserver 15 jours au réfrigérateur, et plusieurs mois au congélateur ou sous forme de conserve au vinaigre.

Entourées de légumes colorés et de chicorée, parsemées de sel et de raifort, vos joues de veau révèleront un étonnant contraste de saveurs.

Préparez d'abord les légumes : épluchez et coupez l'oignon en 2. Pelez les carottes puis tronçonnez-les. Détaillez la tige de céleri en bâtonnets.

Dans une casserole remplie d'eau bouillante salée, disposez l'oignon, le céleri, les carottes et les joues de veau.

Préparez un bouquet garni avec la sauge, l romarin, le thym et le laurier. Plongez-l dans la casserole et portez à ébullition. Pui baissez le feu et laissez cuire 1 h.

ıicorée et au raifort

PAOLO ZOPPOLATTI

Cuisson : 1 h 05

ɾéparez la chicorée : passez le couteau le ɲg des côtes pour les effiler et éliminez les ɹilles abîmées.

Avec une râpe à légumes plate, râpez le raifort dans un bol. Réservez-le.

Dans une poêle, faites revenir l'ail à l'huile d'olive puis ajoutez la chicorée et faites-la sauter. Disposez carottes et chicorée dans un plat de service, puis les joues de veau tranchées. Parsemez de raifort râpé et de gros sel. Décorez de filets d'huile d'olive.

MADDALENA
BECCACECI

Lapin au safra

4 personnes ★ **Préparation : 25 min**

1 lapin de 1 kg
3 gousses d'ail
1 branche de thym
2 feuilles de sauge
5 cl de vin blanc

1 bonne pincée de pistils de safran
5 cl d'huile d'olive
2 grains de poivre noir
Sel

Lorsque le mois d'octobre arrive, les plateaux de Navelli, situés dans la province de l'Aquila, se teintent de mille feux. Les saisonniers, venus de toute l'Italie, accourent dans cette région des Abruzzes, où depuis des siècles, éclôt à cette saison l'épice la plus chère du monde...

N'écoutant que leur courage, femmes et hommes travaillent sans relâche pour récolter durant deux semaines, les précieux filaments des fleurs de crocus mauves. Dans la gastronomie italienne, le safran de l'Aquila, de renommée internationale, participe à l'élaboration de nombreux apprêts.

Très attachée à sa région natale, notre chef vous propose de découvrir le lapin au safran de Navelli. Ce plat traditionnel des Abruzzes se déguste à toute occasion. Facile à réaliser, il dévoile des saveurs inoubliables.

Prisé des Italiens pour sa chair dense et goûteuse, le lapin possède l'avantage de s'accommoder de multiples façons. Disponible tout au long de l'année sur les étals, il doit avoir le râble bien rebondi, le foie pâle et sans taches. Surveillez bien sa cuisson : sa chair a en effet tendance à sécher. À l'occasion, vous pouvez le remplacer par du poulet.

Dans ce plat aux origines rustiques, les plantes aromatiques, qui caractérisent les paysages de l'arrière-pays, ensoleillent délicieusement les papilles. Le thym, plante vivace de la famille des labiacées, est indissociable de la cuisine méditerranéenne. Frais ou séché, il parfume judicieusement les sauces, farces, viandes et poissons grillés.

Quant à la sauge, elle se retrouve en Italie dans de nombreuses spécialités. Sa saveur piquante et légèrement amère condimente les charcuteries et aromatise aussi le célèbre *osso bucco*. Cette plante des régions tempérées est réputée depuis la nuit des temps pour ses propriétés médicinales, notamment pour favoriser l'assimilation des corps gras.

Très chaleureux, le lapin au safran de Navelli donne à la table un air de fête.

Dans une casserole, faites tiédir 5 cl d'eau. Disposez les pistils de safran dans un bol. Versez dessus l'eau tiède. Faites macérer 30 min.

Après avoir retiré le foie du lapin, séparez la cage thoracique de l'arrière-train au niveau de la jonction des côtes et du râble. Détachez les cuisses. Coupez-les. Partagez le râble en morceaux d'égale grosseur.

Épluchez les gousses d'ail. Faites-les reve nir avec 5 cl d'huile d'olive. Ajoutez l thym, les feuilles de sauge ainsi que le grains de poivre.

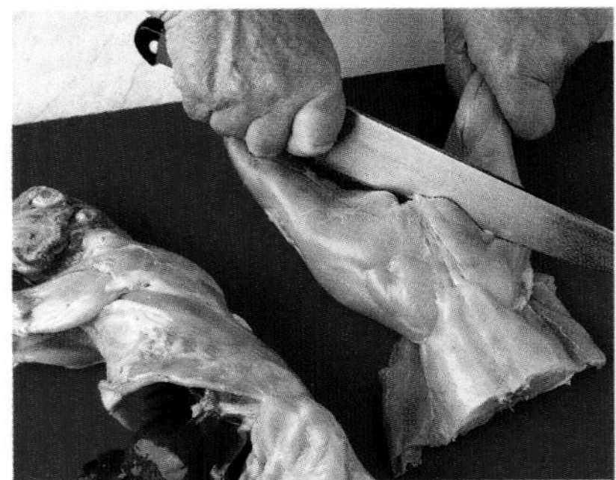

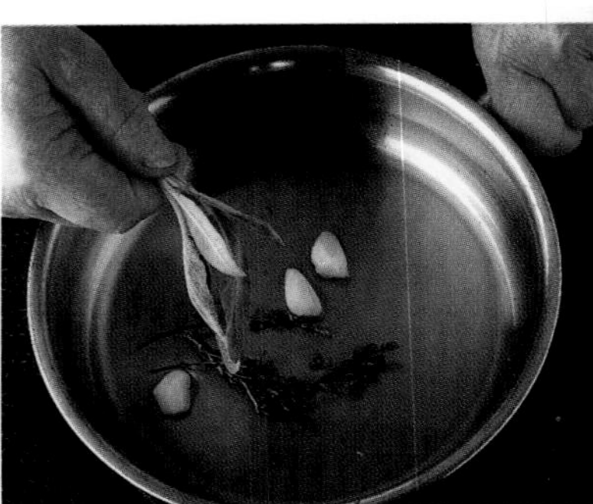

e Navelli

MADDALENA
BECCACECI

Cuisson : 1 h

Macération du safran : 30 min

sposez les morceaux de lapin. Mélangez. lez. Faites cuire, environ 30 min.

Versez le vin blanc. Mélangez avec une spatule en bois. Faites réduire, environ 15 min.

Versez la préparation du safran. Faites cuire environ 5 min. Dressez dans l'assiette le lapin au safran de Navelli.

MICHELINA
FISCHETTI

Lapin de mamm

4 personnes ★ **Préparation : 40 min**

600 g de lapin
300 g de poivrons vert, jaune et rouge
4 branches de romarin
2 gousses d'ail
300 g de tomates pelées
1 oignon
1/2 bottillon de persil

1 piment sec piquant
30 g d'origan séché
4 cuillères à soupe d'huile d'olive
Sel
Poivre

Décoration :
Romarin

Rien de telle qu'une *mamma* italienne pour transmettre l'amour des choses bien faites... Notre chef remercie tous les jours le ciel de lui avoir offert pour mère Giuseppina, cuisinière émérite et passionnée. Débordante de vitalité, cette femme de tempérament ne compte guère les années et concocte toujours avec le même enthousiasme des plats traditionnels aux saveurs inégalables.

Grâce au dévouement de *mamma* Giuseppina, Michelina Fischetti et sa sœur Maria ont repris le flambeau et confectionnent aujourd'hui dans leur restaurant l'Oasis, des mets hauts en couleurs dont ce délicieux lapin que nous vous proposons de découvrir.

Facile à réaliser, cette préparation typique de l'arrière-pays napolitain se savoure habituellement en famille. Très prisé dans la gastronomie italienne, le lapin possède une chair dense, savoureuse et légèrement grasse. Cette dernière, qui absorbe merveilleusement bien le jus de cuisson, a cependant tendance à se dessécher facilement.

En période de chasse, vous pouvez opter pour un lapin de garenne, au goût délicat.

Généreux comme le soleil de Méditerranée, ce plat, aux racines rustiques, est judicieusement aromatisé. Le romarin qui pousse à l'état sauvage dévoile sa légère saveur piquante et sa senteur caractéristique. Les feuilles de cette plante s'emploient fraîches ou séchées. Utilisez-les avec parcimonie afin de conserver le goût des autres ingrédients. Quant au persil, il offre son parfum spécifique et enrichit de nombreux mets italiens. Disponible toute l'année sur les étals, il doit être bien vert, frais, les feuilles et les tiges rigides.

Si les habitants d'Ischia, l'île voisine de Naples, accommodent généralement le lapin de tomates et d'olives, celui de notre chef se colore de poivrons vert, rouge, jaune. En savourant ce mets d'une grande douceur, on ne peut s'empêcher de penser à *mamma* Giuseppina...

Après avoir retiré le foie du lapin, séparez la cage thoracique de l'arrière-train au niveau de la jonction des côtes et du râble. Détachez les cuisses. Coupez-les. Partagez le râble en morceaux d'égale grosseur.

Épluchez les gousses d'ail et l'oignon. Hachez-les. Lavez les poivrons. Coupez-les en lamelles. Effeuillez le romarin. Ciselez finement le persil.

Faites chauffer dans un poêlon, 4 c. à d'huile d'olive. Disposez l'ail et faites rev nir quelques instants. Ajoutez les dés d piments, puis l'oignon. Faites revenir ent 4 et 5 min.

Giuseppina

MICHELINA
FISCHETTI

Cuisson : 35 min

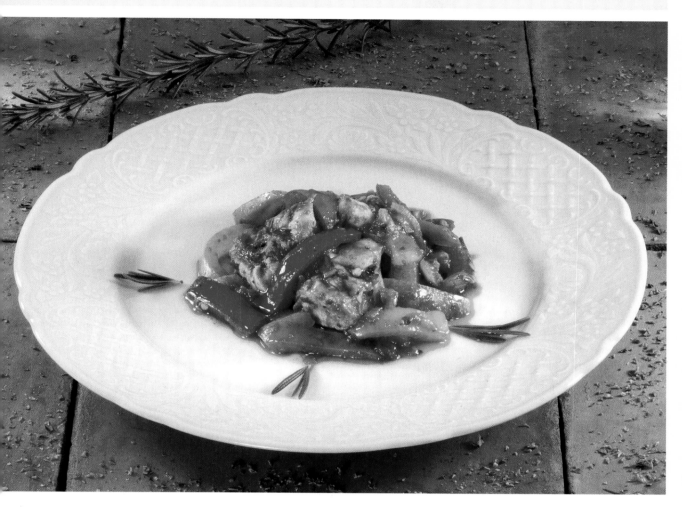

isposez dans le poêlon, les morceaux de pin. Faites revenir environ 5 min. Salez, oivrez. Remuez.

Ajoutez les lamelles de poivrons dans la préparation. Remuez à l'aide d'une spatule en bois. Faites cuire, environ 2 min.

Versez les tomates. Faites cuire, environ 5 min. Saupoudrez la préparation de romarin, origan et persil. Faites cuire environ 15 min. Dressez dans l'assiette le lapin de mamma Giuseppina. Décorez de feuilles de romarin.

SERGIO
PAIS

Osso buco et so

4 personnes ★ **Préparation : 30 min**

4 rouelles de jarret de veau
100 g de farine
50 g de beurre
12 cl de vin blanc
2 filets d'anchois
2 citrons
1 bottillon de persil
3 cuillères à soupe d'huile de tournesol
Sel
Poivre

Risotto au safran :
200 g de riz arborio
3 g de safran en poudre
90 g de beurre
1 petit oignon
125 g de parmesan râpé
75 cl de bouillon de volaille
3 cuillères à soupe d'huile d'olive
Sel
Poivre

Décoration :
Safran en pistils

L'*osso buco* et son *risotto* à la milanaise est un classique de la cuisine de Lombardie. Dans cette région du nord de l'Italie, ce mets consistant se savoure à toute occasion. Signifiant littéralement "os à trou", l'*osso buco* désigne les rouelles de jarret de veau. Mijotées longuement en compagnie du vin blanc, ces dernières se révèlent extrêmement savoureuses. Dans cette préparation, notre chef a apporté sa petite touche personnelle en les enrichissant de filets d'anchois et zestes de citron.
Très prisé des gourmets, le jarret est la pièce située juste derrière l'articulation du genou. Optez pour du veau de première qualité, à la chair d'un blanc rosé. Demandez à votre boucher de vous découper des rouelles de deux centimètres et demi d'épaisseur.

Contrairement aux autres régions d'Italie, la gastronomie lombarde accorde au riz une place prépondérante, reléguant ainsi la *pasta* au second plan ! On recense environ huit mille variétés de cette céréale regroupées d'après la longueur des grains : courts, longs, moyens ou longs.

Poussant à l'état sec sur des terrains sableux, le riz était déjà cultivé en Chine, 3000 ans avant l'ère chrétienne. Diffusé, selon la légende, en Europe par les voyageurs Arabes, il fut tout d'abord introduit en Sicile. Mais il fallut attendre le XIXe siècle, pour que sa production se fasse à grande échelle dans la vallée du Pô.

Typiquement milanais, le *risotto* au safran prend parfois dans cette ville l'appellation de *risotto giallo*, jaune. Généreusement liée au beurre et parmesan, cette spécialité est aujourd'hui connue internationalement.

Essentiellement cultivé depuis des siècles dans la province de L'Aquila, région des Abruzzes, le safran est extrait des filaments des fleurs de crocus mauves. D'après une annecdote, la capitale lombarde aurait découvert cette précieuse épice vers le XIIIe siècle, grâce au pape Célestin IV. Durant son pontificat, ce Milanais utilisait sans compter ce "pollen" pour parfumer l'eau de son bain !

Farinez les rouelles de veau. Dans un poêlon, faites-les dorer, 10 min, avec 3 c. à s. d'huile de tournesol.

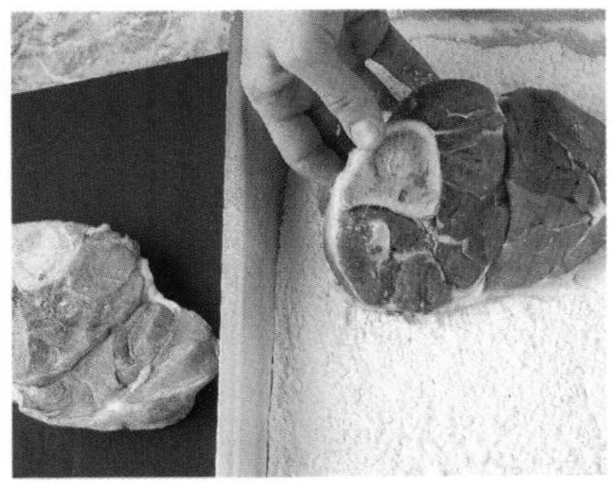

Versez 12 cl de vin blanc. Faites cuire, environ 1 h 30. Préparez des zestes des citrons et pressez ensuite le jus.

Pour le risotto, épluchez et hachez l'oignon. Faites-le revenir avec 3 c. à s. d'huile d'ol. ve. Versez le riz. Faites-le dorer, 2 min. Versez petit à petit 75 cl de bouillon de volaille. Faites cuire, environ 16 min.

isotto à la milanaise

SERGIO
PAIS

Cuisson : 1 h 50

aupoudrez le riz de poudre de safran. Salez, oivrez. Faites cuire, 2 min.

Ajoutez le parmesan. Mélangez à l'aide d'une spatule en bois. Déposez le beurre. Melangez.

Dans l'osso bucco, déposez les zestes de citrons. Versez le jus des agrumes. Posez les anchois et le beurre. Salez, poivrez. Faites cuire 10 min. Ajoutez le persil haché. Dressez l'osso bucco et le risotto dans l'assiette. Décorez avec les pistils de safran.

BIANCAROSA ZECCHIN

Paper

4 personnes ★★ **Préparation : 30 min**

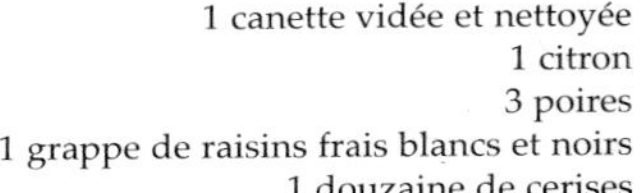

1 canette vidée et nettoyée
1 citron
3 poires
1 grappe de raisins frais blancs et noirs
1 douzaine de cerises

1 cuillère à soupe d'huile d'olive vierge extra
40 g de beurre
2 cuillères à soupe de sucre
20 cl de vin blanc sec
Sel

Comme un rappel des superbes tableaux anciens représentant des canards au milieu d'une abondance de fruits, Biancarosa Zecchin remet au goût du jour un succulent plat du XVIIe siècle. Passionné d'histoire de la cuisine, son époux Giorgio Borin a trouvé la recette du *papero* aux fruits dans le traité de cuisine d'un gastronome padouan, Mattia Gieger, publié en 1639.

Pour réaliser ce plat, notre chef vous conseille de privilégier une canette. Sa chair fine et tendre, longuement cuite en compagnie des fruits se révèlera particulièrement fondante. Avant toute préparation, pensez à éliminer les petites plumes restantes, en passant le volatile au chalumeau ou sur la flamme du gaz. Cette recette d'été peut également être réalisée avec de l'oie.

La garniture intérieure de la canette se composera de poires, de citron, et de cerises ou raisins selon la saison (le mélange de tous ces ingrédients est également exquis).

De délicieux raisins mûrissent dans le village de notre chef, à Arquà Petrarca. Son restaurant est implanté dans la zone de production viticole du Colli Euganei, excellent vin blanc sec à base de cépage cabernet, idéal pour déglacer la viande en cours de cuisson.

Lorsque la canette aura cuit pendant deux heures, vous sortirez les fruits et les passerez au moulin à légumes : ce qui permettra de retenir les pépins et les peaux subsistantes. La compote obtenue sera servie comme accompagnement. Pour raffiner encore la recette, vous pouvez également mélanger cette dernière avec un filet de jus de cuisson du canard. Émulsionnez le tout au mixeur plongeant, et vous obtiendrez ainsi une fameuse sauce bien nappante. Il ne vous reste plus qu'à associer à tous ces délices, des fruits réservés confits dans un mélange de beurre et de sucre.

Salez l'intérieur de la canette. Épluchez 2 poires et coupez-les en quartiers. Pelez le citron à vif. Rincez et égrappez les raisins.

Remplissez l'intérieur de la canette avec les poires, le citron coupé en 2 et les raisins. Déposez-la dans une cocotte huilée. Faites cuire au four à 240°C pendant 1 h.

Au bout de ce temps, déglacez la canet avec un verre de vin blanc. Remettez a four pendant encore 1 h.

ux fruits

BIANCAROSA
ZECCHIN

Cuisson : 2 h 10

orsque la canette est bien tendre et toute orée, enlevez-la du four. Avec une cuillère, ortez les fruits et déposez-les dans une ssiette.

Versez ces fruits dans un moulin à légumes, et moulinez jusqu'à obtention d'une compote. Réservez-la. Épluchez une poire et coupez-la en fines tranches. Rincez et équeutez les cerises.

Dans une poêle, faites dorer la poire dans du beurre chaud. Faites dorer les cerises au beurre dans une autre poêle. Saupoudrez-les de sucre et laissez confire. Servez la canette tranchée, avec la compote et les fruits poêlés.

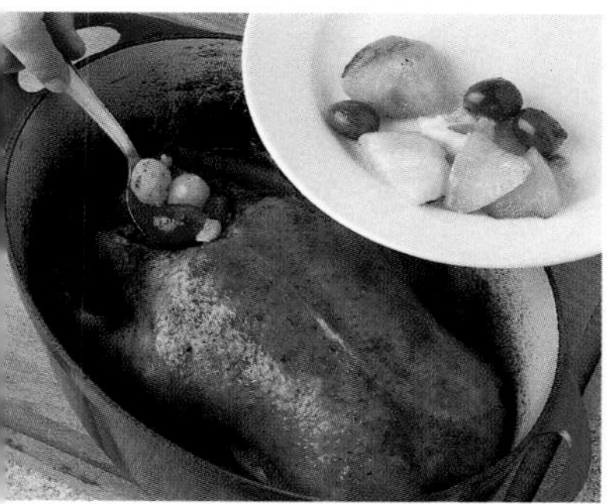

FRANCESCA
DE GIOVANNINI

Perdrix all'asiaghes

4 personnes ★★ **Préparation : 50 min**

2 perdrix rouges
10 feuilles de sauge
3 cl de vin blanc
150 g de petits oignons blancs
150 g de châtaignes mondées
150 g de cèpes
20 g de beurre
1/2 bottillon de persil
1 cuillère à soupe de sucre semoule
3 cl de vinaigre blanc de vin

4 cuillères à soupe d'huile végétale
Sel
Poivre

Polenta :
200 g de farine de maïs épaisse
Gros sel

Décoration :
Feuilles de sauge

Dans la région montagneuse de Vicenta, où la chasse demeure une activité majeure, les préparations à base de gibier sont légions. Lorsque l'hiver arrive, les habitants d'Asiaghese aiment à se retrouver autour de la table et savourer la cuisine du terroir.

Très prisée des amateurs, pour la consistance de sa chair, la perdrix rouge possède une saveur proche du poulet. Dans cette préparation typique, elle est rôtie, puis arrosée de vin blanc. Selon le marché, vous pouvez également utiliser des cailles.

Francesca De Giovannini a souhaité enrichir de saveurs forestières ce plat traditionnel. À l'image de ses compatriotes, elle estime particulièrement les champignons. Les cèpes, appelés en italien *porcini*, recueillent tous les suffrages. Recherchés pour leur délicatesse, ils se marient idéalement aux viandes ou volailles et participent à l'élaboration de nombreuses sauces. Dans cette préparation, ils s'harmonisent idéalement aux petits oignons frais et aux châtaignes.

Caractéristiques des paysages de l'Europe méridionale, les châtaigniers abondent sur les sols granitiques. Ces arbres centenaires donnent des fruits jusqu'à l'âge de cinquante ans.

Si vous souhaitez réaliser cette recette avec des châtaignes fraîches, incisez les écorces en forme de croix. Plongez-les ensuite avec quelques feuilles de laurier, dans l'eau bouillante salée afin de les peler.

En Vénétie, il ne saurait être question de déguster un plat de chasseurs sans l'accompagner de la très célèbre *polenta*. Omniprésente dans la gastronomie locale, cette spécialité à base de farine de maïs, a valu aux habitants de cette région le surnom de *polentoni* ! Ces derniers l'apprécient chaude, froide, grillée ou en bouillie et l'apprêtent de mille et une façons. Les puristes la préparent encore au feu de bois dans une marmite creuse en cuivre avec un fond incurvé !

Pour la polenta, faites chauffer 50 cl d'eau avec du gros sel. À ébullition, versez la farine de maïs. Remuez avec un fouet. Faites cuire, environ 40 min.

Préparez les perdrix en incisant de chaque côté du coffre et en suivant l'os de la poitrine pour dégager les suprêmes. Détachez les cuisses. Faites cuire à la vapeur les châtaignes ainsi que les petits oignons blancs, environ 10 min.

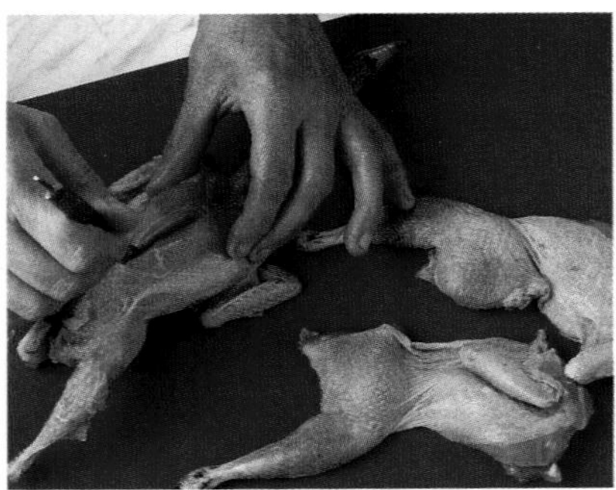

Dans un plat allant au four, dispose les perdrix. Salez, poivrez. Versez 2 c. à d'huile végétale. Posez les feuilles de saug Faites cuire, 10 min, à 200°C. Arrosez a vin blanc. Faites cuire, à 200°C, enviro 10 min.

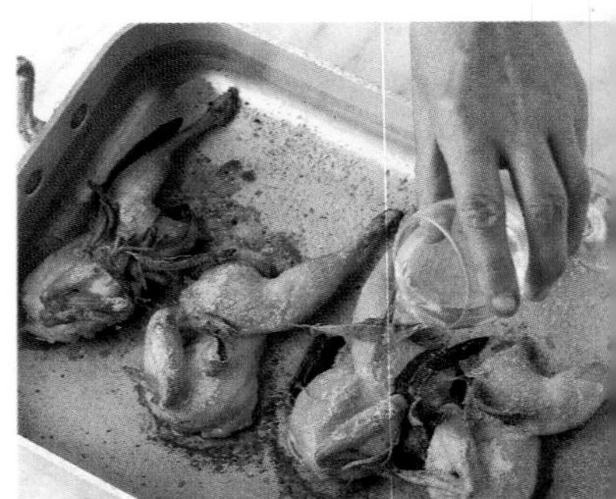

polenta

FRANCESCA
DE GIOVANNINI

Cuisson : 40 min

ans une poêle, versez 1 c. à s. d'huile végé-le. Disposez les cèpes coupés. Faites-les ssoler, environ 3 min.

Préparez un caramel en faisant cuire dans une poêle, 1 c. à s. d'huile végétale, le beurre et le sucre. Mélangez à l'aide d'une spatule en bois.

Disposez dans le caramel, les châtaignes, cèpes et oignons. Faites revenir 1 min. Versez le vinaigre. Mélangez. Saupoudrez de persil haché. Dressez les perdrix, avec les légumes et la polenta. Décorez avec la sauge.

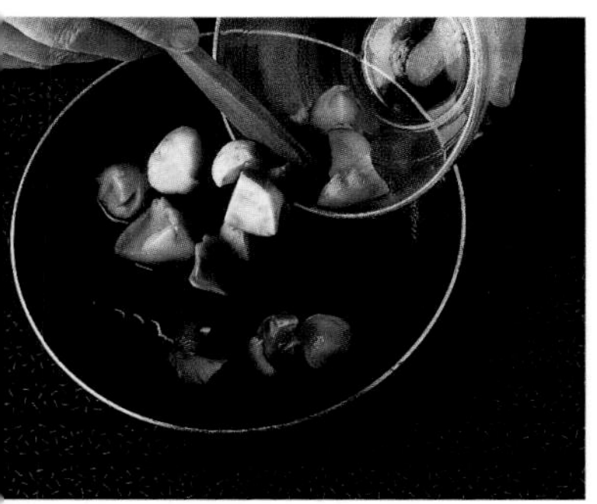

SAURO BRUNICARDI

Pigeons en casserol

4 personnes ★★ **Préparation : 30 min**

4 pigeons de 400 g chacun et vidés
20 cl de vin santo
20 cl de marsala sec
10 cl de fond brun
300 g d'épinards frais
10 g de raisins secs blonds

1 cuillère à soupe de pignons de pin
20 cl d'huile d'olive vierge extra
Sel
Poivre

Inspirés d'une recette traditionnelle, les pigeons en casserole cuits dans une sauce brune au vin moelleux figurent parmi les plats vedettes du restaurant *La Mora*, à Ponte a Moriano. Sauro Brunicardi, assisté de Paolo Indragoli, leur associent des épinards à la saveur aigrelette, agrémentés de pignons de pin et raisins secs aigre-doux.

Le désossage des pigeons étant plutôt délicat, les moins expérimentés auront intérêt à solliciter l'aide du volailler. Même si notre chef marque une nette préférence pour ce volatile, la recette peut également être réalisée à base de cailles ou de perdrix.

Les pigeons seront délicieusement déglacés au marsala et au vin santo. De couleur jaune paille, ce dernier révèle une saveur douce et une légère odeur de pomme. Parmi les appellations, toutes produites en Toscane, notre chef vous recommande le "vin santo de Montecarlo". Élaboré à partir de raisins séchés avant pressage, il peut vieillir sept ans, atteignant alors une robe ambrée et des saveurs de fruits confits.

Le marsala quant à lui provient de la région de Trapani, au nord-ouest de la Sicile. Jusqu'à la fin du XVIIIe siècle, ce vin de couleur rouge sombre était inconnu en dehors de la Sicile. C'est un Anglais, John Woodhouse, naufragé dans cette île en 1770, qui en favorisa la production à grande échelle et le commercialisa à travers le monde. Les meilleurs marsala reposent généralement une dizaine d'années en fûts avant d'être dégustés.

Légère et colorée, la garniture des pigeons se compose essentiellement de feuilles d'épinards. Vous pouvez les remplacer par des blettes, mais leur goût assez neutre n'offrira pas le même contraste de saveurs. Notre chef va délicieusement les garnir de raisins et de pignons toscans, qu'il aime intégrer dans de nombreuses recettes.

Préparez d'abord les pigeons : tranchez-les par le ventre, dans la longueur de la pointe de l'estomac jusqu'aux ailes. Désossez-les, puis aplatissez-les énergiquement.

Faites chauffer 15 cl d'huile d'olive dans un sautoir, ajoutez les pigeons et laissez-les dorer pendant une vingtaine de minutes (retournez-les en cours de cuisson).

Déglacez les pigeons avec le marsala et l vin santo. Faites évaporer env. 5 min su feu vif.

açon Brunicardi

SAURO BRUNICARDI

Cuisson : 50 min

Mouillez ensuite avec le fond brun. Laissez cuire encore 10 à 15 min.

Portez à ébullition une casserole remplie d'eau salée. Plongez les feuilles d'épinards dedans et laissez-les cuire quelques minutes. Puis égouttez-les.

Dans une poêle, faites revenir ensemble 5 min à l'huile chaude les épinards, les raisins secs réhydratés et les pignons salés et poivrés. Disposez les pigeons dans un plat, entourez d'épinards et nappez de sauce de cuisson.

PAOLO
ZOPPOLATTI

Pistùm de cochon

4 personnes ★ **Préparation : 20 min**

1 kg de brovada (navets marinés)
1 gousse d'ail
2 feuilles de laurier
150 g de gorge de porc
50 g de pancetta salée
1 pincée de muscade râpée
1 pincée de cannelle moulue
1/2 branche de romarin frais

1 cuillère à soupe de vin blanc
2 cl d'huile d'olive vierge extra
Sel
Poivre

Décoration :
Laurier
Romarin

Le *pistùm* de cochon tirerait son nom du verbe italien *pestare*, qui signifie "écraser". Fiers de ce mets traditionnel étonnant, les gourmets du Frioul le proposent généralement comme second plat chaud, sur un lit de navets marinés. Paolo Zoppolatti le divise aussi parfois en toutes petites portions, et le sert en guise d'entrée apéritive.

La garniture de viande consiste en un mélange subtil de gorge de porc fraîche, de *pancetta*, muscade, cannelle, ail, sel et poivre longuement revenus et écrasés dans la poêle. La *pancetta* figure parmi les charcuteries italiennes les plus connues : elle se compose de poitrine de porc salée ou épicée, puis séchée ou fumée. La forme varie également : plate ou roulée comme un gros saucisson. Nous utiliserons dans cette recette de la *pancetta* salée. La gorge de porc quant à elle, est surtout employée hachée pour la confection de pâtés et de terrines. Vous pouvez aussi les remplacer par des saucisses, qui seront cuites de la même manière.

Localement appelés *brovada,* les navets marinés constituent une garniture des plus originales. Ce légume classé parmi les plantes crucifères, au même titre que le chou ou le cresson, est surtout cultivé pour sa racine savoureuse. Pour préparer la *brovada,* les Frioulans mettent en œuvre une variété grosse et allongée, de couleur blanche. Ils les mélangent avec des rafles de raisins récupérées après le pressage des grappes. Les navets séjournent 40 jours dans cette marinade appelée *vinaccia.* Au fil de la macération, ils perdent du volume, se teintent d'une légère couleur rosée et acquièrent une saveur vinaigrée.

Les navets marinés doivent toujours être épluchés avant utilisation, et nécessitent d'être cuits pendant 2 heures à l'eau salée additionnée de laurier. Il n'est pas nécessaire de les faire revenir à l'huile d'olive ou au beurre, car la garniture au porc est suffisamment grasse.

Dans une terrine, râpez les navets marinés à l'aide d'une râpe à légumes à gros trous.

Disposez dans une casserole les navets râpés, les feuilles de laurier et du sel. Couvrez d'eau et faites cuire 2 h.

Pendant ce temps, hachez au couteau la gorge de porc et la pancetta.

t brovada

PAOLO
ZOPPOLATTI

Cuisson : 2 h 10

'ans une terrine, mélangez les viandes ıachées. Ajoutez une pincée de cannelle, un ɛu de muscade râpée, quelques feuilles de ›marin et l'ail haché, sel et poivre. lélangez.

Arrosez la préparation avec du vin blanc et mélangez de nouveau.

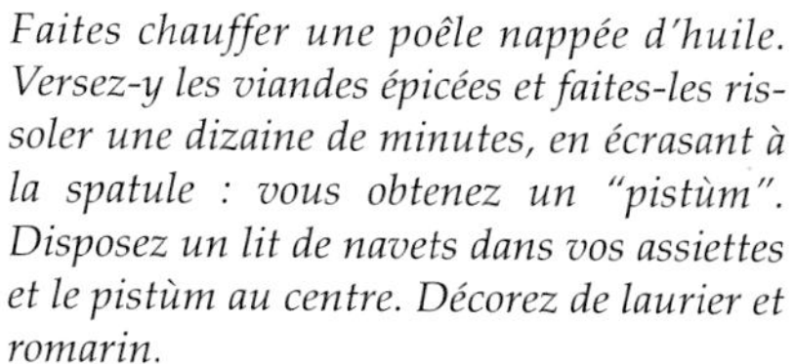

Faites chauffer une poêle nappée d'huile. Versez-y les viandes épicées et faites-les rissoler une dizaine de minutes, en écrasant à la spatule : vous obtenez un "pistùm". Disposez un lit de navets dans vos assiettes et le pistùm au centre. Décorez de laurier et romarin.

ALFONSO
CAPUTO

Poulet de Limonet

4 personnes ★★ **Préparation : 1 h**

1,5 kg de poulet vidé et bridé
80 g de beurre
10 cl d'huile d'olive vierge extra
80 cl de vin rouge
Sel
Poivre

Sauce :
50 cl de vin rouge
50 g de beurre

Salade :
2 carottes
200 g de chou-fleur
1 poivron rouge
1 tige de céleri
50 g d'olives noires et vertes
4 filets d'anchois salés
1 filet de vinaigre
1 filet d'huile d'olive vierge extra
Sel

Dans son restaurant de la presqu'île de Sorrente, Alfonso Caputo propose couramment une étonnante recette de son invention : le poulet de Limoneto Massese. La volaille mijote dans une sauce au vin et au beurre. Il l'accompagne de légumes cuits séparément pour conserver leur couleur, leur saveur spécifique et leur croquant. Il réussit également dans ce plat une alliance terre-mer en associant à la viande et aux légumes, la saveur des anchois.

Alfonso Caputo emploie généralement un excellent poulet fermier provenant d'un petit producteur établi à Limoneto Massese, tout près de chez lui. Pour plus de praticité, choisissez une volaille vidée et nettoyée. Avant de la mettre en cuisson, prenez la précaution de brûler les petites plumes restantes à l'aide d'un chalumeau ou en le passant sur la flamme du gaz.

Vous ferez d'abord colorer le poulet, puis le napperez de vin et de beurre ; laissez-le mijoter une quarantaine de minutes. Alfonso Caputo vous conseille de choisir un vin *piedirosso*, un peu tanique mais léger et de bonne qualité, qui provient du sud de l'Italie. Lorsque vous le ferez réduire, l'action du sucre et des tanins permettra d'obtenir une sauce sirupeuse.

Riche en saveurs et en couleurs, la salade d'accompagnement va notamment mêler poivron, chou-fleur, carottes et céleri en branche. Tous seront cuits individuellement, 5 minutes chacun dans la même eau. Dès qu'un légume est tendre à point, retirez-le de l'eau à l'aide d'une écumoire et ajoutez le suivant. Le liquide est additionné de vinaigre blanc, pour conserver la couleur claire des ingrédients. Cette précaution est surtout importante pour le chou-fleur, qui aurait tendance à devenir grisâtre.

Dans vos assiettes, n'hésitez pas à vous lancer dans une présentation gastronomique. Disposez la salade à l'aide d'un petit cercle, puis les anchois, le poulet, et décorez-le artistiquement de filets de sauce au vin.

Faites chauffer 10 cl d'huile dans un grand sautoir en cuivre. Ajoutez le poulet dans l'huile chaude. Salez, poivrez et faites-le dorer 10 min, en le retournant plusieurs fois.

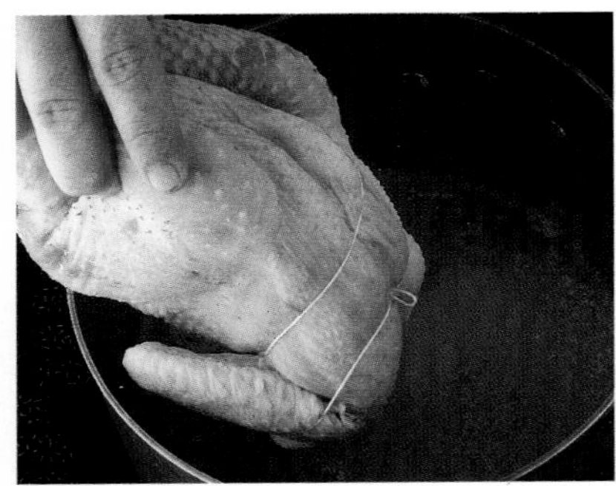

Ajoutez le vin rouge et le beurre sur le poulet. Couvrez et faites cuire 40 min.

Coupez les carottes pelées en petits cube et les bouquets de chou-fleur en quartiers Ouvrez le poivron en 2, enlevez côtes e pépins. Hachez le céleri. Blanchissez chacu 5 min à l'eau vinaigrée et salée. Rafraîchis sez-les ensuite dans de l'eau glacée.

Massese et sa salade

ALFONSO CAPUTO

Cuisson : 1 h 20

gouttez les légumes et réunissez-les dans ne grande terrine. Ajoutez les olives ertes et noires et les anchois. Salez et nap-ez d'un filet d'huile.

Pour la sauce, faites réduire le vin des 2/3, à feu vif dans une petite casserole. Additionnez de beurre. Finissez de cuire durant 5 min, en mélangeant.

Posez le poulet cuit sur le dos, et tranchez les cuisses et filets. Enlevez peau, os, détaillez la chair en morceaux réguliers. Disposez les légumes sur assiettes avec un cercle et décorez d'anchois roulés. Installez les morceaux de poulet et nappez de sauce au vin.

FRANCESCA
DE GIOVANNINI

Roulé de lapin e

4 personnes ★ **Préparation : 45 min**

2 râbles de lapin
2 filets d'agneau
1 crépinette de porc
20 g de thym frais
3 cl de vin blanc
2 pommes de terre
2 courgettes
2 carottes
1 litre d'huile végétale de friture

2 cuillères à soupe d'huile végétale
Sel
Poivre

Bouillon facultatif :
1 branche de céleri
1 carotte
1 oignon
1 cube de bouillon

Le roulé de lapin et agneau en crépinette est une création de notre chef. Très harmonieux, ce mets, aux multiples saveurs, illustre avec *brio* la gastronomie de Vénétie. Utilisant des ingrédients du terroir, ce plat consistant séduira les gourmets.

Très apprécié des Italiens, le lapin possède une chair dense, un peu grasse qui absorbe merveilleusement le jus de cuisson. Préférez-le court et ramassé, le râble bien rebondi, le foie pâle et sans taches. En période de chasse, optez pour un lapin de garenne, au goût délicieux.

Appelée *radeselo*, en dialecte local, la crépine est une fine membrane veinée de gras qui entoure les intestins du porc. Avant de l'utiliser, faites-la tremper dans de l'eau. Cette opération permettra de l'assouplir. Employée aussi en charcuterie, elle sert à envelopper la chair à saucisse.

Dans cette création de haut vol, le thym dévoile toute sa puissance. Cette plante aromatique, originaire des régions méditerranéennes, est très usitée dans la cuisine italienne. Frais ou séché, il résiste bien à la cuisson. Ses petites feuilles à faible teneur en eau permettent de le conserver longtemps.

La présence des légumes offre de la couleur à ce plat. Réputées pour leur teneur en vitamine A, les carottes sont cultivées pour leur racine rouge-orangé. Originaires du Moyen-Orient et d'Asie centrale, elles s'apprêtent en entrée ou ragoût. Choisissez de préférence des carottes nouvelles, très dures avec les fanes vertes et fraîches.

Quant aux pommes de terre, nous vous conseillons après les avoir râpées, de les plonger dans de l'eau froide. Cette astuce évite qu'elles ne noircissent. Selon la légende, les habitants du Trentin, en Italie, furent les premiers Européens à adopter, au XVIIe siècle, ces légumes venus d'Amérique !

Judicieusement pensé, le roulé de lapin et agneau en crépinette mérite vraiment d'être découvert.

Préparez les râbles de lapins en les incisant délicatement. Séparez-les. Dans une marmite remplie d'eau, disposez le cube de bouillon, la carotte, l'oignon et le céleri. Faites cuire, environ 20 min. Filtrez et réservez.

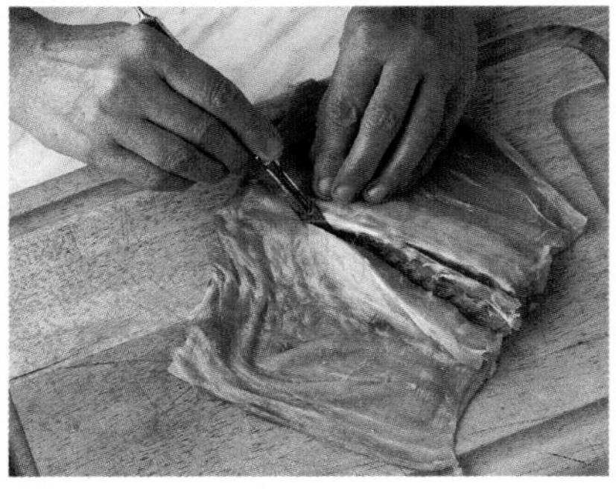

Effeuillez le thym frais. Salez généreusement les râbles de lapin. Saupoudrez ces derniers de thym.

Découpez les filets d'agneau dans le sens d la longueur. Disposez ce dernier sur la chai du lapin. Enroulez la viande sur elle-même

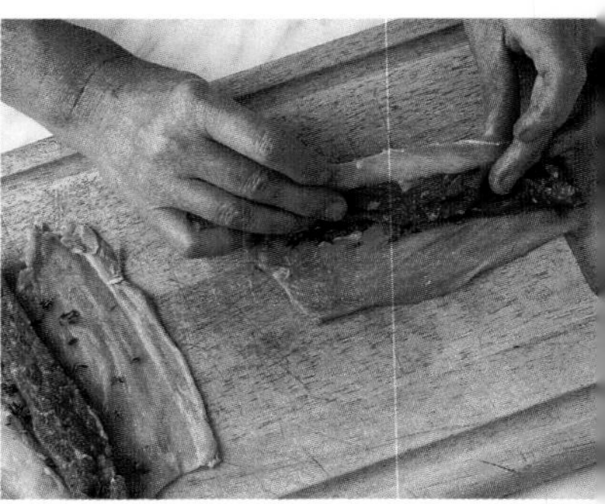

gneau en crépinette

FRANCESCA
DE GIOVANNINI

Cuisson : 20 min

)écoupez la crépinette en 4 parties égales. nveloppez de cette dernière le lapin. Salez plat allant au four. Versez l'huile végéta-. Posez les rouleaux de viande. Salez, poi-rez. Faites cuire, environ, 15 min, à 200°C. rrosez de bouillon si nécessaire.

Épluchez les carottes et les pommes de terre. Lavez les courgettes. À l'aide d'une mandoline, râpez les légumes en très fins bâtonnets. Plongez-les 10 min dans de l'eau glacée. Égouttez. Faites-les frire dans l'huile végétale de friture.

Versez le vin blanc sur le lapin. Faites cuire 5 min, à 200°C. Découpez les rouleaux en médaillons. Dressez-les dans l'assiette avec les légumes frits. Arrosez avec le jus de cuisson.

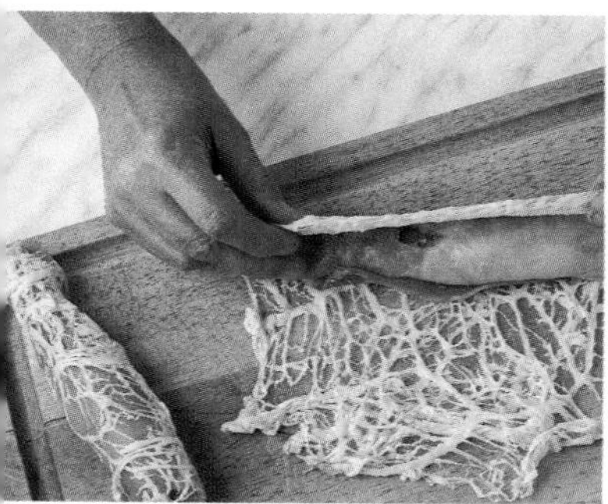

ALBERTO
MELAGRANA

Suprêmes de pigeo

4 personnes ★★ **Préparation : 50 min**

2 pigeons de 500 g pièce
3 gousses d'ail
200 g de pommes de terre
100 g de beurre
5 cl de lait (facultatif)
50 g de truffe noire
7 cl d'huile d'olive
Sel
Poivre

Fond de volaille :
Carcasses des pigeons
1 branche de romarin
1 carotte
3 échalotes
1 cuillère à soupe de farine (facultatif)
15 cl de vin blanc
1 cuillère à soupe d'huile d'olive

Décoration (facultative) :
Grains de grenade

Autrefois, dans la région des Marches, lors des retrouvailles familiales, les hôtes s'attablaient autour d'un pigeon farci aux pommes de terre. Dans ce mets de fête, la volaille était garnie de foie, viande de porc, poulet, truffe et aromatisée de cannelle.

Amoureux des produits de son terroir, notre chef a revisité ce plat traditionnel assez consistant. Succulents, les suprêmes de pigeon façon Melagrana témoignent du raffinement de la cuisine italienne. Dévoilant des saveurs d'une finesse incomparable, cette adaptation, facile à réaliser, séduira vos convives.

Apprécié des amateurs pour sa chair subtile et délicate, le pigeon fermier est un mets de luxe. Présent sur les étals, du printemps à la fin de l'été, ce dernier laisse sa place le restant de l'année à celui d'élevage.

Pour cette recette, vous devez lever les suprêmes. Si vous éprouvez des difficultés pour découper les cuisses et le coffre, demandez à votre volailler de le faire. Cependant, n'oubliez pas de conserver les ailerons et la carcasse pour la confection du "fond". Si les abattis sont un peu gras, ajoutez un peu de farine.

Quant à la truffe, elle est considérée en Italie et en particulier dans les Marches, comme un "diamant" de la gastronomie. Intarissable sur les différentes variétés de ce champignon souterrain, notre chef vous recommande d'utiliser la noire pour la confection de la sauce. Elle doit être bien ronde et d'un seul bloc. Avant de l'employer, débarassez-la des petits morceaux de terre résiduels en la brossant délicatement. Faites-la ensuite tremper quelques minutes dans de l'eau tiède. Nous vous conseillons également de la cuire à feu très doux, avec une huile d'olive extra-vierge. Cette précaution évitera de dénaturer son goût unique.

Pour décorer ce mets de haut vol, Alberto Melagrana ne pouvait que choisir le fruit qui porte son nom en italien, la grenade !

Préparez les pigeons en enlevant les cuisses. Coupez les ailerons et découpez de chaque côté du coffre en suivant l'os de la poitrine pour dégager les suprêmes. Cassez la carcasse et réservez-la.

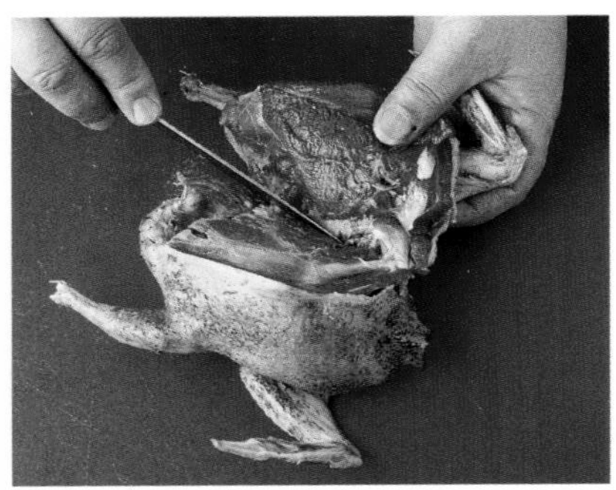

Préparez le fond en faisant revenir la carcasse avec 1 c. à s. d'huile d'olive et la farine. Ajoutez les échalotes, la carotte, le romarin et l'ail. Versez la moitié du vin blanc. À évaporation, versez le restant de vin. Recouvrez d'eau à moitié. Faites cuire 40 min.

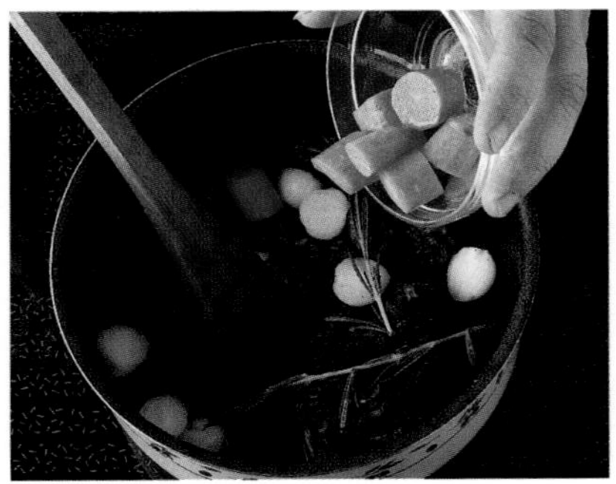

Épluchez les pommes de terre. Coupez-le en fines tranches. Faites-les cuire dans l'eau bouillante entre 15 et 20 min. Écra sez-les avec le dos d'une fourchette. Verse dessus 2 c. à s. de fond filtré. Salez, poivre.

açon Melagrana

ALBERTO
MELAGRANA

Cuisson : 50 min

aites chauffer dans une poêle 5 cl d'huile 'olive. Déposez les pommes de terre écra-es. Faites dorer légèrement.

Faites chauffer le restant d'huile d'olive. Déposez les suprêmes et faites-les dorer. Mettez-les au four, à 170°C, 3 min. Escalopez-les.

Dans une casserole, faites chauffer le restant de fond de volaille avec la truffe coupée en fines lamelles. Salez, poivrez. Hors du feu, ajoutez le beurre. Montez au fouet. Dressez les suprêmes avec les pommes de terre et la sauce. Décorez avec la grenade.

BIANCAROSA ZECCHIN

Torresan

4 personnes ★★ **Préparation : 40 min**

4 petits pigeons vidés et nettoyés
1 oignon
1 tige de céleri
8 tranches de pancetta salée
2 ou 3 carottes
1 branchette de romarin
2 gousses d'ail
1 clou de girofle
2 feuilles de laurier
20 cl de vin blanc
1 filet d'huile d'olive
Sel
Poivre

Farce :
150 g de porc haché
1/2 gousse d'ail
2 branches de persil
1 œuf
1 cuillère à soupe de parmesan râpé

Décoration facultative :
Raisins secs
Amandes

Au Moyen Âge, les seigneurs de la région de Padoue élevaient dans les tours de leurs châteaux quantité de pigeons. En cas de siège, ceux-ci constituaient une excellente réserve alimentaire pour les soldats. Survolant les ennemis pour aller se nourrir au loin ou porter des messages, ils présentaient l'avantage de toujours revenir vers leur nid d'origine. De ces tours ou *torre* dérive leur appellation locale de *torresani*. En italien classique, on les désigne en revanche sous le nom de *piccione*.

Les *torresani* farcis constituent l'une des plus succulentes spécialités de Biancarosa Zecchin, qui officie dans les environs de Padoue. Délicieusement garnis d'une farce au porc parfumée à l'ail, persil et parmesan, ils sont bardés de *pancetta* puis braisés dans une garniture aromatique. Vous choisirez de préférence de jeunes pigeons, à chair tendre qui nécessite une cuisson plus courte.

Associé à l'œuf et au porc, le parmesan ou *parmigiano reggiano* contribuera à lier la farce. Essentiellement fabriqué en Émilie-Romagne selon des normes très strites, ce fromage fait la réputation de Parme depuis le Moyen Âge. La durée d'affinage des meules s'étend de 18 à 36 mois.

Après avoir rempli les pigeons de farce, entourez-les de deux tranches de *pancetta*. En cuisant, celle-ci apportera sa saveur et surtout son gras à la viande, l'empêchant ainsi de dessécher. En Italie, cette poitrine de porc revêt de multiples formes : plate ou roulée, elle est proposée en version salée, séchée ou fumée.

Pour accompagner vos pigeons farcis, Biancarosa Zecchin vous suggère des tranches de *polenta*. Faites cuire de la farine de maïs avec de l'eau et du sel, en tournant jusqu'à obtention d'une pâte épaisse, puis laissez-la refroidir en terrine. Vous pourrez ensuite la démouler et la détailler facilement. Pour parfaire la présentation, les *torresani* pourront être parsemés de raisins, de noix ou agrémentés de romarin.

Préparez la farce : mélangez porc haché, ail, persil ciselé, œuf et parmesan râpé. Pétrissez bien jusqu'à obtention d'une farce homogène.

Remplissez chaque pigeon avec un quart de la farce.

Entourez les pigeons avec 2 tranches d pancetta, que vous fixez avec une ficelle c cuisine.

arcis

BIANCAROSA
ZECCHIN

Cuisson : 1 h 05

ıns un plat à four, disposez rondelles de rottes, quartiers d'oignon, tronçons de leri, ail, pigeons farcis, romarin, girofle, ırier, sel, poivre, huile d'olive et vin ınc. Faites cuire 1 h à four assez doux.

Sortez les pigeons du four, enlevez les ficelles et les tranches de pancetta. Hachez finement ces dernières.

Passez la sauce et la garniture du pigeon au moulin à légumes posé sur une casserole. Ajoutez la pancetta hachée dans la sauce obtenue. Réchauffez 5 min. Servez les pigeons sur un lit de sauce.

Desserts Pâtisseries

ALFONSO
CAPUTO

Aubergines farcies d

4 personnes ★★ **Préparation : 40 min**

Aubergines confites :
4 aubergines
300 g de sucre
1 gousse de vanille
1 citron
1 bâton de cannelle

Farce :
300 g de ricotta
300 g de sucre
1 orange
1 citron

Sauce :
100 g de chocolat fondant (à 70% de cacao)
10 cl de crème fraîche liquide

Très étonnantes et fondantes à souhait, les aubergines que nous vous proposons sont confites au sucre et garnies de *ricotta* parfumée au citron et à l'orange. Enroulées en paupiettes, elles sont accompagnées de sauce au chocolat. Cette recette fait le bonheur des clients d'Alfonso Caputo depuis une vingtaine d'années.

Empruntée à la cuisine du Maghreb, l'habitude de confire les aubergines s'est implantée il y a longtemps dans le Sud de l'Italie. Autrefois, les cuisiniers les faisaient confire à l'huile et les garnissaient d'un fromage assez dur. Ils les saupoudraient de cacao amer et même parfois, de sang de porc séché. La présentation se faisait par couches. Alfonso Caputo a transformé la recette de manière très inventive : il a changé le fromage, substitué le sirop de sucre à l'huile, et enroulé les légumes en petits *involtini* (paupiettes). Il a cependant conservé l'idée de l'amertume : la sauce contient du chocolat à 70% de cacao.

Très simple, la préparation préalable des aubergines consiste à les équeuter, puis à les couper en deux dans la longueur. Comme elles vont macérer durant 24 heures dans un sirop, déposez-les dans une casserole en inox ou en fonte émaillée, mais surtout pas en aluminium : ce dernier dégagerait des substances nocives pour la santé, et modifierait la couleur de la peau des légumes.

La farce qui garnira les aubergines se compose essentiellement de *ricotta*. Ce fromage frais italien est préparé avec du petit-lait de vache, de brebis ou de chèvre. Nous vous conseillons de commencer par bien l'écraser, afin d'éliminer les éventuels grumeaux. Ajoutez sucre et zestes d'agrumes, puis travaillez la farce à la spatule, ou dans un robot-mélangeur, à vitesse lente pour que le fromage ne se dissocie pas. Dans ce cas, les Italiens disent que "la ricotta devient folle".

Coupez la queue des aubergines. Tranchez-les en 2 dans la longueur.

Dans une casserole, portez à ébullition 60 cl d'eau avec le sucre, 1 bâton de cannelle, 1 gousse de vanille et l'écorce d'1 citron. Plongez les 1/2 aubergines dans ce sirop. Remontez en ébullition. Faites cuire 10 min. Puis laissez refroidir et macérer 24 h.

Le lendemain, préparez la farce : mélange ricotta, sucre, zestes de citron et d'orange travaillez bien le tout jusqu'à ce que mélange soit homogène.

icotta, sauce chocolat

ALFONSO
CAPUTO

Cuisson : 15 min **Macération des aubergines : 24 h** **Réfrigération des paupiettes : 1 h**

;gouttez les aubergines confites sur du apier absorbant. Posez-les sur une lanche. Videz le centre à l'aide d'une uillère à soupe.

À la cuillère, remplissez les peaux d'aubergines avec la farce à la ricotta. Enroulez le tout comme des paupiettes. Laissez reposer 1 h au réfrigérateur.

Brisez le chocolat et faites-le fondre en terrine, au bain-marie. Incorporez la crème froide et mélangez pour obtenir une ganache. Détaillez les paupiettes en médaillons. Déposez-les sur un lit de sauce chocolat, décorez de zestes de citron.

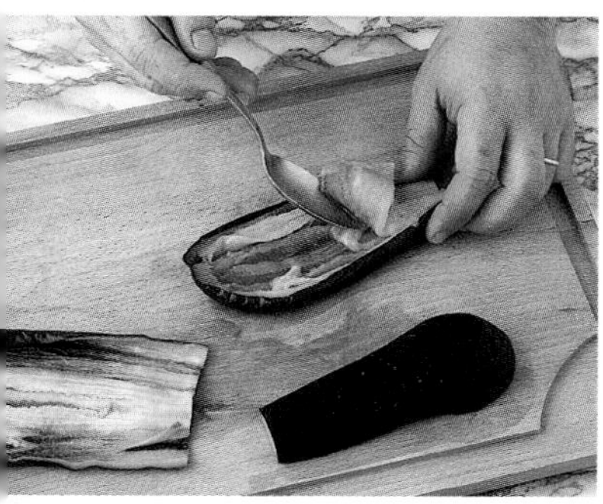

SAURO BRUNICARDI

Bavarois au miel

4 personnes ★ **Préparation : 20 min**

Bavarois au miel :
2 œufs
150 g de miel d'acacia
3 g de gélatine
50 g de pignons de pin
25 cl de crème fraîche liquide

Coulis de myrtilles :
200 g de myrtilles
30 g de sucre

Très léger à déguster à la fin d'un copieux repas, le bavarois ou *bavarese*, en italien, était fort apprécié à l'origine dans le nord de l'Italie. Sauro Brunicardi, dont le restaurant se trouve en Toscane marie dans sa recette le miel et les myrtilles produits dans les monts de Garfagnana. Plébiscité par la clientèle, ce dessert frais et fruité est proposé sur la carte en toute saison depuis plusieurs années.

À partir d'une formule de bavarois classique, notre chef a su lui associer le délicieux miel d'acacia fourni par les ruches de la Garfagnana. De fabrication artisanale, il présente une couleur jaune très claire, un aspect assez liquide et offre au bavarois une saveur subtile. Notre chef vous déconseille de le remplacer par d'autres miels plus typés, comme celui de châtaignier dont la présence serait vraiment trop dominante.

Le miel sera réchauffé doucement au bain-marie pour pouvoir dissoudre la gélatine, qui doit toujours être mélangée à un liquide chaud avant d'être incorporée dans les plats. Vous verserez ensuite le tout dans les blancs en neige, en fouettant énergiquement jusqu'à obtention d'une belle meringue lisse, brillante et ferme.

Pour préparer le coulis, nous vous conseillons de toujours filtrer dans un chinois les myrtilles mixées avec le sucre : vous obtiendrez ainsi une sauce lisse et homogène, sans peaux ni pépins. Si vous souhaitez remplacer les myrtilles, notre chef vous suggère de choisir des fruits un peu acides, telles les framboises ou les griottes, qui contrasteront avec la saveur sucrée du bavarois.

Laissez votre dessert raffermir suffisamment au réfrigérateur avant de le servir. Nappez alors vos assiettes de coulis aux myrtilles, et déposez, en leur centre, un bavarois démoulé. Nappez-le de miel et décorez de myrtilles entières et d'un petit bouquet de menthe. Des pignons de pin poêlés viendront également agrémenter le tout.

Pour réaliser les bavarois, cassez les œufs et récupérez les blancs. Dans une terrine, fouettez-les en neige ferme. D'autre part, faites tremper la gélatine dans un bol d'eau froide pour la ramollir.

Réchauffez le miel dans une casserole posée dans un bain-marie. Plongez les feuilles de gélatine ramollies dans le miel chaud et mélangez à la cuillère pour les dissoudre.

Hors du feu, versez peu à peu le miel gélatiné dans les blancs en neige, en l'incorporant au fur et à mesure à l'aide d'un fouet. Mélangez jusqu'à ce que la préparation soit froide.

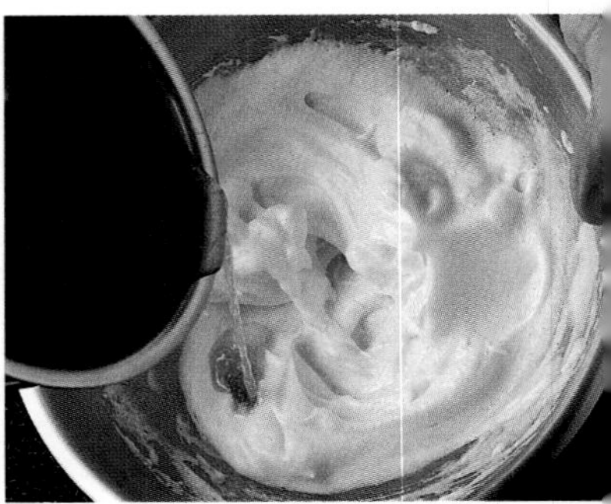

oulis de myrtilles

SAURO BRUNICARDI

Cuisson : 5 min

Réfrigération des bavarois : 4 à 6 heures

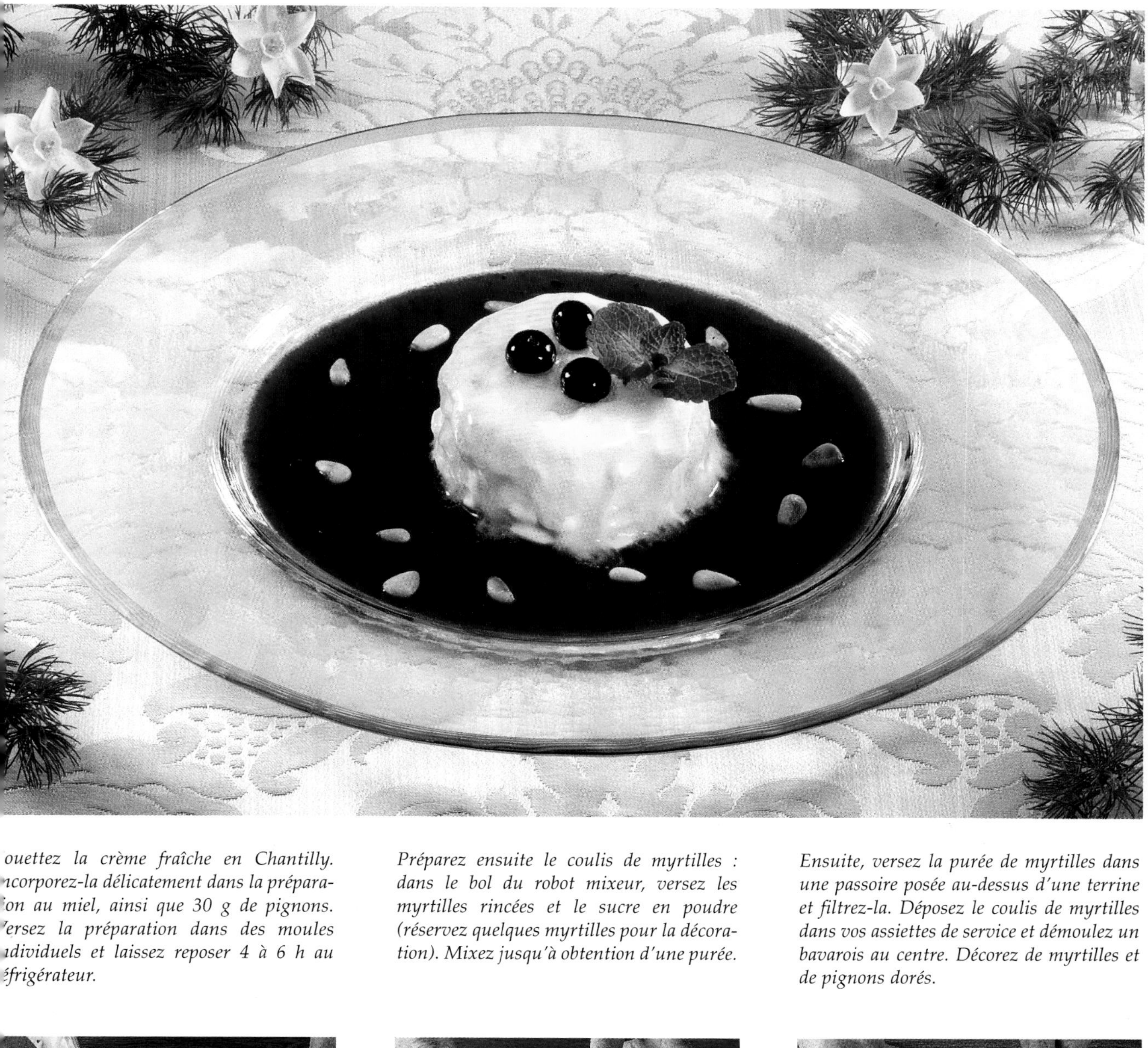

ouettez la crème fraîche en Chantilly. ncorporez-la délicatement dans la préparation au miel, ainsi que 30 g de pignons. ersez la préparation dans des moules ndividuels et laissez reposer 4 à 6 h au éfrigérateur.

Préparez ensuite le coulis de myrtilles : dans le bol du robot mixeur, versez les myrtilles rincées et le sucre en poudre (réservez quelques myrtilles pour la décoration). Mixez jusqu'à obtention d'une purée.

Ensuite, versez la purée de myrtilles dans une passoire posée au-dessus d'une terrine et filtrez-la. Déposez le coulis de myrtilles dans vos assiettes de service et démoulez un bavarois au centre. Décorez de myrtilles et de pignons dorés.

PAOLO LUNI

Cantucc

4 à 6 personnes ★ **Préparation : 30 min**

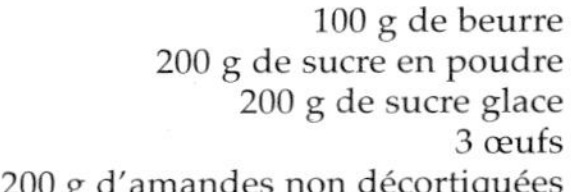
100 g de beurre
200 g de sucre en poudre
200 g de sucre glace
3 œufs
200 g d'amandes non décortiquées

500 g de farine type 0
8 g de levure chimique
1/4 de citron
10 cl de miel millefleurs
Sel

Les Italiens adorent croquer des petits biscuits, dont il existe de multiples variétés régionales. Véritables symboles de la pâtisserie toscane, les *cantucci* ont fait la célébrité de la ville de Prato, non loin de Florence. À la fin d'un repas, ils sont déposés sur la table où chacun les picore selon son envie. Les Toscans aiment les tremper dans un verre de vin santo, si bien que parfois, les convives finissent par absorber sans le vouloir une importante quantité d'alcool !

Disponibles chez tous les pâtissiers de Toscane, ces petits gâteaux sont exportés à travers toute l'Italie. On les consomme aussi au petit-déjeuner et au goûter, en compagnie d'un chocolat ou d'un café au lait.

Également appelés *biscotti di Prato*, les *cantucci* reprennent le principe originel du biscuit, dont le nom signifie littéralement "cuit deux fois". La pâte de base est moulée en forme de petites baguettes, cuite puis détaillée en tranches diagonales. Celles-ci sont ensuite remises à sécher au four. On peut ainsi les garder très longtemps, ce qui était très utile autrefois lorsque les moyens de conservation des aliments étaient limités.

Fruits d'une tradition ancestrale, ils ne souffrent pratiquement pas de variantes, ni dans la forme, ni dans la composition. Les amandes pourront cependant être mondées et grillées, ou concassées. Beaucoup aiment également les parfumer de quelques graines d'anis. Notre chef vous recommande d'ajouter moitié sucre en poudre, moitié sucre glace dans la pâte, pour que les biscuits soient délicieusement croquants.

Le miel qui enrichit la pâte nous rappelle que jusqu'à la Renaissance, tous les gâteaux étaient sucrés avec le nectar des abeilles. En Italie, près de 85 000 apiculteurs recueillent et commercialisent ce produit. Acacia, agrumes, châtaignier, bruyère, eucalyptus, thym ou encore tilleul lui apportent leur arômes... pour la plus grande délectation des amateurs de friandises.

Dans une terrine, fouettez énergiquement le beurre jusqu'à obtention d'une pommade. Additionnez d'un mélange de sucre en poudre et de sucre glace, puis de l'écorce de citron râpée. Mélangez bien.

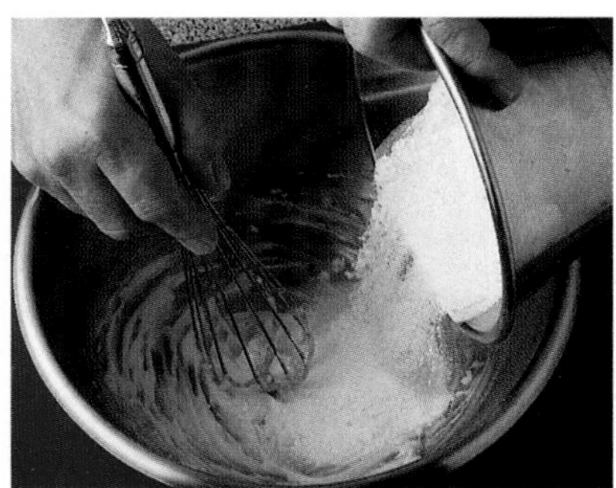

Ajoutez les œufs dans la préparation. Fouettez de nouveau.

Ajoutez le miel, les amandes mélangée avec la farine, la levure et une pincée de sel

Cuisson : 40 min

vec une spatule en bois, mélangez énergiuement la préparation jusqu'à ce que toute farine soit incorporée et la pâte homogène.

Séparez la pâte obtenue en plusieurs pâtons. Roulez chacun en un long boudin assez mince. Posez-les sur une plaque et faites-les cuire 10 min au four à 220°C.

Disposez les "pains" obtenus sur une planche à découper, et à l'aide d'un couteau à pain, détaillez-les en tranches diagonales d'1 cm d'épaisseur. Puis remettez-les au four pour les sécher, pendant 30 min à 130°C.

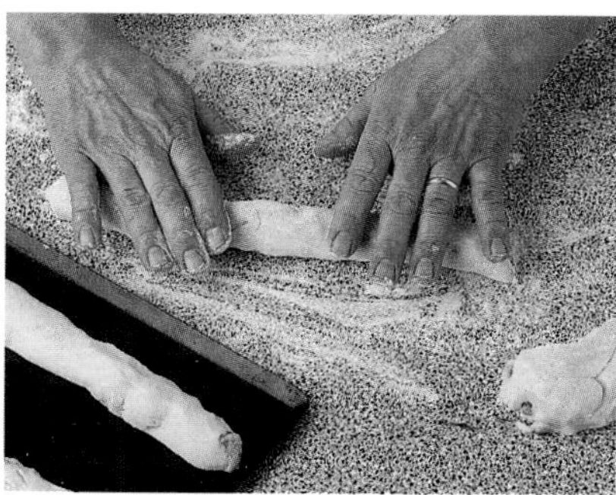

MADDALENA
BECCACECI

Croquant

4 personnes ★★ Préparation : 20 min

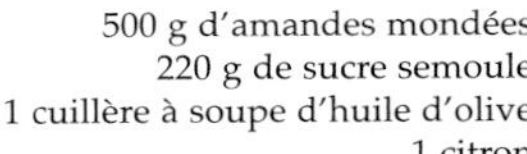

500 g d'amandes mondées
220 g de sucre semoule
1 cuillère à soupe d'huile d'olive
1 citron

Décoration :
Feuilles de laurier

Autrefois dans la région des Abruzzes, on offrait aux jeunes mariés en guise de dessert des croquants aux amandes, dont la forme représentait leur future maison. Ces nougatines étaient perçues comme un gage de bonheur.
Au fil du temps, la renommée de cette spécialité s'est diffusée à travers toute la péninsule. Si dans le Sud, elle se déguste surtout la veille de Noël, elle est aussi liée à l'ambiance des fêtes foraines. Pour les petits Italiens, les croquants sont indissociables des tours de manège !

Déjà dans l'Antiquité, les Romains confectionnaient des douceurs en enrobant de miel les amandes. Ces fruits ovoïdes, originaires d'Asie, étaient connus à l'époque sous le nom de "noix grecques". Particulièrement prisés des Méditerranéens, ils entrent dans la préparation de nombreuses pâtisseries orientales. Dans cette recette, les amandes doivent être mondées, c'est-à-dire débarrassées de leur fine peau.

Si vous souhaitez réaliser cette opération, il suffit de les plonger une minute dans l'eau bouillante. Une fois refroidies, pressez-les entre le pouce et l'index.

Pour réussir parfaitement les croquants, il est impératif de mélanger énergiquement les amandes au sucre durant la cuisson. Utilisez pour cela une spatule en bois. Nous vous conseillons également de vous procurer une plaque de marbre ou à défaut une planche très lisse. N'oubliez pas de huiler cette dernière ainsi que la lame du couteau. Cette astuce facilitera la découpe de la nougatine. Quant au citron, son emploi permet à la préparation de conserver sa jolie couleur caramel.

Dans les Abruzzes, les croquants aux amandes sont toujours décorés de feuilles de laurier. Très attachés aux traditions, les habitants de cette région considèrent cet arbre avec respect. Symbole antique de la puissance des César, il est censé apporter dans les foyers la prospérité...

À l'aide d'un linge, huilez délicatement avec l'huile d'olive la table de travail en marbre ainsi que la lame d'un grand couteau.

Fendez les amandes mondées en 2. Disposez-les dans une poêle avec 220 g de sucre semoule.

Faites chauffer la poêle. Mélangez énerg quement à l'aide d'une spatule en bois afi que le sucre enrobe les amandes. Quant ce dernières sont dorées, retirez la poêle d feu.

ux amandes

MADDALENA
BECCACECI

Cuisson : 15 min

ersez délicatement la préparation des nandes sur la plaque de marbre huilée.

Tamponnez la préparation des amandes avec la pulpe du citron. Donnez-lui une - forme rectangulaire en rabattant les contours avec la lame du couteau.

À l'aide du couteau, découpez la préparation en morceaux réguliers. Dressez les croquants dans les assiettes. Décorez avec les feuilles de laurier.

PAOLO
LUNI

Fregolot

6 personnes ★ **Préparation : 20 min**

200 g de farine de blé type 0
50 g de farine de maïs jaune
150 g de sucre en poudre
1 sachet de levure chimique
150 g d'amandes mondées et concassées
1/4 de citron

1 gousse de vanille
150 g de beurre
2 œufs
Sel
Huile pour la plaque

Décoration :
Amandes dans leur peau

Avant de se répandre dans tout le nord de l'Italie, la *fregolota* faisait le bonheur des gourmands de Mantoue, en Lombardie. À la fin d'un repas, ou lors d'une réunion, les convives brisent volontiers quelques morceaux de ce gâteau aux amandes dur et friable, qu'ils trempent dans un verre de vin doux et liquoreux : un vin santo toscan, à base de raisins séchés. Les Italiens dégustent aussi volontiers cette pâtisserie dans les petits bars à vin joliment dénommés *enoteca*. Cette spécialité est très proche de la *sbrisolona*, autre pâtisserie confectionnée en Lombardie.

Selon Paolo Luni, le terme de *fregolota* serait un dérivé dialectal du mot *friabile*, qui signifie "ce qui peut se défaire, se briser". Confectionné par les pâtissiers à longueur d'année, ce gâteau très facile à réaliser, se compose d'ingrédients tellement simples, qu'il peut être préparé en famille même lorsque les placards sont un peu vides ! Il présente aussi l'avantage de se conserver pendant près de deux mois.

Deux sortes de farines servent de base à la *fregolota* : celle de blé et celle de maïs, habituellement destinée à la confection de la savoureuse *polenta*. Parfois appelée *fumetto*, cette dernière est très répandue dans toute l'Italie. Dépourvue de gluten, elle apporte à la pâte une texture particulière, qui permet de l'effriter facilement ; mais elle doit toujours être associée à de la farine de blé pour réaliser des pains ou des gâteaux.

Après avoir mélangé tous les ingrédients, il vous faut procéder au sablage : prenez un peu de pâte entre vos mains, et frottez énergiquement avec les doigts pour obtenir une préparation granuleuse. C'est bien la seule "difficulté", toute relative, de cette recette. Il ne vous reste plus qu'à tasser le mélange sur une tôle à pâtisserie, puis à le faire dorer au four.

Sur votre plan de travail, disposez la farine de blé en puits. Versez au centre la farine de maïs, une pincée de sel, le sucre en poudre et la levure.

Ajoutez les amandes en poudre, l'écorce de citron râpée, la vanille grattée, les tranches de beurre ramollies et 2 jaunes d'œufs.

Mélangez bien les ingrédients, puis effrite la pâte obtenue entre vos doigts jusqu' obtention d'un mélange sablé.

Cuisson : 20 min

. l'aide d'une corne en plastique, ou avec os mains, disposez la pâte sablée sur une laque à four ronde, huilée et légèrement upoudrée de farine.

Du bout des doigts des deux mains, répartissez uniformément la pâte sur la plaque et tassez-la.

Disposez des amandes en peau au centre de la pâte. Faites dorer pendant 20 min au four à 180°C. Laissez refroidir avant de servir.

PAOLO LUNI

Frittell

4 personnes ★ **Préparation : 20 min**

30 cl de lait
60 g de beurre
10 g de sel
240 g de farine type 0
1/2 citron
5 œufs

50 g de raisins secs blonds
5 cl de grappa (eau-de-vie)
20 g de pignons de pin
100 g de sucre en poudre
Huile de friture

Les Vénitiens ont toujours eu la réputation d'aimer la fête et d'être fort gourmands. Autrefois, leur carnaval durait plusieurs mois et suscitait les plus délicieuses préparations culinaires. Au hasard des rues, les messieurs et dames vêtus de la *bauta,* populaire costume composé d'un tricorne, d'une cape noire et d'un masque blanc se procuraient auprès de commerçants ambulants toutes sortes de friandises : les beignets de pâte à choux nommés *frittelle* ou *fritole,* et les morceaux de pâte sucrée cuits dans la graisse appelés *galani* faisaient leur régal. Ces délices sont maintenant proposés à longueur d'année.

Au XVIIIe siècle, les vendeurs de beignets ou *fritoler* étaient indissociables du paysage de la cité lacustre. Le Vénitien Carlo Goldoni, grand réformateur du théâtre italien, choisit même une marchande de *frittelle* comme personnage principal de sa pièce intitulée *La Place* (*Il Campiello*), publiée en 1756.

La base de la recette est une pâte à choux classique, additionnée de raisins et de pignons de pin, puis frite. Elle ne comporte pas de sucre, qui caraméliserait lors de la friture et rendrait les beignets trop sombres. Lorsque la préparation composée de beurre, de farine et de lait se détache de la casserole, enlevez-la du feu. Versez-la sur un plan de travail et laissez-la tiédir. En effet, il est impératif de ne pas incorporer les œufs dans la pâte brûlante : ils cuiraient aussitôt et le mélange serait inutilisable ! Vous pouvez le parfumer de grappa ou de liqueur d'anis.

Pour tester la bonne température de l'huile, jetez-y un peu de farine ou d'eau. Si des bulles remontent, elle est à point. Prélevée à la cuillère, la pâte poussée dans l'huile avec le doigt va très vite gonfler en petits choux tout dorés. Égouttez-les sur du papier absorbant, enrobez-les de sucre et dégustez froid, en dessert ou pour toute autre tentation gourmande.

Au préalable, réhydratez les raisins avec la grappa. Mélangez dans une casserole le lait, le beurre et une pincée de sel. Faites chauffer jusqu'à l'ébullition.

Lorsque le lait bout, ajoutez la farine et les zestes de citron râpé. Mélangez bien sur le feu, jusqu'à ce que la pâte se détache des bords de la casserole. Versez sur un marbre et laissez refroidir.

Disposez la pâte dans une terrine. Ajoute 3 œufs entiers et 50 g de blancs. Fouette énergiquement pour tout incorporer.

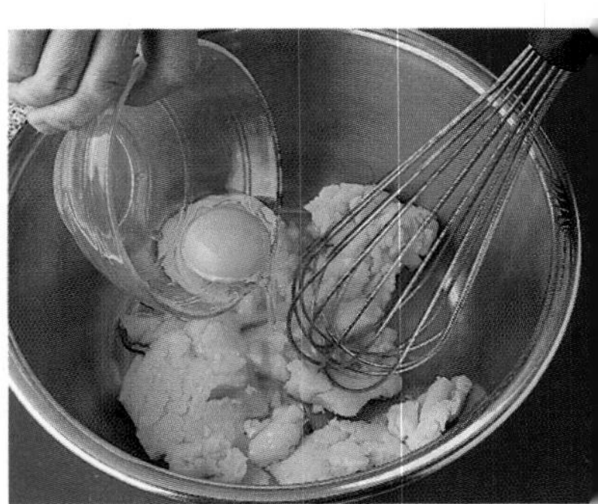

·énitiennes

PAOLO
LUNI

Cuisson : env. 10 min

Réhydratation des raisins : 1 h

joutez enfin dans la pâte les raisins trem-és dans la grappa et les pignons. Mélangez ne dernière fois.

Faites chauffer un bain d'huile dans une poêle. Avec une cuillère à soupe, envoyez des petites portions de pâte dans l'huile brûlante. Lorsque les frittelle commencent à gonfler, retournez-les pour qu'ils dorent de tous côtés.

Égouttez les frittelle sur du papier absorbant. Enduisez-les de sucre et servez-les froids.

PAOLO
LUNI

Galan

4 personnes ★ **Préparation : 30 min**

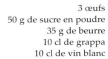

3 œufs
50 g de sucre en poudre
35 g de beurre
10 cl de grappa
10 cl de vin blanc

500 g de farine type 0
1 gousse de vanille
1 citron
5 g de sel
Huile de friture

Durant la période du Carnaval, les très populaires *galani* régalent les Vénitiens amateurs de pâtisseries. Commercialisés dans toutes les boulangeries de la cité lacustre, on les retrouve aussi un peu partout en Italie sous le nom de *crostoli*. Les gourmands du Latium les appellent également *frappe*. Ces rectangles de pâte sucrée sont frits tels quels, ou pincés au centre pour former un papillon. Ils prennent même parfois la forme de *ravioli* farcis de confiture ou de moutarde : on obtient alors des *ruffioli*. Tous ces délices sont issus de recettes familiales ancestrales, transmises de mère en fille depuis des générations.

Pour obtenir des feuilles d'une irréprochable finesse, vous devrez replier la pâte et l'aplatir autant de fois que nécessaire. C'est pourquoi Paolo Luni la passe volontiers dans une machine à pâtes, qui permet de l'amincir le plus possible et de manière homogène. Vous pouvez cependant réaliser l'opération à l'aide d'un rouleau à pâtisserie. Il suffit d'un peu de patience, et de beaucoup d'énergie pour aboutir au même résultat... Les feuilles ne doivent cependant pas être transparentes, sous peine de se déchirer en cuisson.

Vous obtenez alors de longs rectangles de pâte, qu'il faut ensuite détailler en portions individuelles. Après les avoir découpés, tracez à l'aide de votre roulette à pâtisserie une petite ligne au centre de chaque *galani*. Ainsi lors de la friture, il s'y formera une bulle d'air et les gâteaux cuiront mieux.

Plongés dans l'huile brûlante, vos *galani* se mettront immédiatement à gonfler et se couvriront de grosses bulles très appétissantes. Après les avoir égouttés sur du papier absorbant, disposez ces gâteaux asymétriques en généreuse quantité sur un plateau, parsemez-les de sucre en poudre ou de sucre glace et dégustez-les froids.

Dans une terrine, versez le sucre, les œufs, le zeste de citron râpé, la vanille grattée, la grappa, le sel, le beurre fondu et le vin blanc. Fouettez le tout.

Additionnez de farine. Mélangez bien. Transférez la pâte sur votre plan de travail et pétrissez-la.

Étirez la pâte, si possible dans une machin à pâtes ou au rouleau. Repliez-la de gauch et de droite.

Cuisson : env. 10 min

ıssez de nouveau la pâte dans la machine, aplatissez-la au rouleau. Recommencez pliage et l'aplatissage plusieurs fois, squ'à obtention de longues bandes ultra-ıes.

Avec une roulette à pâtisserie, découpez dans la pâte des rectangles d'environ 3-4 cm de large sur 10 cm de long. Faites également un petit trou au centre de chaque rectangle de pâte.

Faites chauffer un bain d'huile dans une poêle. Plongez-y les gâteaux. Laissez-les gonfler 3-4 min, et retournez-les pour faire dorer l'autre face. Saupoudrez de sucre et dégustez froid.

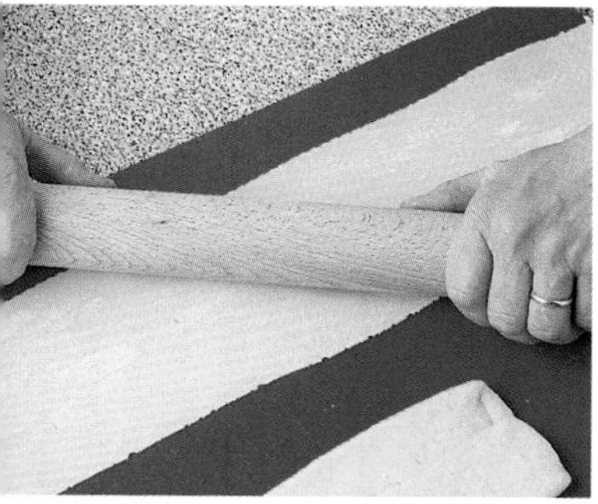

ALBERTO
MELAGRANA

Gâteau au chocola

4 personnes ★ **Préparation : 30 min**

250 g de chocolat noir fondant
255 g de beurre
160 g de sucre semoule
6 œufs
145 g de farine
16 g de levure chimique vanillée
4 oranges

Sirop :
50 g de sucre semoule

Décoration (facultative) :
Feuilles de menthe

Le gâteau au chocolat fondant, sauce oranges est un dessert extrêmement raffiné. En Italie, cette spécialité du chef milanais Ezio Santini a largement dépassé les frontières lombardes. Grand amateur de chocolat, Alberto Melagrana, originaire de la région des Marches, a ensoleillé cette préparation en la mariant aux agrumes.

Facile à réaliser, ce gâteau est un pur régal pour les gourmands. Pour réussir cette recette, il est important de tamiser ensemble la farine et la levure vanillée.

Notre chef vous recommande également lors de la cuisson du chocolat au bain-marie de vous armer de courage. Il est impératif de remuer constamment. Cette opération évite la formation de grumeaux.

Ramené du Nouveau Monde par les Conquistadors, le cacao s'est rapidement imposé en Europe. Dès le XVIIe siècle, les cafés florentins et vénitiens proposaient à leur clientèle la dégustation du fameux chocolat. Dès cette époque, Turin et la région piémontaise se spécialisèrent dans le conditionnement de ce produit.

Extraites des fruits du cacaoyer, arbuste toujours vert pouvant atteindre jusqu'à huit mètres de hauteur, les fèves doivent dans un premier temps fermenter. Puis, elles sont torréfiées et broyées. La pâte brune et poudreuse ainsi obtenue est ensuite additionnée de beurre, de cacao et de sucre.

Pour habiller ce gâteau, notre chef a tout naturellement pensé aux oranges. Essentiellement cultivées en Calabre et Sicile, elles offrent leur couleur et leur saveur délicieuse. Il en existe de nombreuses variétés dont la prestigieuse "navel" que vous pouvez utiliser.

Possédant peu de pépins, elle est reconnaissable à son écorce épaisse, rugueuse, facile à enlever. Sa chair juteuse se prête idéalement à la confection des sauces. Récoltée de novembre à février, cette orange doit être brillante et lourde. Peu fragile, elle se conserve plusieurs jours à température ambiante.

Ce dessert, qui séduira aussi les enfants, peut se savourer à toute occasion.

Faites chauffer une casserole d'eau. Disposez 250 g de beurre dans un récipient allant sur le feu et faites-le fondre au bain-marie en remuant à l'aide d'un fouet. Ajoutez les morceaux de chocolat et mélangez.

Hors du feu, versez le sucre dans la préparation du chocolat. Mélangez. Ajoutez les œufs. Mélangez de nouveau. Versez petit à petit 140 g de farine et la levure tamisées.

Beurrez les moules avec le restant de beur et farinez-les avec le reste de farine. Rem plissez-les de la préparation au chocola Protégez-les avec du papier film. Fait congeler 12 h.

ondant, sauce oranges

ALBERTO
MELAGRANA

Cuisson : 15 min **Congélation des fondants : 12 h**

vez soigneusement les oranges. À l'aide un couteau, pelez à vif ces dernières. Pressez jus et réservez-le.

Coupez très finement l'écorce des oranges en julienne. Préparez le sirop en faisant bouillir 50 g de sucre et 30 cl d'eau.

Plongez les zestes d'orange dans le sirop. Faites cuire 10 min. Faites cuire au four les gâteaux, à 170°C, pendant 10 min. Démoulez. Dressez-les dans les assiettes, avec les zestes et le jus. Décorez de feuilles de menthe.

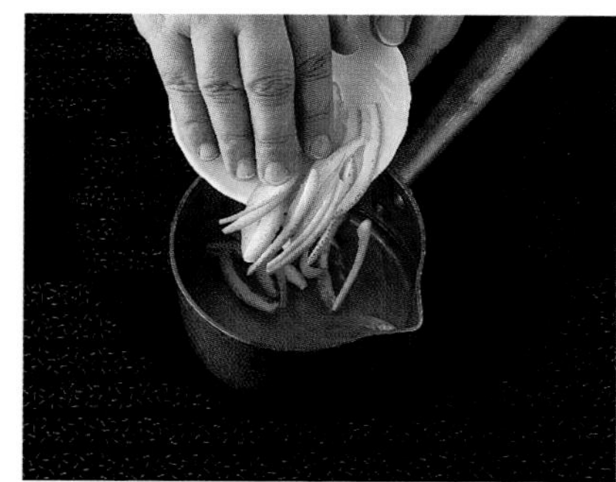

PAOLO ZOPPOLATTI

Gnocch

4 personnes ★★ **Préparation : 40 min**

600 g de pommes de terre
250 g de farine
10 mirabelles rouges fraîches
1 œuf
2 pincées de cannelle en poudre

100 g de chapelure
200 g de beurre
3 cuillères à café de sucre en poudre
Sel

Les *gnocchi* aux mirabelles sont appréciés depuis longtemps, du Trentin au Frioul et jusqu'en Slovénie. Au cours de l'histoire, ces provinces furent inclues dans l'empire Austro-Hongrois. Des cuisiniers originaires de Bohème officiaient souvent chez les nobles qui séjournaient dans leurs châteaux proches de Trieste. Ils répandirent ainsi jusque dans cette région les influences culinaires d'Europe centrale.

Les *gnocchi* sont des boulettes plus ou moins grosses et très nourrissantes : ils sont généralement composés de pulpe de pommes de terre et farine de blé, de farine de maïs ou encore d'un mélange de farine et de *ricotta*. Les pommes de terre doivent toujours être choisies parmi les variétés "à purée" comme la bintje. Connus dans toute l'Italie, les *gnocchi* sont le plus souvent pochés, puis nappés de beurre, fromage ou sauce tomates… Il est beaucoup plus étonnant de les farcir de fruits.

Rappelons que la région de Trieste produit d'excellentes mirabelles, consommées telles quelles ou transformées en eau-de-vie. Les variétés violines sont intégrées dans les plats, tandis que les jaune-orangé sont dégustées crues. Pour une meilleure tenue de vos *gnocchi*, préférez toujours des fruits frais : ceux qui sont surgelés rendraient trop de jus. Leur chair acidulée contrastera délicieusement en bouche avec la chaude saveur de la farce. Elles peuvent cependant être substituées par des pruneaux, des abricots secs ou des cerises.

Disposés dans les assiettes de service, les *gnocchi* chauds seront d'abord saupoudrés de sucre et de cannelle. Immédiatement versé par-dessus, le beurre fondu à la chapelure fera fondre le sucre et donnera un aspect "caramélisé". Les Frioulans servent habituellement les *gnocchi* aux mirabelles comme plat chaud, et aiment les faire suivre d'un ragoût de viande bien relevé. Mais il arrive aussi qu'ils soient proposés en guise de dessert.

Faites bouillir les pommes de terre dans leur peau durant 20 min. Rafraîchissez-les puis épluchez-les. Détaillez la chair en gros cubes. Écrasez-les dans un moulin à légumes.

Disposez 1/3 de la farine sur le plan de travail. Déposez la pulpe de pommes de terre par-dessus et formez un "puits". Cassez l'œuf à l'intérieur. Salez. Pétrissez comme une pâte à tarte, en ajoutant de la farine au fur et à mesure. Séparez la pâte en pâtons.

Faites fondre 100 g de beurre dans u poêle. Parsemez de 80 g de chapelure, méla gez à la spatule, puis ajoutez 1 pincée cannelle et 2 c. à c. de sucre. Mélangez nouveau sur le feu.

ux mirabelles

PAOLO
ZOPPOLATTI

Cuisson : 30 min

uvrez les mirabelles en 2. Dénoyautez-. Remplissez-les d'une cuillerée de farce, refermez-les autour de la farce.

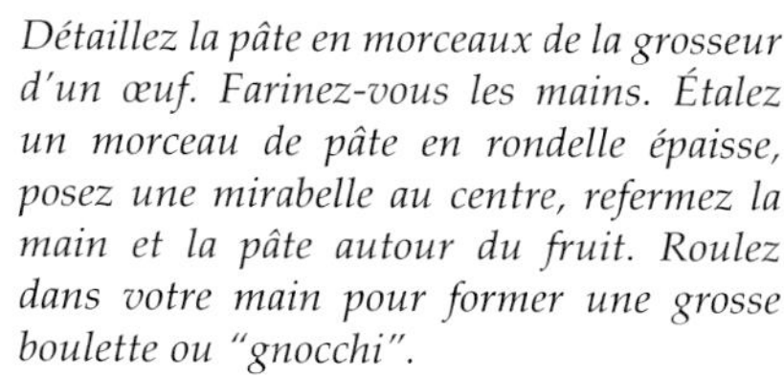

Détaillez la pâte en morceaux de la grosseur d'un œuf. Farinez-vous les mains. Étalez un morceau de pâte en rondelle épaisse, posez une mirabelle au centre, refermez la main et la pâte autour du fruit. Roulez dans votre main pour former une grosse boulette ou "gnocchi".

Pochez les gnocchi 5 min à l'eau salée. Lorsqu'ils remontent à la surface, sortez-les avec une écumoire. Dans une poêle, préparez une sauce avec le beurre et la chapelure restants. Dans vos assiettes, disposez les gnocchi, parsemez de sucre, cannelle et nappez de sauce.

PAOLO
LUNI

Guban

4 à 6 personnes ★★★ **Préparation : 1 h**

1ère partie de la pâte :
90 g de beurre
30 g de levure de boulanger
90 g de sucre
10 œufs
700 g de farine type 00

2ème partie de la pâte :
900 g de farine type 00
180 g de sucre
180 g de beurre
50 g de miel
1 citron
1 orange
10 œufs
1 gousse de vanille
1 filet de marsala
15 g de sel

Farce :
100 g d'amandes grillées
50 g de noix

150 g de biscuits amaretti concassés
50 g de pignons de pin
50 g de pépites de chocolat
50 g de sucre
50 g de cacao
250 g de raisins secs
10 cl de grappa (eau-de-vie)
100 g de confiture d'abricots

Décoration :
Blanc d'œuf
Sucre

Originaire du Frioul-Vénétie Julienne, la *gubana* aurait vu le jour dans la région de Gorizia. Cette brioche exceptionnelle, richement farcie de fruits secs, biscuits concassés, chocolat et confiture prend la forme d'un escargot tout doré. Habituellement consommée en dessert, on la découpe comme une fougasse, et on l'accompagne de liqueur de prunes.

Répartie en deux étapes, la confection de la pâte peut paraître complexe. Mais ce double apport d'ingrédients, entrecoupé et suivi d'un repos d'une heure, permettra à la préparation de gonfler à souhait. Pour accélérer la "pousse", vous pouvez installer la pâte dans une terrine, la recouvrir d'un torchon et l'entreposer dans un four légèrement préchauffé, en laissant la porte ouverte. Si elle se révèle trop dure à pétrir, n'hésitez pas à lui ajouter un filet d'eau ou de vin blanc.

La composition de la pâte ne varie guère, mais la farce diffère selon l'inspiration des pâtissiers. Les raisins sont trempés dans de la *grappa*, eau-de-vie de marc italienne qui peut être remplacée par de l'eau-de-vie de prunes. Notre recette offre aussi un bel assortiment de fruits secs : amandes, noix, pignons de pin et raisins. Toutefois, notre chef vous déconseille d'utiliser des pruneaux ou abricots séchés.

Élaborés en Lombardie et en Ligurie, les *amaretti* apportent dans la farce leur touche croquante et parfumée. Ces petits macarons de forme arrondie sont composés d'amandes hachées, sucre, blancs d'œufs et liqueur d'amandes amères. Les Italiens adorent les croquer tels quels, ou les incorporent dans une multitude de recettes.

La pâte sera roulée autour de la farce comme un *strudel* viennois, puis repliée sur elle-même en spirale et dorée au four. La *gubana* sera délicieuse aussi au petit-déjeuner, trempée dans un savoureux chocolat au lait. Bien enveloppée, elle peut facilement se conserver quatre à cinq jours.

Pour la première partie de la pâte, malaxez le beurre à la main pour le ramollir. Versez dans une terrine la levure délayée, le sucre, 7 jaunes et 3 œufs entiers, la farine puis le beurre ramolli. Pétrissez, ramenez la pâte en boule et laissez lever 1 h.

Pour la seconde partie de la pâte, disposez la farine en puits sur le plan de travail. Ajoutez sucre, beurre, miel, écorce de citron et orange râpée, 7 jaunes et 3 œufs entiers, vanille grattée, marsala et sel.

Déposez la pâte levée au centre de la co ronne d'ingrédients. Pétrissez d'abord centre, puis allez vers les bords pour inco porer peu à peu la farine. Pétrissez énerg quement le tout et ramenez en bou Laissez lever de nouveau 1 h.

Cuisson : 50 min **Réhydratation des raisins : 1 h** **Gonflement total de la pâte : 3 h**

our la farce, mixez les amandes grillées et 's noix. Dans une terrine, mélangez ama- :tti concassés, amandes, noix, pignons, épites de chocolat, sucre, cacao, raisins 'empés dans la grappa et confiture d'abri- ɔts.

Étalez la pâte sur le plan de travail fariné, en forme de grand rectangle allongé. Déposez et répartissez la farce au centre. Roulez la pâte autour de la farce, en allant du bas vers le haut.

Repliez ensuite le rouleau sur lui-même, en forme d'escargot. Déposez-le dans un plat recouvert de film plastique. Laissez lever 1 h. Disposez le gâteau dans un moule beurré. Enduisez-le de blanc d'œuf et sucre. Faites-le cuire 50 min au four à 165°C.

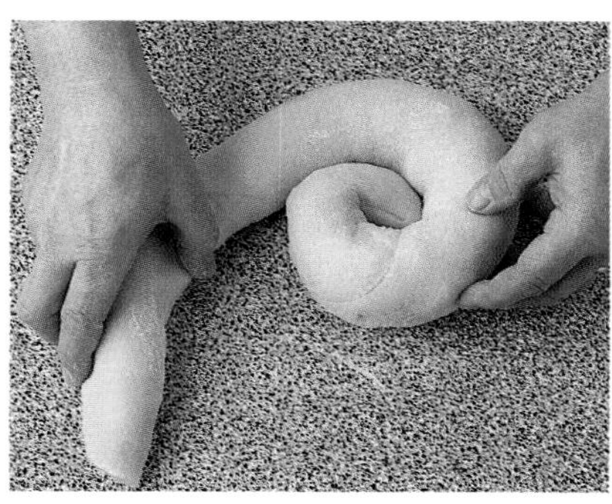

FRANCESCA
DE GIOVANNINI

Les coupes d

4 personnes ★★ **Préparation : 45 min**

100 g de mascarpone
4 biscuits à la cuillère
2 œufs
40 g de sucre semoule
1/2 cuillère à café de vanille en poudre blanche ou brune
2 tasses de café expresso

3 cl de brandy
10 g de cacao en poudre
Sel

Décoration :
Chocolat noir

Il est certainement le dessert italien le plus connu à travers le monde. Dans la péninsule, sa notoriété est telle, qu'il fait l'objet d'un véritable culte. Du nord au sud du pays, chaque région prétend l'avoir inventé. Le *tiramisù*, qui signifie littéralement "remonte-moi", est décidément au centre de bien des débats !

Pour les Piémontais, la présence des *savoiardi*, biscuits à la cuillère, suffit à démontrer l'origine de ce mets. Contrecarrant cette affirmation, les Lombards rappellent que le *mascarpone* est une spécialité de leur terroir. À Rome, les habitants considèrent ce dessert typiquement italien à l'image de leur cité. Quant à notre chef, elle affirme avec fierté que le célèbre *tiramisù* est bien né, à Vicenta, en Vénétie !

Très nourrissant, ce classique du répertoire connaît en fonction des régions des variations. Dans certaines familles, le cacao est tout naturellement remplacé par des fruits de saison : pêche, banane ou ananas. D'autres nuances apparaissent notamment dans le choix de l'alcool. Si le *marsala* sicilien est généralement utilisé pour parfumer les biscuits, il est parfois remplacé par du *brandy*, du cognac ou du rhum.

En revanche, le célèbre *mascarpone* se révèle indispensable. Ce fromage frais crémeux apporte son goût délicat. Fabriqué à partir de la crème du lait de vache ou parfois de bufflonne, il est porté à une température de 75° à 90°C. On ajoute ensuite du jus de citron ou du vinaigre de vin blanc afin d'accélérer sa coagulation. Extrêmement riche, il contient 50 % de matières grasses.

Quant au café, il offre au *tiramisù* sa pointe d'amertume. Rois de l'*expresso*, les Italiens découvrirent ce nectar au XVIe siècle et le savourent toujours brûlant.

Raffiné, ce dessert, qui peut se déguster à toute occasion, séduira les gourmets.

Cassez dans un récipient les 2 blancs d'œufs et réservez les jaunes. À l'aide d'un fouet, battez-les énergiquement avec une pincée de sel afin de les monter en neige.

Dans un autre récipient, disposez les jaunes d'œufs avec le sucre et la vanille en poudre. Battez-les au fouet afin de bien les mélanger.

Ajoutez le mascarpone dans le mélange de jaunes d'œufs. Mélangez bien.

ramisù

FRANCESCA
DE GIOVANNINI

ransvasez les blancs en neige dans la pré-aration des jaunes d'œufs et du mascar-one. Mélangez. Versez un peu de crème ans les coupes.

Dans une assiette creuse, versez l'équivalent de 2 tasses de café expresso et le brandy. Trempez dedans les biscuits. Cassez-les et déposez-les dans la coupe.

Recouvrez la coupe de crème. Saupoudrez-la de poudre de cacao. Présentez le tiramisù en le décorant de chocolat.

MICHELINA
FISCHETTI

les Ravioli d

4 personnes ★★ **Préparation : 1 h**

400 g de châtaignes mondées
100 g de chocolat noir fondant
80 g de miel d'acacia
1 mandarine
2 cuillères à soupe de lait
5 g de farine
Huile de friture

Pâte des ravioli :
300 g de farine
1 mandarine
100 g de sucre semoule
2 œufs
5 cuillères à soupe d'huile d'olive
Sel

Décoration :
Zestes de mandarine
Cerneaux de noix

Passionnées, les filles Fischetti ont hérité de leur *mamma* son savoir-faire. Dans le restaurant familial, Michelina surnommée affectueusement Lina et sa sœur Maria unissent leur talent pour le plus grand plaisir des gourmets. Garantes des traditions, elles élaborent avec *brio* des mets issus du répertoire culinaire campanien.

Grands amateurs de pâtes, les Napolitains ont mis tout leur génie créatif au service de ces dernières. Extrêmement prisés, les ravioli fourrés à la crème de châtaignes se dégustent habituellement le dimanche, jour où la table est parée de ses habits de fête. Notre chef vous propose de découvrir ce dessert aux saveurs et couleurs hivernales.

Typiques des paysages de l'Europe méridionale, les châtaigniers abondent sur les sols granitiques. Ces arbres, qui peuvent vivre des centaines d'années, donnent des fruits jusqu'à l'âge de cinquante ans. Extrêmement nourrissantes, les châtaignes sont riches en amidon, fibres, potassium, calcium et magnésium. Autrefois, ces précieux fruits permettaient aux populations de survivre en cas de famine. Aujourd'hui encore, les habitants des environs de Naples les enfouissent dans le sable pour les conserver.

Si vous souhaitez réaliser cette recette avec des châtaignes fraîches, incisez les écorces en forme de croix. Plongez-les ensuite avec quelques feuilles de laurier, dans de l'eau bouillante salée afin de les peler.

Succulent, ce dessert dévoile aussi le parfum délicat de la mandarine. Originaire de Chine, elle possède une chair très sucrée, moins acide que celle des autres agrumes. Essentiellement cultivée en Sicile, elle colore les étals des marchés de janvier à avril. Optez pour des fruits lourds, à la peau dense, brillante et sans meurtrissures.

Afin de varier les plaisirs, notre chef vous suggère à l'occasion de remplacer la crème de châtaignes par une farce de *ricotta*, miel, chocolat et griottes.

Disposez les châtaignes dans la moulinette. Tournez pour les réduire en purée. Faites fondre le chocolat au bain-marie.

Transvasez la purée de châtaignes dans un saladier. Versez 40 g de miel et le chocolat fondu. Remuez à l'aide d'une fourchette.

Versez le lait dans la préparation des châtaignes. Ajoutez l'écorce râpée d'une mandarine. Mélangez jusqu'à l'obtention d'un mélange homogène. Réservez.

Lina et Maria

MICHELINA
FISCHETTI

Cuisson : 15 min

Préparez les ravioli en versant dans un saladier, la farine, l'huile d'olive et le sel. Ajoutez les œufs, le sucre et l'écorce râpée de la mandarine. Mélangez jusqu'à l'obtention d'une pâte.

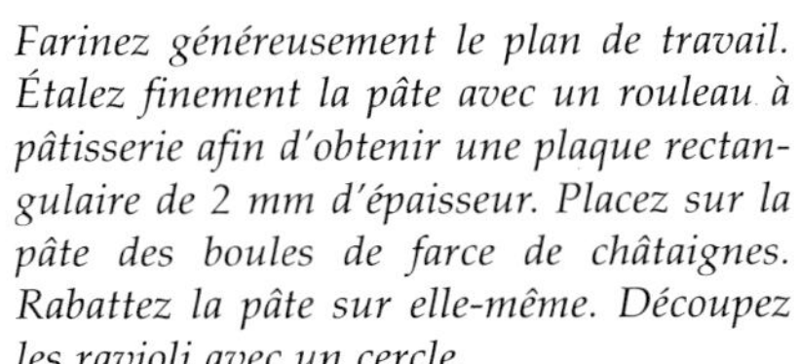

Farinez généreusement le plan de travail. Étalez finement la pâte avec un rouleau à pâtisserie afin d'obtenir une plaque rectangulaire de 2 mm d'épaisseur. Placez sur la pâte des boules de farce de châtaignes. Rabattez la pâte sur elle-même. Découpez les ravioli avec un cercle.

Avec les dents d'une fourchette, crantez les ravioli. Faites-les dorer dans l'huile de friture. Épongez. Dressez-les dans un plat. Versez dessus le restant de miel. Décorez avec l'écorce de mandarine taillée en julienne et des noix concassées.

PAOLO LUNI

Pan del sant

8 personnes ★★ **Préparation : 30 min**

Pâte :
7 œufs
325 g de sucre
25 g de miel
200 g d'amandes mondées
200 g de farine 00
150 g de fécule
100 g de pépites de chocolat

1/2 citron
1 gousse de vanille
250 g de beurre

Décoration :
300 g de sucre
300 g de biscuits amaretti concassés

Maître Paolo Luni élabore ses succulentes pâtisseries dans sa boutique située à Padoue, tout près de la basilique dédiée à saint Antoine. De nombreux pèlerins viennent y vénérer ce moine d'origine portugaise, qui évangélisa les campagnes italiennes au XIIIe siècle. Ils peuvent également admirer dans cette magnifique cathédrale des fresques de Giotto, de Mantegna et des sculptures de Donatello.

À l'origine, Paolo Luni souhaitait créer à l'intention des pèlerins un gâteau léger, qui se conserverait bien et qu'ils pourraient facilement ramener chez eux en souvenir. Il a donc mis au point une pâte compacte mais néanmoins savoureuse, enrichie d'amandes et de pépites de chocolat, qu'il recouvre délicieusement d'un glaçage aux *amaretti* concassés. En témoignage de sa foi, il lui a donné le nom de *pan del santo*, ou "pain du saint", rendant ainsi hommage au plus célèbre personnage de Padoue. Ce gâteau connaît maintenant un réel succès.

Pour réaliser la pâte, vous pouvez fouetter au préalable le beurre dans le bol métallique du robot-mélangeur, jusqu'à ce qu'il soit bien ramolli et réduit en "pommade". Pour accélérer l'opération, n'hésitez pas à réchauffer le bol à l'aide d'un chalumeau.

Le gâteau cuit à point sera enduit d'un fondant glaçage à base de sucre en poudre et d'eau. Faites chauffer ce sirop jusqu'à 120°C ou "petit boulé", c'est-à-dire lorsqu'une goutte versée dans de l'eau froide forme une petite boule molle. Passé sur le *pan del santo* encore chaud, il va figer rapidement et devenir opaque. Lorsqu'il est encore un peu mou, enrobez-le immédiatement d'*amaretti* concassés. Adhérant parfaitement au gâteau, ces derniers apporteront au *pan del santo* leur croquant et leur délicat parfum d'amande amère. Pour parfaire la présentation, vous pouvez tracer sur chaque part de gâteau de jolis traits de cacao et de sucre glace.

Dans le bol du robot-mélangeur, versez les œufs, le sucre et le miel. Fouettez jusqu'à obtention d'une crème épaisse et mousseuse.

Dans la préparation, ajoutez la farine et la fécule mélangées avec les amandes préalablement hachées. Continuez à fouetter.

Ajoutez ensuite beurre en pommade, pépites de chocolat, écorces de citron râpée et vanille grattée. Mélangez au fouet à main. Versez la pâte dans un moule à savarin beurré. Faites cuire 45 min au four à 180°C.

di maestro Paolo

PAOLO
LUNI

Cuisson : 55 min

'our le glaçage, versez le sucre et 10 cl 'eau dans un poêlon en cuivre. Portez à bullition, et laissez chauffer le sirop jus-u'au stade du "petit boulé" (120°C).

Démoulez le gâteau cuit sur une grille à pâtisserie posée sur une plaque. Au pinceau, passez le glaçage chaud sur tout le gâteau.

Rapidement, recouvrez uniformément le gâteau avec les amaretti concassés. Laissez-le refroidir puis coupez-le en parts.

SERGIO
PAIS

Panna cotta

4 personnes ★ **Préparation : 20 min**

50 cl de crème fraîche liquide
50 cl de lait
150 g de sucre semoule
4 feuilles de gélatine

Sauce café :
125 g de sucre semoule
10 cl de café expresso
20 cl de crème fraîche liquide

Sauce chocolat :
250 g de chocolat noir fondant
20 cl de crème fraîche liquide
40 g de beurre

Décoration :
Feuilles de menthe

Originaire du Val d'Aoste, la *panna cotta*, connue dans le monde entier, est un dessert extrêmement prisé dans les régions laitières du nord de l'Italie. Très facile à réaliser, la réussite de cette "crème cuite" repose essentiellement sur la qualité des ingrédients utilisés.

De couleur blanche et de consistance onctueuse, la crème fraîche est la vedette incontestée de ce dessert. Jusqu'à la fin du XIXe siècle, on l'obtenait en laissant le lait reposer dans un endroit frais pendant vingt-quatre heures. Aujourd'hui, sa fabrication s'effectue en laiterie avec des écrémeuses centrifugeuses. Très riche, la crème fraîche contient de 30 à 40 % de matières grasses.

Quant à la gélatine, elle se révèle essentielle. Cette substance incolore et inodore est extraite des os et cartilages des animaux ou de certaines algues. Elle se présente généralement sous forme de poudre ou de feuilles translucides. Il est impératif de passer ces dernières à l'eau froide, puis de les dissoudre dans de l'eau bouillante avant de les incorporer au lait et au sucre.

Notre chef a souhaité agrémenter cette douceur d'une sauce café-chocolat. Judicieusement pensée, elle habille admirablement la *panna cotta* et reprend des saveurs chères aux papilles des Italiens.

Diffusé au Moyen-Orient dès le Moyen Âge par les Arabes, le café fut introduit à Venise au XVe siècle. Les commerçants du nord de la péninsule faisaient venir d'immenses cargaisons sur la riva degli Schiavoni et dans le port de Trieste. Dans la cité des Doges, l'engouement pour cette nouvelle boisson fut tel que l'administration dut limiter le nombre de lieux destinés à sa consommation !

Aujourd'hui, les Italiens sont considérés dans le monde comme les rois de l'*expresso*. Dévoilant un arôme exceptionnel, il est toujours recouvert d'une délicate mousse beige.

Selon vos goûts, vous pouvez également confectionner un coulis de fruits rouges ou exotiques.

Diluez dans un bol d'eau tiède, les feuilles de gélatine. Dans une casserole, versez 150 g de sucre semoule et 50 cl de lait. Faites chauffer jusqu'à ébullition.

Incorporez dans la casserole du lait, les feuilles de gélatine diluée. Mélangez à l'aide d'un fouet et faites cuire, environ 3 min.

Ajoutez 50 cl de crème fraîche. Faites cuir[e] 1 min en remuant avec un fouet. Trans[vasez] vasez la préparation dans des ramequins. Faites réfrigérer la panna cotta pendant 5 h

auce café-chocolat

SERGIO
PAIS

Cuisson : 20 min

Réfrigération de la panna cotta : 5 h

our la sauce chocolat, faites fondre au in-marie le beurre et le chocolat, en élangeant continuellement. Versez 20 cl crème fraîche. Remuez. Réservez.

Pour la sauce café, préparez un caramel en faisant fondre 125 g de sucre avec 10 cl de café expresso. Remuez à l'aide d'un fouet et faites cuire environ 4 min.

Ajoutez la crème fraîche dans le caramel. Mélangez. Démoulez la panna cotta. Dressez cette dernière dans l'assiette. Versez les sauces chocolat et café. Décorez avec les feuilles de menthe.

PAOLO
LUNI

Pazientin

4 à 6 personnes ★★★ **Préparation : 40 min**

Pain d'Espagne :
7 œufs
210 g de sucre
210 g de farine type 0
50 g de fécule

Pâte bresciana :
200 g d'amandes avec peau
200 g de sucre
200 g de beurre

200 g de farine type 0
5 g de levure chimique

Sabayon :
10 œufs
150 g de sucre
40 g de farine type 0
25 cl de marsala

Finition :
20 cl de Grand Marnier
Feuilles en chocolat (facultatif)

La *pazientina* constitue le gâteau fétiche de Paolo Luni. Depuis de nombreuses années, elle régale les clients de sa boutique située au centre de Padoue. Notre maître pâtissier, qui perpétue les meilleures spécialités de son père et de son grand-père, propose des gâteaux régionaux, des pâtisseries italiennes classiques et des recettes de sa création. La *pazientina* qu'il nous offre était déjà célèbre au XIXe siècle. Elle faisait les délices de l'écrivain Stendhal, qui allait la déguster au café *Pedrocchi*.

Selon Paolo Luni, l'appellation de *pazientina* dériverait du mot *pazienza* (patience) : ce dessert de rêve doit être dégusté et apprécié avec patience, malgré l'envie qui guette le gourmand de tout dévorer dans l'instant... On ne saurait en effet résister à ce gâteau mêlant une pâte *bresciana* aux amandes, du pain d'Espagne nappé de Grand Marnier et un sabayon frais et parfumé.

La pâte *bresciana* doit son nom à la ville lombarde de Brescia. Son secret réside dans la proportion identique de farine, sucre et beurre. Le pâtissier adapte ensuite à son goût la quantité et la qualité des amandes. Après cuisson, le biscuit obtenu est assez dur et de couleur marron clair.

Si vous n'avez jamais réalisé de sabayon, nous vous conseillons vivement de poser la casserole dans un bain-marie : ainsi lors de la cuisson, les jaunes d'œufs s'incorporeront doucement aux autres ingrédients sans faire de grumeaux. Le sabayon traditionnel est toujours additionné de marsala, célèbre vin doux sicilien de couleur rouge sombre. Vous pouvez cependant le remplacer par un vin blanc sec.

Pour la décoration finale, Paolo Luni réalise un décor hautement gastronomique en feuilles de chocolat. À base de chocolat, d'eau et de glucose, elles peuvent être coulées, refroidies et raclées sur un marbre, ou réalisées dans une machine à pâtes. Vous vous faciliterez la tâche en enrobant la *pazientina* de savoureux granulés en chocolat.

Pain d'Espagne : dans une terrine, fouettez 5 œufs entiers et 2 jaunes avec le sucre. Incorporez la farine et la fécule. Mélangez. Versez le tout dans un plat à four et faites cuire 30 min à 180 °C.

Pâte bresciana : mixez les amandes avec le sucre. Ajoutez le beurre coupé en parcelles, mixez puis saupoudrez de farine et levure. Pétrissez puis ramenez la pâte en boule.

Étalez la pâte au rouleau sur le plan d[e] travail fariné. Avec un cercle de 25 c[m] de diamètre, découpez-la en 2 disque[s]. Disposez-les sur une plaque à pâtisserie [e]t faites cuire 30 min au four à 170 °C.

Cuisson du pain d'Espagne : 30 min **Cuisson de la pâte bresciana : 30 min** **Cuisson du sabayon : 10 min**

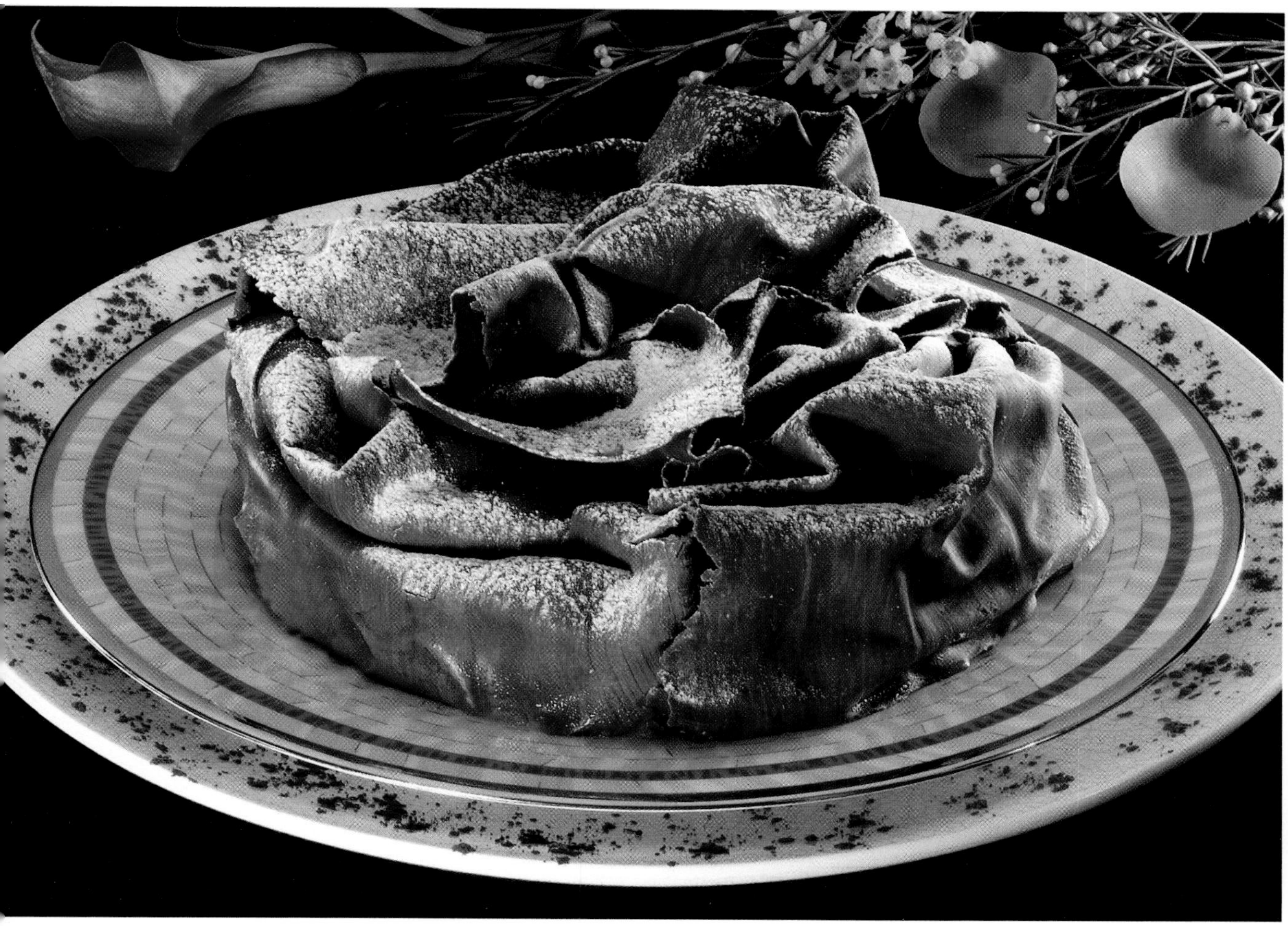

abayon : versez 10 jaunes d'œufs dans une ısserole. Tout en fouettant, ajoutez le ıcre et la farine. Chauffez le marsala, et ersez-le dans la crème en remuant. Íélangez sur feu très doux ou au bain-arie jusqu'à ce que la crème soit épaisse. uis laissez refroidir.

À l'aide d'une corne en plastique, disposez sur un disque de pâte bresciana 1/3 du sabayon au marsala. Répartissez-le à la spatule métallique.

Recouvrez de pain d'Espagne, que vous badigeonnez de Grand Marnier avec un pinceau. Recouvrez d'1/3 de sabayon, de pâte bresciana, puis du dernier tiers de sabayon, sur le dessus et les côtés. Décorez de feuilles en chocolat.

BIANCAROSA ZECCHIN

Pinz

6 personnes ★★ **Préparation : 45 min**

25 cl de lait
125 g de farine de maïs jaune précuite
5 pommes
1 poire
50 g de raisins secs blonds
50 g de figues séchées
25 g de beurre
175 g de sucre en poudre
1 œuf

1 pincée de graines de fenouil
75 g de farine de blé
1 sachet de levure chimique
4 cl de cognac
Sel

Décoration facultative :
Miel
Cerneaux de noix

À Arquà Petrarca, dans les environs de Padoue, Biancarosa Zecchin élabore de succulentes pâtisseries qui contribuent au succès de son restaurant : "La Montanella". Elle propose notamment la *pinza*, étonnant gâteau à la farine de maïs et aux fruits, idéal pour régaler une nombreuse famille. Connu depuis le début du XIXe siècle, ce délice pouvait très facilement être réalisé avec les fruits du jardin (poires, pommes, raisins, figues...) et les œufs du poulailler.

Choisissez pour sa confection de la farine de maïs jaune de qualité, très fine. Les puristes vous diront que seule la *polenta* "classique" est digne d'intérêt. Mais il faut avoir le courage de remuer la préparation 45 minutes à 1 heure sur le feu pour obtenir une pâte épaisse... alors que la *polenta* "précuite" vous demandera seulement 20 minutes d'efforts ! Autrefois, cette farine constituait l'aliment de base des paysans de Vénétie, qui la consommaient absolument à tous les repas.

Pour faciliter le mélange et obtenir une pâte plus homogène, vous pouvez modifier légèrement l'ordre des ingrédients : ajoutez dans la *polenta* le beurre, le sucre puis la farine, la levure et le sel. Mélangez bien avant d'incorporer les fruits, l'œuf, le fenouil et le cognac. Ce dernier peut être remplacé par une eau-de-vie de votre choix. De même, certains préfèrent le goût plus prononcé de l'anis à celui du fenouil.

Avant de verser la pâte dans le moule, nous vous conseillons d'y déposer un grand morceau de papier d'aluminium beurré. Ainsi, le gâteau ne collera pas et sera facile à démouler. De préférence, préparez-le à l'avance et réservez-le : les arômes seront mieux développés, et vous pourrez y découper de plus belles tranches.

La *pinza* se conserve facilement quatre à cinq jours au frais... si toutefois vos convives ne l'ont pas entièrement dévorée dès le premier service !

Dans une casserole, versez le lait et 25 cl d'eau. Ajoutez peu à peu, tout en fouettant, la farine de maïs en pluie.

Tournez énergiquement la préparation sur le feu pendant une vingtaine de minutes, jusqu'à ce que vous obteniez une belle pâte jaune pâle ou "polenta".

Versez la polenta dans une terrine. Ajoute le beurre en morceaux et le sucre. Mélange bien le tout à la spatule.

.e Biancarosa

BIANCAROSA
ZECCHIN

Cuisson : 1 h 30

:pluchez les pommes et la poire, épépinez-
:s et coupez-les en quartiers.

Incorporez les morceaux de fruits dans la polenta. Mélangez délicatement.

Ajoutez cubes de figues séchées, œuf, raisins, farine, levure, sel, fenouil et cognac. Mélangez. Versez dans un moule beurré et fariné. Faites cuire le gâteau 1 h 10 au four à 180°C, jusqu'à ce qu'il soit doré et croustillant. Décorez de miel, de noix et dégustez frais.

PAOLO
ZOPPOLATTI

Presnit

4 personnes ★★★ **Préparation : 1 h**

Purée de pommes :
4 pommes vertes
80 g de sucre
1 citron
20 cl de vin blanc

Pâte du presnitz :
10 cl de lait
300 g de farine
60 g de beurre
30 g de sucre en poudre
2 œufs
10 g de levure de bière fraîche

1 citron
Sel

Farce du presnitz :
80 g de raisins secs
3 cl d'eau-de-vie
50 g de sucre
20 g de miel
60 g de cerneaux de noix
20 g de biscuits secs
20 g de chocolat noir
1 orange

Gâteau vedette de la pâtisserie frioulane, le *presnitz*, très proche du *strudel* viennois fait le bonheur des gourmands pour les fêtes de Noël et Pâques. Très fine, la pâte renferme une farce savoureuse aux raisins, chocolat, noix et orange. Dans la province de Frioul-Vénétie Julienne, les plats s'inspirent en effet de deux traditions culinaires : l'héritage austro-hongrois offre des recettes aigre-douces, tandis que la cuisine montagnarde propose des plats plus gras et plus acides. Habituellement, le gâteau cuit est parsemé de noix concassées et sucre de canne. Pour plus de raffinement, Paolo Zoppolatti vous propose de détailler des médaillons et de les disposer sur de la compote de pommes vertes.

Vous commencerez la recette en réalisant précisément la purée de pommes. Les fruits ne doivent pas être complètement fondus dans le sirop, mais seulement assez ramollis pour pouvoir être mixés. Ils apporteront à ce gâteau sucré une note fraîche et acidulée.

Vous procéderez ensuite à la confection de la pâte. Après avoir battu les nombreux ingrédients dans le robot-mélangeur, il est nécessaire de bien retravailler le tout à la main. Il vous faudra ensuite l'étaler le plus finement possible, en l'aplatissant à de nombreuses reprises à l'aide d'un rouleau.

Pour la farce, choisissez de préférence des biscuits sucrés secs et plats du type "petits-beurre", très faciles à concasser. Mais vous pouvez aussi utiliser des brisures de brioche.

La cuisson s'inspire des habitudes en cours à Trieste. Après avoir enroulé la pâte autour de la farce, enfermez-la dans un torchon ou dans du papier d'aluminium, puis faites-la pocher. Après cuisson, l'extérieur reste de couleur blanchâtre. Comme les pâtissiers d'Udine, vous pouvez aussi replier le gâteau sur lui-même en forme d'escargot, le badigeonner d'œuf battu et le laisser dorer 40 minutes au four.

Purée de pommes : épluchez, épépinez et détaillez 3 pommes. Dans une casserole, faites chauffer le sucre avec le vin blanc, le jus et l'écorce d'1/2 citron pour obtenir un sirop. Plongez les pommes dedans et faites cuire 20 min. Mixez puis réservez au frais.

Pâte : dans le bol du robot-mélangeur, versez farine, levure émiettée, beurre ramolli, écorce de citron râpée, lait, sucre, sel et œufs. Fouettez jusqu'à obtention d'une pâte à tarte. Laissez lever pendant 30 min.

Farce : dans un saladier, mélangez écorc d'orange râpée, chocolat haché au coutea sucre, miel, noix hachées, raisins macérés l'eau-de-vie et biscuits écrasés.

modo mio

PAOLO ZOPPOLATTI

Cuisson : 55 min **Levée de la pâte : 30 min**

talez la pâte sur le plan de travail recou-
ert d'un torchon. Répartissez la farce par-
essus avec une spatule en plastique.

À l'aide du torchon, roulez délicatement la pâte autour de la farce. Tortillez chaque extrémité du tissu et nouez-les avec de la ficelle de cuisine.

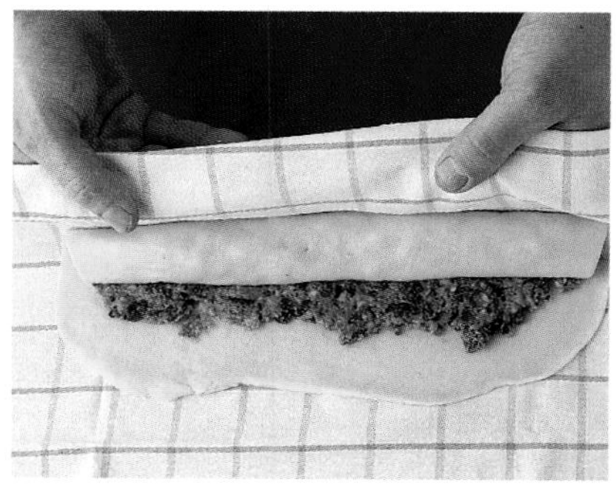

Plongez le gâteau "au torchon" dans un plat rempli d'eau bouillante salée. Faites-le cuire 30 min. Sortez-le de l'eau et enlevez le torchon. Coupez le gâteau en médaillons, déposez-les sur un lit de purée de pommes. Décorez de boules de pomme et zestes d'orange.

MARCO ET
ROSSELLA
FOLICALDI

Sabayon glac

4 personnes ★★ **Préparation : 40 min**

6 œufs
150 g de sucre semoule
70 cl de lait d'amande
80 cl de marsala
50 cl de crème fraîche
100 g d'amandes concassées
1 noix de beurre

Décoration :
Fraises
Amandes effilées
Copeaux de chocolat
Feuilles de menthe

Le sabayon glacé au marsala est une douceur typiquement italienne. Extrêmement raffinée, cette sorte de "parfait", dont l'origine remonte au XVIe siècle, est aujourd'hui renommée dans le monde entier.

Préparé autrefois le lendemain des noces, ce mets sucré était offert aux jeunes mariés pour leur redonner des forces ! Très riche, cette mousse à base de vin blanc, se dégustait alors tiède. Les Turinois, qui en revendiquent la paternité, adaptèrent au siècle dernier le sabayon en le parfumant de *marsala*.

Dans le Piémont, les habitants restent partagés sur le nom de celui qui inventa ce délice. Pour certains, il s'agit sans conteste de Bartolomeo Scappi, célèbre cuisinier de la Renaissance. D'autres, au contraire, l'attribuent au génie de Saint Pasquale Bayon, élu par les Turinois, en 1722 saint patron de *l'associazione cuochi di casa e famiglie*. Pour étayer leur hypothèse, ces derniers avance l'idée qu'en patois piémontais son nom se prononce *Sanbajun* et aurait donné ensuite *zabagliun* !

Facile à réaliser, cette préparation où les jaunes d'œufs sont blanchis avec le sucre, accorde au *marsala* une place de choix. Ce vin doux, typiquement sicilien, doit sa renommée à l'anglais John Woodhouse. Selon la légende, ce dernier fit naufrage en 1770, dans le port de *Marsh-allà*, la "porte de Dieu" en arabe. Après avoir goûté le vin local, il eut l'idée de concurrencer le *cherry* et madère, produits en Espagne. L'amiral Nelson lui passa une commande annuelle de 500 tonneaux, destinés à la flotte anglaise active en Méditerranée et mouillant à Malte. À Trafalgar, cette dernière qui battit les Français et Espagnols baptisa le vin sicilien *Marsala victory wine* et contribua ainsi à son succès !

Pour agrémenter le sabayon glacé, vous pouvez utiliser comme nos chefs des amandes ou selon votre humeur des noisettes. Quant aux fraises, elles peuvent être remplacées par n'importe quel fruit de saison.

Dans un cul-de-poule, versez le sucre et les jaunes d'œufs. Faites chauffer une casserole d'eau.

Mélangez énergiquement à l'aide d'une spatule en bois afin de blanchir la préparation.

Versez le lait d'amande. Mélangez de nou veau avec la spatule en bois.

.u marsala

MARCO ET
ROSSELLA
FOLICALDI

Cuisson : 1 min

Congélation du sabayon : 12 h

Posez le cul-de-poule sur la casserole d'eau frémissante. Versez le marsala. Remuez délicatement et faites cuire au bain-marie . min.

Versez dans un récipient la crème fraîche. Battez-la énergiquement à l'aide d'un fouet.

Mélangez la crème battue avec la préparation cuite au bain-marie en ajoutant progressivement les amandes concassées. Transvasez-la dans un moule beurré. Congelez 12 h. Présentez le sabayon en tranches. Décorez avec les fraises, copeaux de chocolat, amandes et feuilles de menthe.

PAOLO
LUNI

Tart

4 à 6 personnes ★ **Préparation : 25 min**

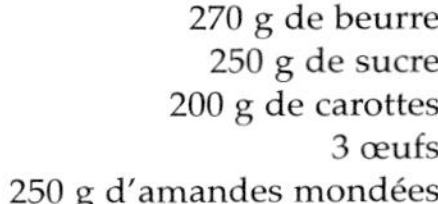

270 g de beurre
250 g de sucre
200 g de carottes
3 œufs
250 g d'amandes mondées

320 g de farine type 0
10 g de levure chimique
1/2 citron
3 cl de Strega
5 g de sel

La tarte à la carotte, ou *torta di carote*, en italien, figure parmi les gâteaux les plus caractéristiques du Trentin Haut-Adige. Dans cette région montagneuse limitrophe de l'Autriche, qui appartint tour à tour à différents pays au gré des conquêtes militaires, les habitants conservent les solides habitudes culinaires d'Europe centrale. Les skieurs qui fréquentent les stations d'altitude des Dolomites apprécient de se réconforter en dégustant cette pâtisserie très énergétique, riche en amandes et en beurre.

A priori, il peut paraître surprenant de préparer un gâteau à base de carottes. Mais leur saveur n'est aucunement dominante lors de la dégustation. De plus, elles ponctuent la pâte d'appétissantes petites touches orangées. Vous pouvez râper les carottes à l'aide d'une râpe à quatre faces, ou bien les passer au robot-mixeur muni d'un éminceur.

Les amandes confèrent à cette tarte une texture moelleuse et fondante. Selon Paolo Luni, la région des Pouilles fournirait les amandes les plus réputées du pays. Lui-même privilégie la variété "Bari", pour sa saveur douce et ses qualités exceptionnelles.

Choisie pour parfumer la tarte, la Strega ravit les palais italiens depuis environ 150 ans. Cette liqueur de couleur jaune pâle, mêlant des saveurs d'herbes sauvages, est fabriquée par une seule firme en Campanie, dans la province de Bénévent. Depuis son invention, la recette de ce breuvage exclusif a été jalousement tenue secrète. On la consomme aussi bien comme digestif, que pour parfumer les desserts.

Lorsque vous aurez versé la pâte dans un moule, n'hésitez pas, comme le fait notre chef, à la décorer artistiquement : commencez par installer des amandes sur les bordures. Du bout du doigt, tracez une spirale sur la pâte, jusqu'au centre et disposez le reste des amandes par-dessus.

Vous pouvez servir votre tarte à la carotte pour le goûter, accompagnée d'une savoureuse crème fraîche.

Épluchez les carottes et coupez les extrémités. Râpez-les sur les gros trous d'une râpe à 4 faces.

Dans une terrine, fouettez le sucre avec 250 g de beurre ramolli, jusqu'à obtention d'un mélange jaune pâle épais et homogène. Ajoutez les œufs et fouettez de nouveau.

Incorporez ensuite 300 g de farine mélangée avec la levure. Fouettez.

la carotte

PAOLO LUNI

Cuisson : 30 min

Ajoutez les carottes râpées et mélangez de nouveau.

Versez enfin la Strega, 200 g d'amandes en poudre, l'écorce de citron râpée et 1 pincée de sel. Fouettez une dernière fois.

Beurrez et farinez un moule à gâteau. Avec une corne en plastique, transférez la pâte dans le moule et répartissez-la. Décorez d'amandes mondées. Faites cuire 30 min au four à 190 °C.

PAOLO
LUNI

Tart

4 à 6 personnes ★★ **Préparation : 45 min**

Pâte :
200 g de sucre
200 g de beurre
4 œufs
1/2 citron
1 gousse de vanille
400 g de farine type 0
5 g de levure chimique

Crème :
20 cl de lait
1/2 citron

50 g de sucre
2 œufs
30 g de farine type 0

Farce :
300 g de ricotta de vache
90 g de sucre
2 œufs
50 g de farine type 0
30 g de pépites de chocolat
50 g d'écorce d'orange confite
1 pincée de cannelle en poudre

Nombreux sont les Italiens qui vouent un culte gourmand à la fameuse *torta di ricotta.* Cette tarte délicate et peu sucrée, proche de la croustade est largement répandue en Italie. Les Napolitains l'appellent *pastiera,* et l'enrichissent volontiers de grains de blé, d'eau de fleurs d'oranger ou de roses et de fruits confits. Elle est très appréciée des enfants à l'heure du goûter.

Pour une parfaite réussite, les ingrédients de la pâte et de la garniture doivent être mélangés de manière bien homogène. Lorsque vous confectionnez la pâte, prenez la précaution de pétrir longuement le beurre avec le sucre, avant d'ajouter les autres produits. Vous râperez l'écorce de citron directement au-dessus de la préparation, à l'aide d'une râpe à quatre faces.

La crème cuite qui servira de base à la garniture, doit être refroidie avant d'être incorporée dans la farce à la *ricotta.* Laissez-la d'abord tiédir à température ambiante, puis entreposez-la au réfrigérateur. Pour aller plus vite, Paolo Luni l'étale ordinairement en nappe sur un marbre, pour lui offrir une vaste surface de refroidissement.

Vous choisirez pour la farce de la *ricotta* très fraîche et d'excellente qualité. Ce fromage est fabriqué avec le petit-lait, ou "lactoserum" recueilli lors de l'égouttage du caillé de vache ou de brebis, qui est recuit puis égoutté. Sa texture crémeuse et sa saveur acidulée font merveille associées au sucre, au chocolat ou aux fruits confits. Déjà au XVIIIe siècle, le gastronome toscan Antonio Frugoli, auteur d'un ouvrage sur l'art de servir à table, conseillait d'utiliser ce délicieux fromage pour la confection de tartes et de beignets.

Lorsque la tarte aura bien doré dans le four, puis refroidi, notre chef vous suggère de faire fondre de la gélatine et de la passer sur le dessert à l'aide d'un pinceau. Vous obtiendrez ainsi une présentation digne des meilleurs pâtissiers.

Pâte : dans une terrine, versez le sucre et des tranches de beurre ramolli. Malaxez avec les mains. Puis ajoutez 1 jaune d'œuf et 2 œufs entiers, écorce de citron râpée, vanille grattée, farine et levure. Pétrissez bien la pâte et ramenez-la en boule.

Crème : faites chauffer le lait avec l'écorce de citron. Dans une autre casserole, fouettez sucre, 2 jaunes d'œufs et farine jusqu'à obtention d'une crème jaune d'or. Sur le feu, délayez avec le lait chaud et laissez épaissir 10 min en remuant. Faites refroidir 1 heure.

Farce : versez dans une terrine la ricotta, l sucre, 2 jaunes d'œufs et la farine, en fouettant régulièrement. Incorporez déli catement la crème jaune d'or préparé précédemment.

la ricotta

PAOLO
LUNI

Cuisson : 50 min **Refroidissement de la crème : 1 h**

dditionnez la préparation obtenue de épites de chocolat, petits cubes d'écorce 'orange confite et 1 pincée de cannelle. élangez une dernière fois.

Étalez la pâte au rouleau jusqu'à une épaisseur de 4 mm. Disposez-la dans un moule à gâteau de 25 cm de diamètre. Coupez et égalisez les bordures (réservez le surplus de pâte). Remplissez de farce à l'aide d'une corne en plastique.

Étalez le surplus de pâte et découpez-le en lanières. Croisez-les sur le dessus de la tarte. Dorez au jaune d'œuf. Passez au four à 180°C pendant 40 min. Laissez refroidir puis réservez au réfrigérateur.

PAOLO LUNI

Tort

6 personnes **★★** **Préparation : 30 min**

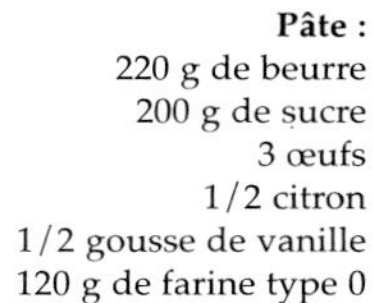

Pâte :
220 g de beurre
200 g de sucre
3 œufs
1/2 citron
1/2 gousse de vanille
120 g de farine type 0

Farce au massepain :
350 g d'amandes mondées
750 g de sucre
1/2 citron
1/2 gousse de vanille
4 œufs
100 g de pain d'Espagne

La *torta di mandorle* est dégustée depuis bien longtemps en Vénétie et au sud de la Lombardie. Ce gâteau sec très classique est consommé en fin de repas, accompagné d'un vin mousseux comme le prosecco. Il se conserve facilement une semaine.

Pour réaliser la pâte, notre chef vous conseille d'employer de la farine de type 0. Réservée aux pâtisseries qui doivent rester plates, elle donne une pâte non élastique. Pour les pains et les *panettone*, il choisit en revanche de la farine type 00, qui s'associe à merveille à l'action de la levure boulangère.

Pour faciliter l'étalage, farinez bien votre plan de travail, ainsi que la pâte au fur et à mesure que vous l'aplatissez, pour que rien ne colle. Elle doit cependant rester assez épaisse.

La garniture de cette tarte se compose essentiellement de massepain, mélange très moelleux à base d'amandes, de sucre et de blancs d'œufs. Les pâtissiers du haut Moyen Âge ne connaissaient pas le sucre ; il fut importé d'Orient au XIe siècle et resta un produit de luxe jusqu'à la Renaissance. Toutes sortes de friandises sucrées se développèrent à cette époque, dont le massepain, qui remporta un vif succès. À la fin du XVe siècle, le célèbre écrivain culinaire Bartoloméo Platina en proposait déjà une délicieuse recette.

Des miettes de pain d'Espagne vont enrichir la farce et la rendre plus molle. Pour réaliser ce biscuit très connu en Italie, mélangez 5 œufs et 2 jaunes avec 210 g de sucre, 210 g de farine et 50 g de fécule. Dans un plat à four, faites-le cuire 30 minutes à 180°C. Comme il vous en restera, vous pourrez réaliser avec le surplus un gâteau fourré à la crème, une charlotte... Pour plus de facilité, vous pouvez le remplacer par des biscuits secs concassés.

Pour la décoration finale, disposez joliment des amandes mondées à la surface du massepain, selon votre inspiration. Lorsqu'elle est dorée, démoulez la *torta* chaude sur une grille et laissez-la refroidir.

Pâte : dans une terrine, pétrissez avec les mains 200 g de beurre ramolli et le sucre. Ajoutez 2 œufs entiers et 1 jaune, l'écorce de citron râpée, la vanille grattée et 100 g de farine.

À la main, mélangez énergiquement les ingrédients de la pâte. Formez une boule. Abaissez-la à l'aide d'un rouleau, jusqu'à 4 mm d'épaisseur.

Enroulez la pâte sur le rouleau, et déposez-la dans un moule à gâteau de 25 cm de diamètre, beurré et fariné. Réservez.

i mandorle

PAOLO
LUNI

Cuisson : 30 min

*arce au massepain : mettez dans le bol du
bot-ménager 300 g d'amandes mondées,
sucre, l'écorce de citron râpée et la vanille
rattée. Mixez en poudre fine. Additionnez
4 blancs d'œufs. Mixez de nouveau.*

Coupez le pain d'Espagne en fines tranches. Émiettez-le dans le massepain et mixez une dernière fois.

Avec un doigt, roulez la pâte le long de la bordure du moule et appuyez pour marquer des festons. Remplissez de farce au massepain et répartissez-la régulièrement. Décorez d'amandes mondées. Faites cuire 30 min au four à 180°C. Démoulez chaud et laissez refroidir sur une grille.

LES ACTEURS

Maddalena Beccaceci

Sauro Brunicardi

Alfonso Caputo

Francesca De Giovannini

Michelina Fischetti

Marco et Rossella
Folicaldi

LES ACTEURS

Paolo Luni

Alberto Melagrana

Sergio Pais

Biancarosa Zecchin

Paolo Lopolatti

Délices d'Italie

Réalisation / Production
Fabien Bellahsen
Daniel Rouche

Photographe / Direction technique
Didier Bizos

Assistantes photo
Morgane Favennec
Hasni Alamat

Rédaction
Élodie Bonnet
Nathalie Talhouas
Avec la collaboration de
Elena Zapponi

Assistante de rédaction
Fabienne Ripon

Coordination pour l'Italie
Marco Folicaldi

Achevé d'imprimer sur les presses de PPO Graphic, 93500 Pantin

Dépôt légal : Juin 2002